Elena "Chizhova"

Елена Чижова

'Lavra'

ЛАВРА

роман

АСТ
Астрель
Москва

УДК 821.161.1-31
ББК 84(2Рос=Рус)6-4
Ч59

Дизайн — Альбина Бунина, в оформлении переплета
использован фрагмент картины П. Модерзон-Беккер «Деревья»

Чижова, Е.С.

Ч59   Лавра : роман / Елена Чижова. — М. : АСТ : Астрель,
2011. — 411, [5] с.

ISBN 978-5-17-071040-9 (ООО «Издательство АСТ»)
ISBN 978-5-271-32104-7 (ООО «Издательство Астрель»)

Елена Чижова, автор книг «Время женщин» («РУССКИЙ
БУКЕР»), «Полукровка», «Крошки Цахес», в романе «Лавра»
(шорт-лист премии «РУССКИЙ БУКЕР») продолжает свою
энциклопедию жизни.

На этот раз ее героиня — жена неофита-священника в «за-
стойные годы», постигает азы непростого церковного быта и бы-
тия... Незаурядная интеллигентная женщина, она истово погружа-
ется в новую для нее реальность, веря, что именно здесь скроется
от фальши и разочарований повседневности. Но и здесь ее ждет
трагическая подмена...

Роман не сводится к церковной теме, это скорее попытка вос-
создания ушедшего времени, одного из его образов.

УДК 821.161.1-31
ББК 84(2Рос=Рус)6-4

Подписано в печать 18.10.10. Формат 84х108/32.
Усл. печ. л. 21,84. Тираж 10 000 экз. Заказ № 361.

Общероссийский классификатор продукции
ОК-005-93, том 2; 953000 — книги, брошюры

Санитарно-эпидемиологическое заключение
№ 77.99.60.953.Д.012280.10.09 от 20.10.2010 г.

ISBN 978-5-17-071040-9 (ООО «Издательство АСТ»)
ISBN 978-5-271-32104-7 (ООО «Издательство Астрель»)

ЧАСТЬ I

...и что свяжешь на земле,
то будет связано в небесах...

Мф. 16:19

Опрокинутый дом

Нас было трое, собравшихся во имя Его в одном окраинном доме, который выбивался из ряда собратьев своей особенной, почти неправдоподобной протяженностью. Вряд ли кто-нибудь, кроме строителей, взявших на себя труд пересчитать его парадные, мог назвать их число; количество же квартир, соединенных в парадные блоки, легко достигало полутора тысяч. Об этом говорили номера, выведенные белым на последней из синих плашек. Дом был невысок, всего девять этажей, а потому больше походил на неудавшийся, почти комический небоскреб или башню, поваленную на землю — в сердцах. Этот дом, о котором не хочешь, да скажешь — *лежал*, выстроили в тупике бывшего Комендантского аэродрома. Дальше начинались Коломяги — нетронутая земля.

Из окон, выходивших в широкое, не ограненное другими строениями пространство двора, открывался мирный деревенский вид, однако взгляд, скользнувший вниз, различил бы огромную лужу, которую жители называли вечной. В первое же лето в ней утонул местный мужичонка. Его пьяные крики «Тону! Тону!» слышали из всех окон, однако призыв был таким нелепым, что никто не повел и ухом. Утром его белая, надутая воздухом рубаха долго пучилась над гладью вод, пока приехавшие милиционеры не вытянули утопленника двойным багром.

По вечерам, когда солнце садилось за дальние пустыри, окрестности тонули в спасительной тьме. Тьма укрывала рытвины и остатки строительного мусора, на глазах зараставшие будыльями иван-чая. Сам же дом загорался тысячами широких, почти лишенных простенков окон: пылал над землею девятью огненными полосами.

В те времена нас переполняла радость обретенного жилища, которую не могли омрачить ни смерть пьянчужки, ни буйство сорной травы, укрывающей окрестности, ни циклопические размеры поваленной башни-муравейника, в котором нам предстояло жить. Вначале нас было двое — муж и я. Три года, которые мы провели, скитаясь со своим скарбом по чужим комнатам, были сроком ничтожным, если сравнить его с десятилетиями ожиданий, выпавших на чужую долю; однако нам они показались долгими. Сколько раз, скользя глазами по рядам чужих окон, горевших вечерним уютом, мы представляли себе, как сядем за стол в своей кухне и задернем клетчатые шторы. В этих мечтах мы полагались на желтоватый электрический свет, способный отогреть холодный бетон наскоро возведенных стен; надеялись на электричество — волшебную силу, умеющую оживлять никем не заселенные прежде комнаты.

Наверное, не надо было приходить сюда раньше, чем строители закончат отделку. Я и не хотела, но роль будущих новоселов предполагала это промежуточное посещение: мы прошли по доскам, брошенным поперек ямы у недостроенного подъезда, и вошли в парадную.

Лифт не работал. Мы поднялись на шестой этаж и открыли свою будущую дверь строительным ключом. Я остановилась на пороге. Серый бетон, еще не одетый обоями, ошеломил меня. Сделав над собой усилие, как будто входила в склеп, я ступила на порог, стремительно, почти не глядя на бесстыжие стены, обошла комнаты и так же быстро вышла. «Потом, потом», — нужно было время, чтобы свыкнуться. Следующий раз я пришла сюда через два месяца. Теперь квартира выглядела живее. Призрак мертвого дома ушел в глубину. Развесив светильники и гравюры, раскатав ковер, прицепив шторы к карнизам, я загнала его глубже, на самое дно, где он и остался — невидный и неслышный.

Муж работал в школе — учителем английского и завучем по внеклассной работе. Собственно *часов* у него было немного. В его обязанности входили макулатура и металлолом, общешкольные линейки и военно-патриотическая игра «Зарница». Эту игру он ненавидел люто. Классы, на время игры переименованные в отряды, выходили в Таврический сад, где под его руководством проводили разведку на местности, организованные построения и смотры строя и песни. После каждой игры муж возвращался домой разбитый.

Для него, выпускника филологического факультета, работа оборачивалась ежедневной мукой, однако так уж сложились обстоятельства, что и за эти мучения он должен был благодарить Смольнинское районо. С прежнего места работы его уволили по негласному распоряжению, исходившему от районо Октябрьского, позволив, учитывая профессиональные заслуги, написать заявление по собственному желанию. Я имею в виду школу, в которой я училась, а он преподавал английский в старших классах. Строго говоря, наш роман начался *после* моих выпускных экзаменов, то есть сам по себе не мог бросить тени на среднее общеобразовательное учреждение, однако факт моего несовершеннолетия — до восемнадцати мне оставалось полгода — серьезно осложнил ситуацию. Конечно, мы соблюдали осторожность, стараясь не появляться на людях, но бывшая жена, ревнивая и истеричная красавица, с которой он расстался незадолго до этого, но не оформил развода, написала соответствующее заявление. Районовское начальство не могло не откликнуться.

Оказавшись на улице, муж обошел десятки школ, однако дурная слава, бежавшая впереди, достигала директорских ушей прежде, чем он брался за ручку школьной двери. Раз за разом, ссылаясь на полную укомплектованность штатов, ему вежливо отказывали, оглядывая с опасливым интересом. Не раз он пытался найти и другую работу, но участь технического переводчика — с девяти до шести, вход и выход по пропускам — казалась страшнее любой безработной доли. Его университетские друзья, с которыми той зимой мы встречались довольно часто, шутливо пеняли мне за то, что муж пожертвовал блестящей школьной карьерой. Ради меня.

К весне, дождавшись моего совершеннолетия, мы поженились. Судя по всему, городское начальство рассудило, что грех прикрыт венцом, и нынешняя директриса, долго и безуспешно искавшая добровольца на *патриотическую* работу, неожиданно согласилась рассмотреть его кандидатуру и, рассмотрев, дала согласие, намекнув, что отныне именно ей, женщине широких взглядов, он должен быть благодарен по гроб жизни. С тех пор прошло три года, и все это время муж втайне надеялся, что рано или поздно все образуется, а пока со стоическим спокойствием сносил замечания директрисы, не раз просившей его купить, наконец, новые брюки. В школу он ходил в латаных-перелатаных. На брюки денег не было: комната отошла прежней жене, и после покупки квартиры мы сидели в долгах.

Однажды муж пришел домой поздно. Сказал, что виделся с епископом Николаем, ректором Духовной академии, который предложил ему место преподавателя русской литературы. Предложение удивило меня. Все-таки муж закончил английское отделение, хотя и русскую литературу знал замечательно: с самого детства был заядлым книгочеем. Собственно, первые настоящие уроки я получила от него, когда, скитаясь по чужим квартирам, мы засиживались далеко за полночь, и муж с энтузиазмом, заставляющим сожалеть о малочисленности аудитории, представленной одним-единственным слушателем, пускался в долгие рассуждения о русской прозе и поэзии. Для меня, недавней выпускницы общеобразовательной школы, его устами открывалась бескрайняя страна, по которой мы продвигались вперед с упорством английских мореплавателей, самый язык которых — так он говорил — был языком пиратов. Пути же русских писателей, взрастивших свой собственный язык, выводили к материкам и мысам, названия которых — по прошествии десятилетий — составили литературную энциклопедию. Впрочем, наши полунощные воды довольно скоро обмелели: сказывалась его школьная и моя институтская усталость. На третьем году нашей общей жизни, хлебнув горького филологического опыта мужа, я поступила в финансово-экономический институт и весь первый курс, из вечера в вечер, допоздна конспектировала Маркса. Теперь, когда владыка Николай, будто догадавшийся о прошлом, предложил именно русскую литературу, мое мгновенное удивление сменилось радостью, словно бы — в новой, существенно расширившейся аудитории — в нашу жизнь возвращались первые времена любви.

О владыке я слышала и раньше. Муж рассказывал, что когда-то давно, в детстве, когда им обоим было лет по двенадцать (впрочем, муж был года на два постарше), они прислуживали в Знаменской церкви, тогда еще не взорванной. Володя (имя Николай он принял в постриге) происходил из семьи священников и после окончания школы пошел в Духовную семинарию. После Академии он сделал быструю карьеру, став епископом. С тех пор их пути не пересекались, но моя свекровь, прихожанка Академической церкви, кажется, замолвила словечко за сына, и вот теперь Николай пригласил мужа на разговор.

Едва коснувшись будущих профессиональных обязанностей — «Не мне советовать вам, выпускнику университета» (теперь, по прошествии лет, Николай обращался к мужу по имени-отчеству), — владыка ректор подчеркнул необратимость решения, если таковое будет принято. «Вы должны понять, что обратной дороги не будет ни для вас, ни для вашей семьи. Запись в трудовой книжке о *таком* месте работы навсегда закрывает двери государственных учреждений, в особенности образовательных. Уйдя от нас, в школу вы не вернетесь. Кроме того, известные трудности могут возникнуть и у вашей супруги, я имею в виду комсомольскую организацию ее института, ведь она учится, не правда ли? Но, конечно, мы не беспомощны», — ректор сдержанно улыбнулся.

Муж рассказывал взволнованно. То словно бы продолжая разговор с владыкой, в котором он, по своей нынешней почтительности, все больше хранил молчание, то погружаясь в детские воспоминания, он признавался в том, что возвращение в церковь — его давняя мечта, окрепшая в последние годы. Церковь, о которой он рассказывал, представлялась замкнутым миром, полным сыновности и отцовства. Особенная теплота пронизывала воспоминания об отце Валериане, которому муж, по его признанию, был обязан воцерковлением. Об этом я слышала впервые, никогда прежде он не упоминал об отце Валериане. Теперь, заметно волнуясь, муж рассказывал о тихих безветренных вечерах, когда, отслужив, отец Валериан уходил в свой домик, и он — мальчик, не знавший отца, — стучался в крайнее окошко и входил в кабинет, заставленный книгами. В этот книжный мир, созданный стараниями старца, не проникала уродливая жизнь. Пастырь, служивший в маленьком храме на Сиверской, привел ко Христу великое множество людей. Его духовные чада, стремившиеся на Сиверскую из разных, подчас действительно дальних мест, рядом с ним обретали силы и покой. Для каждого из них, никогда не впадая в суровость, отец Валериан умел найти необходимое сочетание твердости и милосердия. Человек, измученный сомнениями, покидал маленьких храм, чувствуя за спиной необоримую, но милосердную силу, которая — перед лицом карающей жизни — стояла на его стороне.

Я слушала слова, отдававшие детской теплотой, и видела маленькую калитку, за которой стоял светлый и мудрый старец. «Он умер», — словно распознав мою невнятную тоску, муж заговорил о красоте уединенных служб, дрожащих старушечьих голосах, выпевавших вечные слова истины. «Нет и не может быть ничего прекраснее», — сняв тяжелые очки, муж вытер глаза. Я понимала: сегодняшний разговор с владыкой упал на мягкую почву. Муж надел очки и заговорил по-взрослому.

Мы сидели на кухне, задернув клетчатые шторы, и раздумывали так и этак («Да ладно, не те времена!») и к утру, взвесив все за и против («Ты должна понять, это мой *шанс*!»), решили — надо идти. Забегая вперед, скажу, что комсомольскую организацию эта история так никогда и не заинтересовала.

На следующий день муж отправился в Академию («Надо сразу, а то еще решат, что раздумываю») и дал согласие. Дальше все как-то замерло, муж сказал, что это не такое простое дело, церковь должна все *прокачать* и где-то там согласовать, но в тонкости я не вдавалась, да и вряд ли владыка Николай посвятил бы мужа в эту непростую кухню. Отношения церкви и государства — сундук за семью печатями. Только через три месяца нам позвонили из приемной ректора и вызвали мужа в отдел кадров. У них он тоже имелся.

На новую работу муж вышел после каникул — в сентябре. Ему дали несколько семинарских классов. Уроки походили на школьные — опросы, изложения, сочинения, однако *уровень* учащихся (в этом муж признавался сокрушенно) был очень низким. Он объяснял это политикой государства, поощрявшего прием в семинарию выходцев из глубокой провинции: «На ленинградцев установлена квота». Столь же низкой была и квота, регулирующая прием в Академию выпускников высших учебных заведений. «Ну, меня-то они примут!» — муж повторял не очень уверенно, ссылаясь на обещание Николая. Владыка выделял университетских.

Как бы то ни было, но муж оживал на глазах. Новый предмет требовал дополнительных усилий, и он, засиживаясь до глубокой ночи, освежал в памяти университетские учебники, всерьез увлекшись мыслью дать ребятам *нормальные* знания. Внешне он тоже изменился. Исчезла школьная вялость, от которой прежде не спасал и юмор, исчезли и латаные штаны: новая зарплата сулила скорое освобождение от долгов — приятное чувство, давшее некоторую свободу гардеробным маневрам.

Прошло несколько месяцев, и муж, хитро подмигнув, выразил удивление: «Странно, почему тебя до сих пор не *дернули*? Должны бы уже прореагировать. Их каналы работают исправно». В голосе сквозило какое-то восхищение, словно мы собрались на театре военных действий, и речь шла о достойном противнике. «Ты прямо как в свою "Зарницу" играешь — разведка на местности». Шутка была недостойной. Он правильно обиделся.

К весне, обжившись на новом месте и сведя кое-какие более или менее короткие знакомства (говорю уклончиво, потому что среди *них* — академических и семинарских — муж пока еще оставался чужаком, пришедшим из другого мира), он завел разговор о том, что мне надо покреститься, все-таки неудобно, да и вообще — надо. Самого-то его крестили в младенчестве: мать тайно пригласила священника на дом. Моя же бабушка, опасаясь гнева матери, в церковь меня снести не решилась, однако время от времени приводила в Никольский, она говорила: покормить гуленек. Голубей было несметное множество. Они важно ходили от колокольни к собору, уркая полными зобами. В Николе ее и отпевали.

Мама назвала мне неправильное время. Я отпросилась пораньше, с последнего урока, но когда пришла, гроб уже закрыли. Их стояло несколько, оставленных до прихода автобусов.

В церкви было пусто, черная свечница шевелилась за стойкой у входа. Тихонько плача, я пошла вдоль, ведя рукой по жестким боковым кистям, словно ослепла и только на ощупь могла опознать *свой* гроб. Я встала у одного, затянутого мелким ситчиком, и ткнулась лицом в жесткий угол доски. На мой крик сбежались отовсюду, совали свечку, шептали: «Сирота... это — мать, мать...» На следующий день, на кладбище, ситец стал другим — красноватым. Даже себе я не хотела признаться, что тогда, в полумраке собора, выла над *чужим*. Я сказала себе: нет, это — свет, желтые отсветы, мелкая рябь горящих свечей. Я не могла ошибиться, ведь она растила меня.

Не знаю почему, но теперь, когда муж заговорил о крещении, я вспомнила о той ошибке и рассказала ему, призналась. И тогда он сказал: бабушка простила тебя, это не твоя вина, она будет рада, что ты покрестишься. «Знаешь, я помню, *так* говорил отец Валериан». Он сказал, и я поверила.

У тех, кто крестился в церкви, требовали паспорта. Паспортные данные заносили в какую-то амбарную книгу. О том, кто заглядывал в нее после, можно было только догадываться. Мы решили, что я буду креститься тайно, муж сказал: не надо дразнить гусей. Он сам договорился с отцом Петром, приходским священником церкви Кулича и Пасхи, которого знал в детстве, и теперь возобновил знакомство. Об отце Петре муж говорил с восхищением, о нем и его семье: замечательная самоотверженная матушка, две дочери — красавицы и умницы Миля и Оля, одна закончила медицинский, другая — в педагогическом, и сын-инвалид. Об этом сыне он упомянул как-то вскользь. «Миля вообще писаная красавица, Оля тоже красивая, но от рождения у нее была заячья губа, потом сделали операцию, остался едва заметный шрамик, который ее совсем не портит. Миля — старшая, за ней Оля, все дело в резус-факторе, тогда таких анализов не делали, третий ребенок всегда рождается инвалидом. Да если бы и знали, — он сказал, — разве матушка стала бы *избавляться* — Бог послал».

Отец Петр жил рядом с церковью на втором этаже деревянного дома. Мы пришли рано — вечерняя служба еще не завершилась. Муж сказал, что отец Петр служит добросовестно — не сокращает. Нас встретила матушка и предложила чаю. Муж отказался, я тоже — за ним. «Ну, дожидайтесь», — матушка пошла к двери, оставляя нас.

Я огляделась, примечая иконы в тяжелых окладах, крестом расшитую дорожку на комоде и кружевной подзор на высоких, горкой сложенных подушках. Странное чувство, словно я попала в чужой мир, овладело мною. Я хотела сказать мужу, но в этот миг в комнату вошла девушка. В ее лице не было красоты. Белый шрам, не очень заметный, подхватывал верхнюю губу, подтягивая ее к носу. Нижняя тянулась вслед, от чего и рот, и подбородок казались немного вздернутыми. Забыв о том, что хотела, я взглянула на мужа: он не мог *не видеть*, а значит, восхищаясь и называя красавицей, повторял *чужие* слова. Девушка кивнула, здороваясь. Улыбка чуть-чуть растянула шрам, делая его почти незаметным, и все лицо на мгновение похорошело. Мгновенное преображение обрадовало меня, как будто оправдало его слова, я очень хотела найти оправдание, и вот — нашла. За нею уже входила сестра, простоватым лицом похожая на мать. Наученная, я всмотрелась внимательнее: старшую красили острые, сверкающие глаза, но когда матушка вернулась и встала рядом, я поняла, что эти глаза — не материны.

«Не хотите ли посмотреть книжки, у Петеньки много», — матушка обратилась ко мне с церемонной мягкостью. Полной рукой она указывала на полуоткрытую дверь, за которой угадывалось шевеление. Я кивнула. Муж посмотрел на меня испуганно, словно для этой предстоявшей встречи моего нового умения было мало, и он боялся на меня положиться. Предваряя, матушка заговорила высоким голосом: «У нас гости, Петенька!» — и я вошла.

Дверь за моей спиной закрылась, словно кто-то, не желавший видеть моего позора, закрыл мне выход. В маленькой комнате, полной книг, сидело существо, один взгляд на которое заставил трепетать мое сердце. Я увидела тяжелую, как будто налитую, голову, руки, изломанные в локтевых суставах, длинные пальцы, сведенные судорогой. Взявшись цепко, пальцы поворачивали страницу зеленой книги с золотым обрезом. Он обратился в мою сторону, неловко выворачивая шею и вжимаясь ухом в плечо.

«П-о-оите, па-а-уста». Голос полз со дна гортани, сочился сквозь раскрытые губы, которые — я догадалась — силились сложиться в улыбку. Короткая надежда поднялась во мне, но рот его разомкнулся, не сложившись. Во мне было пусто, ничего, кроме стыда, страха и отвращения. «Вы юбите к-иги..?» Мальчик-инвалид, не закрывающий рта, радовался и смотрел на меня сестриным сияющим взором. Под его пальцами поворачивались страницы, изукрашенные картинками насекомых. Он цеплял и смотрел на меня, искал разделить со мною радость. Голосом, не похожим на голос, рассказывал, выговаривая русское и латинское названия. Его знания были обширными.

Мы сидели, рассматривая картинки, когда вошел высокий, очень красивый старик в подряснике с большим крестом на груди. Он ласково поздоровался со мной и подошел к сыну. Ни тени боли не промелькнуло в его сияющих глазах, словно взгляд, остановившийся на *таком* сыне, умел отбрасывать видимое, проникал в невидимую глубину. Не поднимая глаз, почти украдкой, я слушала, как отец, склоняясь над книгой, хвалит сына за усердие. Потом он пригласил меня за собой, и, пока мы шли, я думала о том, что ему — священнику — так и до́лжно. Такой сын, от одного взгляда на которого страхом и отвращением обливаются неумелые сердца, и дан, чтобы *научить*. Но я — я выходила из этой комнаты, не умея смириться, знала, что никогда не научусь. Я не хотела *этого умения* — такой ценой, потому что помнила книгу, за которую цеплялись пальцы, и хотела красивых здоровых детей, которые не учат родителей видеть невидимое.

Каморка отца Петра, куда мы пришли, была выгорожена фанерой из угла большой комнаты. Из-под светлых обоев проступали швы плохо пригнанных фанерных щитов. Слева вдоль стены стояла узкая кровать, застланная темным шерстяным одеялом. В правом углу светились три иконы. Крайние висели вполоборота, как дверцы трюмо. Под средней теплилась красноватая лампада, формой напоминающая голубя.

Помолившись на моих глазах, отец Петр принялся расспрашивать о моей жизни, спросил, что привело меня в церковь, знаю ли молитвы. Я сказала, что пока что не знаю, но верю. Очень хочу верить. На некоторые вопросы я отвечала искренне, на другие — с оглядкой на новую службу мужа. В продолжение моего рассказа взгляд отца Петра был приопущен, как будто ему и не нужно было смотреть на меня, однако волны мягкого света лились мне навстречу из-под его ресниц. Тихий шорох прогоравшей лампады, серебряные нити бороды, легкое покачивание лампадного голубя соединялись в картину мира, доселе мне неведомого и убаюкивающего душу. Я говорила о своем прошлом и, забывая о том, что видела сегодня, вычеркивала сегодняшний день из своей жизни. Без этого дня она легко выстраивалась в связный рассказ. Дослушав, отец Петр назначил день

18

и час, задал выучить две молитвы — Богородицу и Символ веры — и позаботиться о крестильной рубашке, в которую я должна была облачиться. Дома, разложив выкройки, я придумала и сшила просторную белую рубаху с широкими рукавами и округлым вырезом. Ее я украсила прошвами и розоватой тканой тесьмой.

Забывая обо всем, я вчитывалась в слова молитв, самая красота которых выходила за рамки русской литературы, но вопреки хронологической очевидности, которой я, поглощенная невиданными звуками, попросту пренебрегла, именно литература казалась мне первым видимым слоем, из которого они поднимались, как из тучной почвы, забирая ввысь — к небесам. Слова дрожали на губах — *Яко Твое есть Царство и сила и слава,* — я стремилась за ними, замирая от восторга, словно каждое выросшее слово пробивалось из моей собственной — тощей и бессловесной — души.

Перед крещением исповедоваться не нужно. Оно смывает грехи, все, включая первородный. Так объяснил мне муж, и я сказала, что те, кто крестятся взрослыми, — в лучшем положении. Муж ответил, что, напротив, они сильно рискуют. Этого я не поняла.

В назначенный день я поехала одна. По дороге я внимательно думала о своих прежних грехах, как будто теперь, когда мне было обещано прощение, я должна была вспомнить о них — перебрать. Сам первородный грех представлялся мне довольно смутно, то есть, конечно, я знала библейские события, но с трудом могла приложить их к своей собственной жизни, а потому, стараясь ничего не упустить, вспоминала какие-то школьные истории, в которых повела себя недолжным образом, но странное беспокойство овладевало мною. Мне казалось, что вдаваясь даже в самые мельчайшие подробности, я упускаю что-то главное, как будто, как говорила моя бабушка, за деревьями не вижу леса. Опасаясь все испортить, я уговаривала себя: «Это просто волнение. Если я что-нибудь и упустила, в этом нет ничего страшного. Раз уж Бог прощает все, даже первородный, мне простится и то, о чем я не могу вспомнить. После крещения *все* грехи исчезнут. Я стану совсем другой».

Отец Петр подивился красоте рубашки, сказал, что я угадала — такие были у первых христиан. Больше мы ни о чем не разговаривали. Жестяной таз уже стоял на табуретке. Трижды он призывал меня дунуть и плюнуть, отрекаясь от сатаны, трижды я дула и плевала, отрекаясь, трижды я склонялась над тазом, когда он сбрызгивал водой мою голову.

Обряд закончился, я сложила рубаху и ушла, сосредоточенно думая о том, что теперь *их* нет. Дойдя до трамвайной остановки, я села на лавку и приготовилась ждать. В этот ранний час трамвая не было. Я сидела и думала о том, что все плохое ушло. Мне дано прощение и оставление грехов, всех, даже тех, о которых я не знала. Оно *уже* дано, я должна быть спокойна, но я возвращалась, силясь понять. Что-то вспыхивало во мне, гасло, так и не сложившись. Мысль, не умея зацепиться, скользила по гладкой поверхности. Те, кто крестятся взрослыми, рискуют... Нет, он говорил не об этом, я знала, что он говорил о другом, он говорил — все, даже первородный, но я — я ничего не могла поделать. Я знала, что среди моих еще не очень взрослых грехов не было смертных, но те, которые были, никуда не исчезли. Я прислушивалась со страхом и трепетом, я слышала их шевеление. Не подчинившись таинству, они говорили со мной, цеплялись за мои страницы сведенными пальцами, *оставались* в моей так и не дождавшейся чуда душе. Мое сердце облилось страхом. Я обернулась к куполам Кулича и Пасхи и с тоской, которой раньше не знала, додумала до конца: неужели надо мной *оно* не имеет силы?

Домой я вернулась поздно. Неожиданные институтские дела задержали меня дольше обычного. В продолжение дня я мысленно возвращалась к утренним событиям, но как-то мельком. От будничных дел я очнулась на автобусной остановке. Подняв глаза, я увидела людей. Их лица разъедал электрический свет. Фонарь качался в проводах, брошенных над остановкой, и в его шатком свете чужие автобусные лица выглядели набрякшими. В них проступала застарелая усталость, не имеющая ничего общего с обыденной — дневной. За рабочий день такой не накопить. Окруженная чужими телами, я взглядывала исподтишка, и мои глаза, выхватывающие то женскую травленую прядь, то жесткий угол словно топором вырубленного лица, опускались в тоске. Люди стояли молча, не глядя друг на друга. Каждый думал о своем, словно в коротком, лишенном смысла автобусном одиночестве накапливал силы для последнего ежевечернего рывка. Я не думала о своем опрокинутом доме, я просто попыталась представить: ну, вдруг, вдруг они все покрестятся, неужели тогда, как последний грех над купелью, с их лиц сойдет заскорузлая усталость, и они воссияют, как дети, — в покое и чистоте? Такого исхода я представить не могла.

Тяготы бессмысленной, безысходной жизни бороздили их лбы и щеки, и, отводя глаза, я укреплялась в мысли, что ничего нельзя изменить. Выбравшись из автобуса, я пошла вперед по привычной дорожке. Не пройдет и минуты, как я, пробежав мимо вечной лужи, войду в парадную, скроюсь в мягком свете моей оживающей под руками квартиры — но эта мысль, прежде утешавшая меня, теперь не прибавляла сил.

«Ну, что?» — муж выходил из комнаты мне навстречу. Борозды чужих морщин были глубокими, как неведомые мне смертные грехи. «Потом, потом», — я вошла в кухню и задернула девять грозных огненных полос, уже горевших над землею. Он вошел за мною следом и, понизив голос, сообщил, что у нас неожиданный гость — Митя. Пришел, сидит в гостиной. В его глазах мелькнуло раздражение.

Дмитрия Британишского, давнего приятеля мужа, я выделяла из университетских. В этой компании мыслящих и образованных людей он казался едва ли не белой вороной. Его суждения, к которым они прислушивались, отличались особенной глубиной и точностью, теперь я сказала бы — системным подходом. О чем бы ни заходил разговор — об истории России, новой самиздатовской книге, возможных последствиях очередного решения партии и правительства, — именно от Мити они ожидали последнего слова, расставляющего все точки над i. В отличие от них, порой грешивших легкомыслием (анекдот, рассказанный к месту, мог нарушить течение дискуссии, отвлекая мысли в сторону), Митю ничто не сбивало с толку. Оттолкнувшись от чьей-нибудь реплики, он мог пуститься в долгие рассуждения, за поворотами и перипетиями которых его собеседники с трудом могли уследить. Не то чтобы он подавлял своей эрудицией, но ясность и острота ума, позволявшая во всем доходить до сути, обеспечила ему особое положение в их, на мой взгляд, блистательной компании.

Было еще одно отличие, которое заставляло меня относиться к Мите по-особенному. В нем не было непринужденной развязности, свойственной остальным университетским, которая давала им право шутить по любому — даже не располагающему к шутливости — поводу. Говоря по правде, шутить он не умел и, видимо зная за собой это свойство, предпочитал отмалчиваться там, где другие находили повод для шутки.

Кроме того — это я тоже отметила сразу, — в его облике присутствовала какая-то старинность, как-то по-особому подчеркнутая модной одеждой: джинсами, кожаной курткой, сумкой через плечо, — в этом смысле он не выбивался из образа времени, разве что в лучшую сторону. От многих других он отличался еще и тем, что избегал рассказывать о себе, предпочитая общие рассуждения, как будто считал себя фигурой слишком скромной на фоне общественных событий.

В моих глазах Митя вообще был загадочной личностью, поскольку в его прошлом осталась какая-то темная история, о которой сам он никогда не упоминал. О ней я узнала от мужа. Было время, когда Митя зачастил в Москву: там организовался какой-то кружок, не то философский, не то религиозный — в шестидесятые годы это входило в моду. Как бы то ни было, но дело вскрылось, хотя власти особенно не свирепствовали. «Впрочем, — обмолвился муж, — кто их знает — все эти московские дела...» В Ленинграде Митю *вызывали* и даже грозили отчислением, но потом оставили в покое, видно, сочтя его роль ничтожной. В те времена подобных кружков развелось порядочно, но все постепенно стихло, надо полагать, не без вмешательства *органов*. Какие-то из них, возможно, и действовали, но соблюдая правила конспирации.

Через несколько лет неприятная история забылась, так что позже Митю даже *выпустили* в Индию — в течение нескольких лет он работал переводчиком в Калькутте. Впрочем, эта удача никак не сказалась на его будущей карьере: возвратившись, он устроился техническим переводчиком в научно-исследовательский институт.

С Митей я познакомилась давно, сразу же после замужества, и в одну из первых встреч вдруг подумала, что слишком рано вышла замуж. К этой мысли я больше не возвращалась, тем более что сам он не давал ни малейшего повода...

Кажется, они сидели давно. На низком столе, подсвеченном желтоватой электрической лампой, стояла опустевшая бутылка. Поздоровавшись, я присела на подлокотник, оглядывая столик: остатки сыра, хлебные ломти — случайная закуска. «Хочешь, там есть еще пельмени», — муж предложил заботливо, входя следом за мной. Обойдя низкий стол, он прошел к письменному и сел вполоборота. Раздражение, мелькавшее в его глазах, мешало повернуться лицом. «Я... прервала?..» — теперь и я почувствовала себя неуютно. «Нисколько, — Митя откинулся в кресле. — Я как раз говорил о том, что вам надо меняться, в центр, к этому не привыкнуть, что-то циклопическое... человеку не сладить. Хотя есть и плюсы: например, отсутствие телефона. Пока не поставят, можно разговаривать без оглядки», — Митя улыбнулся кривовато и оглядел стены. Я представила себе новую суету обмена и переезда и покачала головой: «Да нет уж, и кто сюда поедет... на выселки». — «Ой, не скажи, *наш народ*, — он снова скривился в усмешке, — выселки любит: воздух, говорят, чище, да и к истокам ближе — все по-ихнему, по-деревенски. Эх, понагнал батюшка Романов видимо-невидимо, цельный Ленинград».

«Не знаю, как насчет воздуха и истоков, но *меня*, — теперь муж, наконец, обернулся, — из этого дома вынесут только вперед ногами. Хватит, больше никаких переездов и обменов — на мой век хватит». Не скрывая раздражения, он рывком отодвинул стул и поднялся. «А я вот, грешный человек, предпочел бы, чтобы меня вынесли откуда-нибудь... Нью-Йорк, Лондон, на самый худой конец — Калькутта... — Митя прищурился мечтательно, — лишь бы подальше от родной землицы... Никак не могу свыкнуться с мыслью, что в ней мне и гнить».

Тоска, поднявшаяся в автобусной толчее, медленно возвращалась. С этого места я знала наперед. Стоило появиться университетским, как рано или поздно разговор въезжал в привычную колею, словно кто-то невидимый, тихонько сидевший меж ними, выжидал момент, чтобы, вынув из конверта, поставить пластинку, заезженную до белизны. В этой симфонии у каждого была своя партия. Митина начиналась с народа-богоносца, нельзя ничего исправить, что можно поделать с вырождением...

«В сущности, — откинувшись, он заговорил вдохновенно, словно мысль, множество раз разыгранная до мизинца, влекла и вдохновляла его, как новая любовь, — это не один, а два народа, раскол *генетический* — глубже любой пропасти, от самых Петровских реформ». В который раз я слушала рассуждения о том, что Петр — первый большевик, нынешние — жалкие эпигоны, но ни в коем случае нельзя с ними сотрудничать, *любая* карьера — позор и стыд. Мысль о карьере показалась мне новой. Прежде Митя об этом не заговаривал, возможно, потому, что никому из *нормальных* университетских блестящая карьера не грозила. Редкие из них, уходившие *в князья,* мгновенно и безоговорочно исключались из университетского ордена.

Я сидела в глубоком кресле и, не больно прислушиваясь к словам, смотрела в его лицо, и странная мысль, далекая от непримиримых слов, томила мое сердце. Когда-то давно я им восхищалась, но теперь видела болезненный излом его рта, неловкий палец, касавшийся уголка губы, белевшие ненавистью глаза и думала о том, что безо всяких усилий могу представить его среди автобусных лиц: лицо сидящего передо мною было неприятно набрякшим. Его острые, тонко очерченные скулы вылезали желваками — ходили под кожей. Под слоем живой и памятливой ненависти я видела давнюю необоримую усталость, с которой даже ненависть не могла сладить. В сравнении с Митиным лицо мужа было высокомерным, словно новое положение, выстраданное мытарствами, давало опору, на прочность которой он мог и желал положиться. Высокомерие отчерчивало грань, за которую Митя, оставшийся в ряду неприобщенных, не имел права шагнуть. Словно расслышав мои мысли, Митя заговорил о прошлом, в котором муж не посягал на его духовное первородство.

«Вспомни, как было в университете, всех щупали, всех проверяли на вшивость, дергали одного за другим. Где, — он обвел рукой, забирая широкую окружность, — где, скажи на милость, по-другому? Одно и то же, сообщающиеся сосуды. Ты думаешь, в церкви иначе?» — кривясь, Митя погрозил пальцем. Муж включился мгновенно. Вскинув голову, он заговорил о митрополите Вениамине, о затопленных баржах, полных людьми, о непримиримой церковной памяти, ничего не *отпустившей* этому государству. Он говорил об обязанностях здесь родившихся, о том, что народ достоин лучшего, и лицо его искажалось ненавистью, однако в устах, научившихся высокомерию, она принимала какую-то стертую форму. «Да что говорить, если у верующих отнимали детей, отправляли в интернаты, лишь бы не допустить религиозного воспитания...» — «Ну, в интернаты не только у верующих». Я видела, Митя устал и сник. Уже из последних сил, не поднимая глаз, он сказал, что у всех, родившихся здесь, есть одна обязанность — *ненавидеть*.

Теперь, когда он выговорил ключевое слово, напряжение отпустило его, однако напор, с которым он говорил до последнего, не прошел даром: муж взял примирительный тон. В сущности, речи не идет о карьере, он пошел на мелкую, незначащую должность, некоторую особость которой придает лишь место работы. В любой нормальной стране никто не обратил бы внимания — учитель и есть учитель. «Все, на что я настроился, — учить литературе. Если бы я пошел, например, в Лесгафта, ты бы и ухом не повел». Мысль о физкультурном институте смягчила напряжение. Улыбаясь, Митя ответил, что, возможно, его собеседник прав. Кто-то должен раскрыть книги перед клириками, отнюдь не испорченными знаниями такого рода. «В преддверии новой Реформации, — он усмехнулся. — Ну что ж, станешь видным гуманистом на манер Томаса Мора. Бог даст, еще обличишь их схоластику и напишешь собственную "Утопию"— на радость новым большевикам, — Митя говорил весело. — Помнится, Мор страсть как любил обличать пороки духовенства». — «Угу, а в награду мне торжественно отрубят...» — ухмыляясь, муж пристукнул по столу ребром ладони.

«Ладно, поставь что-нибудь, послушаем, и — поеду». Муж поднялся с места и, как-то смущенно улыбнувшись, пошел к магнитофону. Расхристанные бобины лежали горкой. Он искал, перебирая. «Даже не знаю... Может, о Корчаке или бегунов на длинные...» Я обрадовалась — первой шла моя любимая «Легенда о Рождестве»... Митя пожал плечами, мне показалось, недовольно. Муж приладил пленку.

Прислушиваясь к медленному шуршанию, я ждала, что голос, здесь берущий выше обычного, вступит глуховато и неспешно: «Все шло по плану, но немного наспех, а впрочем, все герои были в яслях, и как на сцене заняли места...» Я уже вздохнула, готовясь соединить свое дыхание с первой строкой, но голос, выбившийся наружу, взял ясно и низко: «Фантазии на русские темы для балалайки с оркестром и двух солистов: тенора и баритона». Муж обернулся вопросительно. Митя закивал.

Это была страшная песня. Тенор, вступавший первым, тянул гласные, выламываясь в камаринской. Из-под плясовой, еще не видный и не слышный, готовился выступить баритон. Замирая, я ждала перехода: каждый раз, сколько ни слушала, он давался мне с трудом. Веселый говорок, словно давая волю уродливой радости, выделывал последние коленца. Баритон вступил холодно: «Значит так, на Урале холода — не пустяк, города вымирали, как один подыссяк... Нежно пальцы на горле им сводила зима, а деревни не мерли, а сходили с ума...»

Я взглянула на Митю, надеясь разделить с ним подступающие болью слова, но то, что увидела, отвлекло от слов. Сидя в глубоком кресле, Митя подпевал едва слышно, и в его лице, открытом для моих глаз, проступали два человека — попеременно. Первый, уродливый кривляка, ломал брови и расплывался глуповатой улыбкой, второй, угрюмый ненавистник, набычивался и шевелил губами. От тенора к баритону и обратно Митя проговаривал каждое слово, вслушиваясь внимательно. «Нет никакого гуманизма. Вот, убитые и убийцы, — ладонью он коснулся стола, — от *этого* вам и в церкви не деться. Это вам кажется, что выжившие остались живы. На самом деле их тоже убили». Теперь, словно сойдя со сцены, Митя заговорил собственным тихим голосом. Сияющая ненависть ушла из его глаз.

Спокойно и печально, отстраняясь от всех, кому *не деться*, он говорил о том, что раздвоение личности, случившееся с целым народом, — неизлечимая болезнь: народ-шизофреник. Этому народу реформация не поможет. Те, он махнул рукой, имели дело с непорушенным сознанием. Его тихое опустевшее лицо больше не казалось набрякшим. Привычная Митина непримиримость размывалась горькими словами, под которыми, словно въевшаяся усталость, лежала боль, похожая на мою сегодняшнюю автобусную тоску. Эта боль, которую я распознала, приковывала мои глаза. Неотрывно я глядела на глубокие складки, резавшие углы его губ.

«Вы, — он снова обращался к мужу, словно забывая о молчаливом примирении, — не Томасы и не Эразмы. Никогда, хоть режь меня и жги, не поверю, чтобы кто-то из *ваших* осмелился подняться и возразить. Да что там, все одно, и ваши, и наши! Причем, заметь, это, — оттопыренным большим пальцем он указал на пленку, — лучшие, *сидевшие*, те, кто способен помнить и ненавидеть, но даже они готовы *служить*», — Митя махнул рукой и поднялся.

После ухода гостя муж, немного повременив, принялся расспрашивать о сегодняшнем. Что-то тревожное мешало отвечать подробно. Митины терзания уходили корнями в тайную советскую историю, в те события прошлого, которые они обсуждали ночами, и, год за годом прислушиваясь к их кухонным разговорам, я уже чувствовала, как она постепенно прорастает в моем сердце — безысходная и бессильная ненависть. Теперь я думала о том, что именно от этой муки, терзавшей Митю, я и надеялась избавиться, перебирая свои грехи, но не находя главного.

В двух словах, опуская детали, я рассказала о странном и губительном чувстве, которое овладело мною. Мысль о неизбывной греховности, тревожившая меня, оставила его равнодушным. «Я думаю, тебе надо повидаться с отцом Петром. Поезжай к нему, он не откажет. У него опыт — огромный. Не ты первая. Отец Петр помогает всем».

«Знаешь, — я начала осторожно, — мне кажется, это странно — как он говорит... — конечно, я имела в виду Митю. — Среди *ваших* не одни ангелы, но он-то сам...» — «А! — муж махнул рукой, — обычная реакция неофита. Сначала непомерные восторги, потом — злоба и разочарование. Причем в разочарованиях, вишь ты, виноват весь мир». — «Он — верующий?» — я спросила тихо. «Не знаю, трудно сказать, лет десять назад, кажется, был. По крайней мере, единственный со всего курса, кто ходил в храм почти что открыто, не то чтобы афишировал, но не особенно и скрывался». — «А ты?» — я спросила почти беззвучно. «Хрущевские времена... Тогда это было особенно опасно», — муж смотал пленку и вложил в коробочку. Я подумала: а Митя ходил.

Ночью мне приснился автобус, в котором, сжатая со всех сторон чужими телами, я ехала к отцу Петру — вместе со всеми. Сквозь заднее стекло, забрызганное подколесной грязью, я разглядела маленькую фигурку, стоявшую на остановке. Автобус уходил все дальше, но вопреки школьным законам физики Митино лицо становилось четче и яснее. Во сне я слышала тихий голос, говоривший со мною, и видела болезненный излом рта. Его губы приближались к моим. Глубокие губные складки вздрагивали все сильнее, но в них не оставалось следа дневной иссушающей ненависти. Набухшая влажная волна поднялась во мне и разлилась — ему навстречу. Из последних сонных сил, застонав, как от боли, я выгнулась всем телом и открыла глаза.

Ужас, похожий на непроглядную тьму, окружал меня. Теперь, когда Митино лицо исчезло, я оставалась один на один со своим первым *взрослым* грехом. Раньше, с мужем, *этого* никогда не было. Грех случился в день моего крещения, словно оно открыло новый счет времени, перед которым я лежала беззащитно. Поднявшись рывком, я вышла из комнаты. Зажимая ладонями глаза, я отгоняла Митино лицо, склонившееся надо мною во сне, и, упершись локтями в кухонный стол, убеждала себя в том, что в сегодняшнем споре правда на стороне мужа, а значит, и я во имя спасения должна забыть *об этом* и остаться на его стороне.

К отцу Петру я поехала на следующий день. Дверь открыла Оля. Кроличья губка, подхваченная белым шрамом, улыбнулась мне навстречу: «Отец скоро придет». «А можно, — я сказала так быстро, что не успела пожалеть, — я... к Пете...» Губка вздернулась удивленно. Идя к знакомой двери, я вдруг подумала о том, что своим молодым детям, по крайней мере сыну, отец Петр годится в деды.

Мальчик сидел за столом — так, как я его оставила. Прежняя зеленая книга лежала перед ним. Изломанные локти вздрогнули мне навстречу. Пальцы выпустили книжную страницу и заходили в воздухе. «Я пришла повидаться с тобой». — «Ты хочешь... чтобы я... ра-ка-зал дальше?» — он перемогал замкнутое дыхание. Пальцы замерли над книгой, изготовясь листать. Я кивнула и села рядом. Под голос, сочащийся из гортани, я думала о том, что если теперь сумею научиться смотреть на него без страха и отвращения, тогда без страха и отвращения сумею смотреть и на себя. Для этого мне нужны только глаза — сияющие глаза старшей дочери, которой отец Петр годился в отцы больше, чем этому мальчику, хоть именно ему, а не кроличьей Оле сумел передать свой сияющий взгляд. Зачем — ему, я думала, *средней* они нужнее, они могли бы спасти ее лицо, сделать прекрасным, таким, что никто на свете не посмел бы вспомнить о белом шраме и вздернутой губе. *На что* ему сиять своими отцовскими — почти что дедовскими глазами, если пальцы, и локти, и тяжкая цыплячья голова непоправимы? Я поймала его взгляд и увидела, что он стал беспокойным. Мальчик-инвалид смотрел на меня гаснущим виноватым взором, словно чувствовал мои мысли, в которых я хотела отобрать у него последнее. «Ты пришла... к отцу?» Я не поняла его смиренной надежды и, помня о себе, ответила: «Да». — «Страшно... смотреть на меня?» — он спросил тайным, глухим шепотом и вывернул к двери шею, как будто боялся, что его услышат. «Ну что ты!» — я сказала громко, не желая разделить его безгрешную тайну. «Отец пришел», — мальчик одел свой взор сиянием, как ризой.

Отец Петр встретил меня радушно. Я вспомнила слова мужа — не первая, таких много — и подумала, что отец Петр, должно быть, чувствует ответственность всякий раз, когда крестит. Неужели они все, которые приходили к нему до меня, на следующий же день являлись обратно? Он сел напротив и приготовился слушать. Я рассказывала сбивчиво, стараясь вместить многое. Все больше приходя в беспокойство, говорила, что никак не слажу с собой, что-то нарушилось, сорвалось, вывернулось наизнанку. Я начала о грехах, но сбилась, боясь проговориться о Мите и о том, что случилось сегодня ночью. Словно заметая следы, я заговорила о своем опрокинутом доме, о тьме над пустырями, о едком свете автобусного фонаря. Я говорила об ущербных озабоченных лицах, полнивших автобусы, обо всех автобусных людях, не помнящих о грехах. То опуская, то поднимая глаза, я говорила не так, как сказала бы отцу Валериану — если б довелось.

31

Глаза отца Петра сияли по-прежнему ровно, словно им не было никакого дела до моих слов, уже не нужных ему, лишних для его всеобъемлющего опыта. В этом опыте тонула моя ничтожная жизнь. Я споткнулась и замолчала. Мягкой рукой он провел по бороде и заговорил в ответ. Его слова были проще и правильнее моих. Он говорил о милости Божьей, о ежедневной молитве, о службе, к которой призывал меня привыкнуть, приглашал в храм, предлагал прибегнуть к исповеди. Я слушала внимательно, еще надеясь. То, что казалось мне важным и мучительным, необъяснимым и невыразимым, было пустым и ничтожным — для его сияющих глаз. Они не видели моей новой скорби, как не видели уродства мальчика, всеми силами сиявшего им навстречу, чтобы скрыть от них свою глухую тайну. Он был много старше меня, между нами лежали пространства, похожие на глухие столетия: он не годился мне в отцы, как не годился в отцы сломанному сыну, которого хвалил за усердие. За будущее усердие он хвалил и меня. Я поднялась благодаря.

Мне больше не нужны были его глаза. Из той точки, откуда они сияли, все мои жалкие автобусы выглядели игрушечными. Эти глаза смотрели дальше и выше жизни, полной усталости и уродства. Их ровный свет, льющийся из-под ресниц, не оставлял места для тени.

Реверенда

Муж все больше увлекался новой службой, но не столько преподаванием, которое постепенно становилось для него делом обыденным. Его литературный энтузиазм иссякал незаметно, может быть, оттого, что усилия не давали ожидаемых результатов. Первое время, возмущаясь их низким уровнем, он давал мне почитать семинарские сочинения, беспомощные и слабые даже со *школьной* точки зрения.

Русский язык семинаристов был казенным и вялым, словно чудные слова молитв не умели в него проникнуть. Раз-другой муж порывался говорить с ректором, но как-то не решался, справедливо полагая, что тот прервет его встречным вопросом, касающимся профессиональной пригодности. Стопки сочинений, привычно сложенные под лампой, у которой, вчитываясь и сокрушаясь, он проводил бессонные ночи, мало-помалу истончались. Как-то раз, вытирая пыль, я спросила и получила уклончивый ответ, дескать, успеваю проверить на работе между уроками. Почувствовав мое удивление, муж возвысил голос и заговорил о том, что специальность есть специальность, *у них* — другие задачи, едва ли не более сложные и уж во всяком случае лежащие в стороне от *литературы*. «Не с литературой, священники имеют дело с жизнью». Я усмехнулась: «Как спортсмены из института Лесгафта». Он смолчал и вышел. Оставшись одна, я подумала о том, что моя усмешка получилась неприязненной. Я одернула себя, но память о прежнем разговоре вырвалась и толкнулась в сердце. «Нет», — краем глаза различив излом Митиных губ, я заставила себя отвернуться.

Может быть, именно профессиональная неудача, в которой ни тогда, ни теперь мой язык не поворачивается его обвинить, толкнула его мысли в другое русло. Словно отходя от литературы, муж предавался мечтам о более заметном поприще, приближенном к сути происходившего в Академии: хотел стать священником. Возможно, эти мечты побуждала и явленная карьера владыки. Теперь муж частенько рассказывал истории из давнего прошлого, в которых Володя, по своему тогдашнему малолетству, то отъедал кусок просвирки, то засыпал в ризнице среди развешанных по стенам облачений. Эти рассказы были окрашены в цвет прежнего старшинства, теперь сошедшего на нет и вынужденного довольствоваться запоздалым умилением. Конечно, эти почти апокрифические истории муж рассказывал только дома, в кругу нашей с ним семьи, однако частота рассказов постепенно превратила жизнь владыки Николая в одну из постоянных тем наших вечерних бесед. Мало-помалу я становилась свидетелем воображаемых споров, в которых муж, неизменно отдавая дань силе характера Николая, объяснял причины, сбившие его самого со столбовой дороги священства. Эти причины, сводившиеся к отсутствию направляющей руки отца (отец Валериан к тому времени умер) и тяге к светскому — университетскому — образованию (теперь до известной степени опороченному личной профессиональной неудачей), обходили стороной все иные соблазны, от которых владыка в свое время открестился единым махом, приняв монашество. Я же думала именно о них, и его решение, принятое раз и навсегда, вызывало мое особенное восхищение.

Сам по себе петлистый путь, который выпал на долю мужа, в иных обстоятельствах вполне мог увенчаться достойным священством, однако была одна преграда, о существовании которой он не мог не знать раньше. Однако, и зная, до поры до времени не придавал ей особого значения, то есть, говоря попросту, не думал о ней как о преграде: я имею в виду второбрачие. Теперь все переменилось. Довольно скоро я почувствовала, как изменился тон, в котором он поминал прежнюю жену. Раньше в его голосе звучали нотки многоопытного ловеласа, прошедшего огонь, воду и медные трубы. Теперь труб заметно поубавилось: «Эх, дурак, женился мальчишкой! Ничего не знал, не понимал...» В общем, второбрачие становилось серьезной преградой, муж говорил о нем неохотно и возлагал надежды на будущее решение Вселенского собора, который, как ожидали, должен покончить с устаревшей нормой. Первое время, веселясь, мы приплетали множество других норм, с которыми, учитывая меняющуюся реальность, давно пора бы покончить. «Когда еще!..» — смеясь, я очертила ему два возможных выхода:

развод с последующим постригом нас обоих или моя смерть. Мои слова рассердили мужа, который прервал разговор резким замечанием: «Этим не шутят».

Кажется, к своим профессиональным неудачам муж подходил слишком строго: во всех его классах годовые экзамены прошли успешно, больше того, ректор, выборочно ознакомившись с сочинениями, отметил их возросший уровень и, убедившись в высокой профессиональной подготовке мужа, приблизил его к себе: сделал своим личным переводчиком. Здесь началась нескончаемая череда поездок то на ассамблеи Всемирного совета церквей, то на международные конференции, в которых владыка неизменно принимал участие как представитель Отдела внешних церковных сношений. Поездки, первое время казавшиеся мужу увлекательными, отравляло крепнувшее чувство ущербности. Само штатское платье, качество которого далеко опередило самые смелые мечты его прежней директрисы, делало его белой вороной среди парадных православных ряс и белопенных католических кружев. Партикулярные протестантские костюмы, мелькавшие там и сям в залах заседаний, едва ли могли утешить: в глазах моего мужа женское священство, принимаемое в протестантском мире, делало и протестантов-мужчин не вполне полноценными священниками. Может быть, именно мысль об этой не всеобъемлющей полноценности навела его на другую: испросить разрешения владыки носить *реверенду* — твердую черную полоску с белым клинышком, которую священники-протестанты заправляют под воротник. Владыка разрешение дал. В нашем гардеробе появились черные рубашки с особыми воротничками, приспособленными под реверенды.

Слушая рассказы о недостижимо прекрасных странах, я радовалась подаркам, которые муж привозил (у него открылся особый талант подбирать истинно красивые вещи), и книгам «Посева» или «ИМКА-ПРЕСС», которые он возил в дом полными чемоданами. Большей частью это была религиозная литература. Таможня пропускала безо всякого — как литературу по специальности. Книги *нерелигиоз-ные,* которые попадались время от времени, провозил владыка Николай, имевший привилегию прохода через депутатский зал. Он сам предложил однажды, сказал: «Если *какие-то* книги, положите в сумку и отдайте мне. Меня не досматривают».

Религиозные книги, попадавшие в наш дом, муж пестовал особо, выделяя для них отдельные полки. Нерелигиозные («Вот, смотри, сунули Гумилева») как-то само собой доставались мне. Нет, конечно, муж радовался *обладанию* — эти книги украшали редкие *университетские* стеллажи, — однако открывал их нечасто, может быть, вследствие чрезвычайной занятости. Я же норовила влезть и в те и в другие, не делая между ними особого различия.

Частые поездки и связанные с ними конфиденциальные разговоры, касавшиеся стратегии и тактики ответов на *не-удобные* вопросы, еще больше сблизили мужа с владыкой. Конечно, владыка никогда не советовался с мужем, как бы половчее ответить на трудный международный вопрос: думаю, что в своей международной деятельности он прислушивался к *другим* советчикам, однако изрядная доля лукавства, необходимая в острых случаях (владыка Николай не мог не знать разницы между *истинным* и *правильным* ответом), становилась чем-то вроде их общего греха. Один произносил, другой переводил. Казалось бы, вся ответственность лежала на первом, но ведь именно слова второго достигали ушей слушателей, собравшихся со всего мира. Так или иначе, но между ними возникли доверительные отношения, в какой-то степени основанные и на общей детской памяти. Однако они никогда не переходили грани, определенной иерархией, и все-таки, когда однажды теплым женевским вечером владыка пригласил мужа в свой номер

и предложил выпить коньячку — с устатку (в тот день владыка выдержал тяжелый католико-протестантский натиск по
вопросу о действиях СССР в Афганистане: он вынужден был
уклончиво их оправдывать), муж рассказал ему о своей беде
второбрачия, о которой владыка, оказывается, знал, но обещал что-нибудь придумать — со временем.

По горячим следам муж не рассказал мне об этом разговоре, я узнала о нем много позже, однако и сама, гладя темные рубашки, приспособленные под жесткий ошейничек реверенды, частенько возвращалась к мыслям о его не ладя-
щейся карьере и привыкала думать о себе как о грехе,
камнем лежавшем на пути в его церковное царство. Дружеские шутки нашей первой зимы — «Ради тебя он пожертвовал школьной карьерой» — всплывали в моей памяти, и, аккуратно водя утюгом, я с женским раздражением загодя винила его в том, что если теперь он говорит о первом браке
с сожалением, с еще большим сожалением вскоре загово-
рит и о втором.

В институте дела шли своим чередом, я писала курсовики
и рефераты то по технологии отраслей промышленности, то
по анализу хозяйственной деятельности, а вечерами, в особенности во время его длительных отлучек, читала книги,
привезенные в чемоданах. Эти книги, и внешним видом разительно отличавшиеся от тех, что попадались мне раньше
(светлые матовые обложки — так и хочется сказать: лица —
и толстые листы неразрезанной бумаги, выходившие из-под
моего неумелого костяного ножа бахромчатыми), постепенно заполняли мое свободное время, часто в ущерб институт-
ским обязанностям. Не делая различия, я читала все, что попадались под руку, однако сердцем склонялась к тем, которые — не решаясь высказать это вслух — помещала на
полпути между литературой и церковью. Короче говоря,
мою душу захватывали религиозные философы, в особенности Флоренский и Бердяев.

Бывало, я засиживалась до утра, чтобы, поспав часа два-три, явиться ко второй паре, и, слушая лекцию по экономической статистике, еще и норовила прикемарить. Конечно, по-настоящему я никогда не засыпала, но, слушая монотонный голос, вещавший о парных показателях, внутренне погружалась в ту или иную книжную фразу, размышляя о ней так и эдак. Предметы, которые я изучала в институте, от этих тем отстояли далеко, а потому, в общем, не входили с ними в противоречие. Исключение составляла философия.

На лекции, посвященной категориям необходимого и случайного, я неожиданно для себя подняла руку и горячо возразила профессору, принуждая его признать мою правоту: если кирпич упал на определенную голову, то по отношению к данной голове этот роковой случай не является случайностью. Ну, то есть, к примеру, если кому-то сильно и постоянно не везет, что-то от раза к разу не складывается, глупо списывать все на простые совпадения. Не решаясь на явные ссылки, я приводила доводы, почерпнутые из бахромчатых книг, и в конце концов договорилась до того, что потребовала от профессора безоговорочного признания высшей силы. Аудитория, вначале слушавшая с интересом, постепенно его теряла, поскольку не успевала следить за ходом нашей полемики, которой мы предавались до конца пары с истинно философской страстью. Профессор входил в раж, ссылаясь то на римлян, то на греков, я же в ответ обличала его в том, что нельзя же — на исходе двадцатого века — делать вид, будто две тысячи лет назад ничего *особенного* не произошло. Отчаявшись, он привел дурацкую цитату из Энгельса о бессилии дикарей в борьбе с природой, но сам же махнул рукой, предвидя мой следующий ход. Я уже открыла рот, чтобы, вконец позабыв об осторожности, перечислить ему пять-шесть имен этих *дикарей*, но тут прозвенел звонок. Дома, поразмыслив и порывшись в бахромчатых книжках, я нашла новые беспроигрышные доводы, но, прикинув возможные последствия, больше не открывала рта. На лекциях он объяснял марксистско-ленинские постулаты, изредка косясь на меня, и я, исправно записывая под его диктовку, иронически и многозначительно улыбалась, так сказать, в усы.

В конце года на экзамене, когда я, дисциплинированно и миролюбиво исписав листочек, села напротив, профессор не дал мне раскрыть рта. «Знаю, знаю, все знаю». Широким жестом он пододвинул мою зачетку и вывел «отлично» в подведомственной ему графе. До сих пор у меня нет внятного объяснения причин такой решительности. Первое и простейшее объяснение, которое приходит в голову, — это тайное согласие профессора-атеиста с моими бахромчатыми доводами, согласие, которое он не желал обнаруживать в присутствии комиссии. Заведи я свою пластинку, ему пришлось бы прервать меня и выставить неудовлетворительный балл. Если это объяснение и верно, профессор сильно переоценивал мою бесшабашность. У меня не было мысли рисковать отличной оценкой ради сомнительного удовольствия высказаться «по правде». Листочек, исписанный мною, слово в слово повторял параграфы учебника. А может быть — и это объяснение кажется мне более приятным, — ему не хотелось, чтобы я, сидя напротив комиссии, говорила то, во что не верю: повторяла, с моей точки зрения, заведомую ложь. Греха понуждения он не хотел брать на себя.

Я не стала рассказывать мужу об этом противостоянии, впрочем, счастливо завершившемся, однако рассказала о другой истории, которая случилась по весне. На очередном факультетском собрании секретарь комсомольской организации Сережа Анисимов объявил персональное дело Лильки Струпец, которая училась в нашей группе. Стыдливо спотыкаясь, он огласил суть. Для меня, не больно-то интересовавшейся текущими общежитскими сплетнями, это стало новостью. В общем, не то кто-то донес, не то поймали с поличным, но Лильку обвиняли в небескорыстном сожительстве с иностранцем, мало того — с негром. Двойная подоплека — расовая и политическая — выводила дело далеко за рамки бытовой аморалки. Сложись все по-бытовому, никто бы и ухом не повел. Но тут подключилась администрация, и дело запахло исключением. «Никто бы не пронюхал, в общежитии-то не встречались, Лилька моталась к нему на квартиру, кто проследит? Сама язык распустила. Наши знали давным-давно: негр — красавец, богатый папочка, что ни каникулы — отдыхает в Париже, подарки дарил шикарные, да и мужик — что надо, влюбилась, как кошка», — соседка по парте шептала воодушевленно. «А ему что будет?» — «Ну ты даешь! Кто же негра тронет — иностранца...»

Дело продвигалось вперед. Стыдливый Анисимов покончил с обвинением. Теперь, по протоколу, Лильке полагалось последнее слово, за которым должно было последовать всеобщее голосование. Вообще говоря, исход голосования было трудно предугадать: судя по смешкам в зале, народ был настроен мирно и в этом настроении мог, паче чаяния, проголосовать за пустой выговор. Лилька сидела на передней скамье, дожидаясь, когда пригласят. В течение Сережкиной речи она изредка оборачивалась назад, прислушиваясь к шумку. Ее волосы, обычно распущенные по плечам, теперь были строго зачесаны к вискам и убраны в хвост. Игривое настроение докатилось до президиума. «Ну, иди, расскажи, как ты дошла до жизни такой!» — секретарь закивал Лильке, и она, слегка сутулясь — одно плечо выше другого, пошла к кафедре, но едва успела дойти, когда дверь открылась и в аудиторию вошел ректор. Махнув рукой, чтобы не вставали навстречу, он прошел и сел в президиум. Ректорская седовласая голова повернулась к Лильке и приготовилась слушать.

Секретарь растерялся: ни с того ни с сего, как будто начиная заново, он опять вызвал Лильку. Стало тихо, словно сбой, случившийся по его растерянности, что-то изменил и взаправду. Лилька стояла, глядя в зал. Новая Сережкина интонация, повисшая в воздухе, меняла ее лицо. Лилькина веселая красота, приглушенная зачесанными волосами, исчезла. Губы сморщились, верхняя дернулась вверх, подбородок — следом. Подурнев, она стала похожей на свою деревенскую мамашу, обряженную в модное. Короткая мятая юбка, вывернутая в сторону, торчала криво. Рука одергивала ее, цепляя за край. Лилькины короткие пальцы топорщились судорожно. Голос, не похожий на Лилькин, говорил униженные слова. Голос сочился из сморщенных губ, силившихся сложиться виноватой улыбкой. Существо, стоявшее перед нами, больше не было Лилькой. Маленькой гладкой головкой оно кивало в такт своим покаянным словам.

Во мне стало пусто, ничего, кроме стыда, страха и отвращения. Я смотрела на Лильку, стоявшую в просторной зале, но видела маленькую комнатку, в которой, запертое в четырех стенах, сидело другое — уродливое — существо. Она остановилась и замерла. Переждав, секретарь поставил вопрос на голосование. Ректор поднял голову и оглядел зал. Я оглянулась. Под ректорским взглядом все изменилось. Глаза, смотревшие на Лильку, стали тяжелыми, как камни. «Не имеют... Не имеют права!...» — билось в мои виски. Встав с места, я пошла вперед по проходу. Что-то поднялось во мне, ударило в сердце, уперлось поперек. Под стыд и отвращение, колом стоявшие в горле, я вышла и встала рядом с Лилькой. Я не знала, что скажу, я не знала, что делать, но я знала — *как*.

По памяти, уцепившись за нее, как за последнее, я дунула и плюнула, отрекаясь от страха, и зажгла чужим сияющим светом свои глядящие на них глаза. Свет, не имевший силы, полился из моих глаз. Я одела свой взор чужим сиянием, как крепкой броней. Тяжелые камни падали из их рук на землю, когда мой голос, странный и неузнаваемый, произносил чужие, полные сиянием слова. Бахромчатые книги говорили моими губами. Их обложки стояли перед моими сокурсниками — лицом к лицу. Они говорили о любви и боли, о жалости и милости, об уродстве и красоте. Никогда прежде мои губы не произносили этих слов. Я остановилась и обвела глазами: все было кончено. Лучше бы ему не ставить на голосование, потому что теперь, когда книжное сияние погасло, не поднялась ни одна рука. Ректор не изменился в лице. Оглядев напоследок, он поднялся и покинул аудиторию. Вслед за ним вышла и Лилька. Уже от двери она бросила на меня спокойный безгрешный взгляд.

Дома я рассказала мужу. Гордость победы переполняла меня. Вспоминая новые подробности, я рассказывала, все больше воодушевляясь. О глазах, налитых каменной решимостью, о сиянии, растопившем камни, о том, что если взяться за дело — в конце концов можно растопить. Муж слушал внимательно, время от времени переспрашивая. Иногда отпускал скептические замечания. Я не ждала восхищения, а просто думала о том, что он, положившийся на церковную правду, должен радоваться моей победе. «Знаешь, ты ведь рисковала, — теперь, когда мой рассказ окончился, он качал головой, не одобряя моего безрассудства. — Вряд ли они так оставят. Тебя должны вызвать». Мне показалось, что его воодушевляет мысль о возможном преследовании.

Теперь, когда я возвращалась домой, муж неизменно справлялся, однако меня так и не вызвали. Казалось, никто и не вспомнил об этой истории — как не бывало. Через несколько дней муж, случайно встретив на Невском кого-то из *удачливых* университетских, упомянул фамилию моего ректора как бы между прочим и немедленно получил ответ: на эту должность Лаврикова перевели из обкома партии, где он курировал не то литобъединения, не то всю неформальную литературу. Моей историей муж — из понятной осторожности — делиться не стал, однако дома, рассказав о ректорской карьере, предостерег меня от дальнейших безоглядных выступлений: «Поверь мне, *этот* ломал и не таких, как ты».

Приходя на занятия, я косилась на Лильку, ожидая, что она-то подойдет и поблагодарит. Я ждала благодарности, но Лилька молчала, и все-таки я знала — помнит. Иначе зачем бы ей коситься на меня, смотреть во время лекций, поглядывать на перемене? Дней через десять она подсела ко мне и ни с того ни с сего предложила купить у нее американскую помаду — по дешевке. «Тебе — без наценки, как сама брала». Раньше она никогда... Я растерялась и протянула руку. «Двадцатник», — Лилька смотрела весело. Прежняя веселая красота вернулась к ней. «У меня сейчас нет». — «Ну, завтра принесешь, *тебе* я верю». Я кивнула, и тут Лилька повела глазами, как будто примерилась подмигнуть, но не подмигнула, а только сморщила крашеные губы. Верхняя дернулась к носу, подбородок — следом, и все лицо, мгновенно подурневшее, сложилось в пустую покаянную гримаску. Не Лилька — Лилькина мамаша, обряженная в модное, показывала мне, ее сообщнице, *то* — покаянное — лицо. Господи, я подумала, а я-то... Ради этого умелого кроличьего личика... Все оборвалось во мне, стало глупым и бессмысленным. «Нет, для меня это слишком дорого», — решительной рукой я возвратила патрончик.

Дома я не обмолвилась о позоре. После двух недель ожидания муж предположил, что в отделе кадров справились, где надо, и выяснили место его работы. «Не то время, предпочли с церковью не связываться, — он по-своему объяснил их молчание. — Видишь, есть свои преимущества. Если бы не *это* — уж они бы тебя сожрали». В его объяснении сквозила законная гордость. Стараясь изгнать самое воспоминание о Лильке, я вдруг подумала, что отдел кадров похож на таможню — одним можно, другим нельзя.

От этих *других* я отвернулась сама. Решительным сердцем я возвращала им их лживый сморщенный мир. Никто из них не стоит того, чтобы вмешиваться и рисковать. Все книги на свете, изрезанные неумелыми ножами, бессильны перед их умением, перед их губами, сморщенными хитростью. Вспоминая философские диспуты, я говорила себе: все, что случается с ними, — неслучайно. Их уродство — в них самих, свилось порушенным геном, дожидаясь своего часа. Безоговорочно я вставала рядом с бахромчатыми книгами, стоявшими между церковью и литературой. Вслед за мужем, отступившимся от прошлого, но не сумевшим стать священником, я надевала на себя реверенду.

С холодным и оскорбленным сердцем я размышляла о том, что этот закон, если взглянуть на дело исторически, явственно похож на другой, плоды которого, стоило закрыть глаза, услужливо вставали предо мною. Я видела красавицу Милю, стоявшую рядом с сестрой, чье лицо, испорченное заячьей вздернутостью, еще нельзя было назвать уродливым. Когда-то давно, сто лет назад, *они все* были красавцами — я помнила страницу учебника, с которой, рассаженные в два ряда, смотрели рабочие Путиловского завода. В их лицах, как в цельных непорушенных сосудах, спокойным матовым светом сияло достоинство. Знали ли они, *что* передают своим детям: порушенный ген, который выходит на волю трусливо вздернутой губой. С тоской я думала, Господи, что это я — про детей, если нынешние, с которыми жить мне, уже не дети — внуки. Уроды, не знающие стыда и отвращения. Нет, я отворачивала глаза и душу, мне нет и не будет дела до их переданного *с кровью* уродства. Хватит с меня и того, о чем я, наконец, догадалась: это уродство передается из поколения в поколение — *с потоками пролитой крови*. Теперь уже без опаски я вспоминала Митины слова о генетическом расколе, похожем на пропасть, о народе убитых и убийц, и додумывала про себя: там, наверху, губительная и страшная болезнь — царская гемофилия, здесь, внизу, — столь же губительная и страшная, но не царская — другая: болезнь порушенных генов. Обе передаются по крови.

Путаясь в словах и боясь обидеть семью отца Петра (о предательском резус-факторе мне пришлось упомянуть вскользь и с оговорками), я поделилась с мужем своими выводами и неожиданно для себя получила поддержку. Развивая мои мысли, муж согласился с тем, что если принять за красавицу Милю то — дореволюционное поколение, еще не тронутое распадом, так сказать, поколение дедов, — приходится согласиться и с тем, что отцы, родившиеся и выросшие в первые советские времена, уже несут в себе черты вырождения, которое — теперь уже в поколении детей и внуков — расцвело ядовитым цветом. Однако здесь согласие и совпадение закончилось.

Решительной рукой муж отверг мои *кровавые* мысли, назвав их по меньшей мере странными («Твоя беда в том, что ты как-то увлекаешься...»), и предложил свое объяснение: «Все дело в безверии. Те, дореволюционные, со всеми возможными оговорками, в Бога все-таки верили. В их детях вера иссякла — тут уж государство постаралось, но что-то хорошее верующие матери все-таки передать успели, может быть, не напрямую, так сказать, без ссылок на *первоисточник*. А уж внукам...» В общем, он сказал, что готов согласиться с моим законом, точнее, с той его частью, где содержится вывод: в атеистическом государстве нравственность иссякает уже в третьем поколении. Дальше — тупик. Однако именно возрождение церкви и церковной жизни способно решительно повлиять на создавшееся положение — именно церковь может и должна найти выход из нравственного тупика. Речи мужа показались мне нарочитыми. Он говорил сдержанно и торжественно, словно, сидя на нашем диване, представлял себя стоящим на трибуне Совета церквей, теперь уже в новой, полноценной роли — содокладчика. Его голос стал другим, сильным и глубоким: вольно или невольно он повторял интонации владыки Николая.

Я не стала возражать. Я подумала о том, что если уж сумела догадаться о болезни, значит, я — другая, мне *не передалось*. В моей семье не было ни доносчиков, ни репрессированных, а значит, потоки крови, по которым *оно* передается, чудесным образом обошли меня. Так я думала, с каждым днем погружаясь все глубже, упиваясь своей беззаконной гордостью, которую Лилька, исполненная врожденного уродства, сумела походя уязвить. Незаживающая язва ныла и ныла, так что вечерами, зажигая один за другим электрические светильники, я не находила себе места. Однажды, повинуясь внезапно нахлынувшей мысли, я распахнула створку гардероба и встала перед высоким зеркалом: примерить чужое уродство — на себя. Так я замыслила: попробовать, чтобы раз и навсегда убедиться в том, что здорова.

Внимательно вглядываясь в свое отражение, я храбро шевельнула губами. Моя храбрость не была безрассудной: втайне я твердо верила, что, избранные бахромчатыми книгами, мои губы не могли сложиться *по-лилькиному*. Сморщив, я дернула верхней. С моей стороны это была провокация. Теперь, если построения верны, губы должны распасться сами собой так, как при свете ясных и бесспорных фактов распадается пустой наговор, измышленный врагами. Бесспорным фактом, на который я могла положиться, было мое открытое противостояние ректору, облеченному обкомовской властью. Поступок из тех, которыми можно гордиться. Гордость смотрела на меня моими глазами, и под ее пристальным отстраненным взглядом моя верхняя губа дернулась вверх, подбородок двинулся следом, и жалкая виноватая улыбка, которой я в себе не подозревала, задрожала мне навстречу из другого, прошлого, зазеркального мира. В нем — исчезнувшем и опрокинутом — стояло мое уродливое отражение: я сама вызвала его. Собрав побольше слюны, я плюнула и отшатнулась. Я уже знала, как это делается, я знала, от чего отрекаются плевками. Теперь *оно* должно было исчезнуть.

Изо дня в день, снова и снова надеясь на чудо, я возвращалась в свой дом. Стены, оклеенные теплыми обоями, окружали меня. Мое жилище был тихим и светлым, но глаза, уже видевшие другое, не могли не видеть. Там, на глубине, стояли серые бесстыжие стены, в которых томилась моя душа. Все плевки на свете были бессильны против моей гордости. Господи, теперь я завидовала Лильке, умеющей складывать губы в пустую покаянную гримаску. Ее уродство, лишенное гордости, было невинным и безопасным. Мое, замкнутое в бетонной клетке, было другим. Я сама была грехом, и не было никого, перед кем, в тайной насмешке, могли бы сморщиться мои губы. Мое уродство было безысходным и беспросветным, как западня. Оно проступало в нетерпеливом жесте мужа, заправлявшего жесткую реверенду под стойку воротничка, в его презрительной интонации, с которой он отзывался о тетках-священницах, в его голосовых связках, вещавших сильным голосом владыки ректора, на которого, в своих тайных и беззаконных надеждах, он раз и навсегда положился.

Гордость разрешается покаянием: об этом говорили со мной мои бахромчатые книги, я верила им — иного пути нет. Однако теперь, когда мысль о его неизбежности завладела мною, само бахромчатое покаяние становилось иным. Оно смотрелось в другое зеркало, в котором, еще неведомые бахромчатым книгам, отражались времена убывающей любви. В этих новых временах оно становилось мучительным и принужденным, похожим на Лилькину постыдную историю. Разница заключалась в том, что рядом со мной — на моей одинокой кафедре, куда я должна была взойти — кривовато сутулясь, одно плечо выше другого, — не было никого, кроме моих книг, кто встал бы рядом со мной.

Неуклонно я думала о силе, с которой рано или поздно мне предстоит сразиться. Силе, которая и влекла, и пугала меня. Я думала о том, что наши шансы неравны. Что я могу одна против этой неодолимости? С ужасом, толчками бившемся в горле, я представляла день, когда, ставшая похожей на Лильку, я буду кивать в такт своим покаянным словам.

Теперь, когда уходящая жизнь медленно и неуклонно смыкается над моей головой, я уже с трудом могу объяснить себе, зачем, заранее обреченная на поражение, я ввязалась в эту схватку. Глядя назад и размышляя обо всем, что уже случилось, о том сражении, которое я приняла *на их поле*, я удивляюсь своей безоглядно растраченной смелости. Может быть, страсть противостояния, гулявшая в крови многих, кому довелось жить в *ту* эпоху, не обошла стороной и меня? Неужели дело лишь в том, что в те, прежние, *наши* времена каждый сражавшийся сам выбирал себе противника? Если это правда, то в моем случае — даже сейчас мне нелегко в этом признаться — мой выбор вряд ли был истинным выбором. Все сложилось так, как сложилось: ходом вещей. Я была похожа на бабочку, летевшую в открытое пламя. А может, все дело в молодости, которая, выходя на битву, поднимает забрало. Открывает свое лицо...

Крылья мои сгорели, все реже и реже я возвращаюсь к прошедшим временам. История моего противостояния давно завершилась — моим поражением, но и не их победой. Время от времени я все-таки думаю об этом, и каждое мое возвращение оказывается окрашенным в свой цвет. Иногда я вспоминаю их всех, из которых ни один не ушел с победой, и тогда у меня темнеет в глазах. Иногда думаю о зловещей схватке, в которой против моей беззащитной и страстной искренности выступала необоримая сила, несущая в себе всеобъемлющий опыт выживания и обуздания (победительный опыт, встречавший смельчаков и гордецов, полегших на этом поле), и глаза мои застилает красным.

Иногда, может быть, по какой-то врожденной тяге к объективности, я говорю себе: сила, против которой ты сражалась, приходит на помощь страждущим, утешает безутешных. И тогда я соглашаюсь: да, смиренные — хорошие наследники. Кто как не они наследуют землю? Незачем им, сильным в своем смирении, слышать хруст наших слабых костей. И я говорю: да, мы все выбираем по себе, но если дело доходит до дела, что ж, значит, так тому и быть, и сердце мое, подернутое пеплом, снова загорается багровым.

Гонимые и гонители

По временам страхи, терзавшие меня, отступали. Дом, украшенный моими руками, снова становился тихим и светлым, словно и не было серых пугающих стен. Водя рукой по светлым обоям, я думала о том, что если крещения мало, значит, я должна обживать свою веру, как заново построенный дом. Слова мужа о церкви, выводившей из нравственного тупика, звучали во мне по-особому: я готовилась принять ее, как лекарство, спасающее от болезни. В такие времена я гнала мысли о вместилище греха и, поминая советы отца Петра, призвавшего меня к церковной службе, отправлялась в Никольский собор.

Вечерние службы, радовавшие меня своей немноголюдностью, проходили в нижнем храме. Я вступала тихо и, перекрестившись на далекий алтарь, мягко освещенный занимающимся светом паникадил, еще горевших вполнакала, уходила в правый дальний угол — ближе к тому месту, где, видимый мне одной, стоял — обтянутый красноватым ситцем — бабушкин гроб. Я старалась прийти пораньше, пока служба еще не началась, чтобы видеть, как в полумраке тусклых паникадил постепенно загораются желтые отсветы — поднимаются острые, дрожащие в воздухе огоньки свечей. Меня окружали высокие стены, увешанные иконами, писанными тяжелым маслом. Привыкая к полумраку, висевшему в воздухе подобно мелкой пыли и разъедавшему глаза, я выходила из своего угла и, тихо обойдя колонны, вступала на открытое пространство. Вслед за какой-нибудь старушкой, шедшей передо мною, я подходила к иконе, укрытой серебряной ризой, и прикладывалась губами. Потом я снова уходила в свой уголок, где и дожидалась начала службы.

Она начиналась почти неприметно. Из боковых врат выходил чтец, несущий тяжелую книгу. Устроив ее на возвышении, он открывал страницу и принимался читать протяжной глуховатой скороговоркой. Протяжная глуховатость, мешавшая разбирать слова, наполняла пространство. Поднимаясь к свету постепенно разгоравшихся паникадил, она вела к минуте, когда царские врата отворялись и недлинной чередой выходили священники. В такие будние дни их выход не отличался торжественностью. Серебро непраздничных облачений поблескивало тускло. Уже вступив на открытое пространство амвона, они перебрасывались словами, не долетавшими до ушей прихожан. Наверное, они обсуждали ход предстоящей службы, однако мне — скрытой в полумраке за колоннами — казалось, что они продолжают беседу, начатую в алтаре. Мне было приятно думать, что они, прежде чем начать службу, спешат поделиться друг с другом чем-то обыденным — может быть, рассказать о домашних делах. Их — божий — дом оживлялся простыми, обыденными беседами: подобно нашим ежевечерним разговорам под задернутым клетчатой тканью окном. Возможно, меня вводила в заблуждение простоватая обыденность их лиц. Их спокойные глаза, не знающие сияния, смотрели мимо предстоявших. Редкая толпа прихожан, собравшихся пред их глазами, была предоставлена самой себе.

Состав прихожан был пестрым. В большинстве это были старухи, повязанные теплыми платками. Они крестились и подпевали невидимому хору высокими, дрожащими, как свечи, голосами. Эти старухи всегда приходили одни. Наверное, их домашние умерли. Приглядываясь, я укреплялась в мысли, что старухи молились за себя. В их лицах стояло покорное одиночество — русская смерть, забывшая о них, уже прибрала детей и внуков. Пришла без срока и унесла в кровавых потоках. Старушечье одиночество проникало в мою кровь. Истово крестясь, старухи бормотали вялыми губами, но я — беззаконный наблюдатель — не могла избавиться от ощущения, что они опоздали. Их рассерженные глаза, которыми они, отвлекаясь от молитвы, провожали молодых, выдавали их прошлое — в прошлой, молодой жизни они истово верили *в другое*. Другая, рассерженная вера освещала их прожитые жизни, когда по утрам, отправляясь на работу, они, свято веря каждому слову, слушали черные вороненые раструбы, вбитые в деревяшки фонарных столбов.

Еще молимся о богохранимой стране нашей, властех и воинстве ея... — старухи крестились согласно. Я смотрела на них и силилась увидеть свою бабушку, но не находила даже внешнего сходства. Ее глаза никогда не бывали рассерженными. Я не могла представить ее стоящей среди других и кладущей земные поклоны. Бабушкины молитвы были тихими и ночными: я помнила шелест губ, долетавший до моих ушей. Белой фигурой она стояла на коленях у постели, когда весь дом спал. Так и выстояла из года в год — одна, и, может быть, поэтому мне не хотелось объяснять иначе — никого из нас *не тронуло*. Она умерла хорошей, не русской смертью — раньше детей и внуков. Я думала о том, что в своей вере хочу походить на нее.

Были и женщины средних лет, плохо одетые, повязанные черными гипюровыми платками, похожими на узкие шали. С собой они приводили детей. Детей ставили в первый ряд — к самому амвону. Эти дети, словно приведенные в город из дальних сел, отличались от тех, с кем я когда-то училась. А может, они просто робели.

Время от времени попадались и странные фигуры, одетые с каким-то сумасшедшим шиком. Мне запомнилась одна, приходившая особенно часто: широкополая шляпа с вуалью (иногда ее сменяла пестрая шапочка, украшенная вязаными розами), длинная юбка, торчащая из-под крепко перехваченного в талии пальто. Женщина стояла особняком, подчеркнуто не сливаясь с народом. Однажды, выхватив ее из толпы, я представила, *как*, собираясь на службу, она наряжается перед зеркалом.

Мужчины были редки. Конечно, старики нет-нет да и встречались, но их фигуры как-то терялись среди старушечьих. Молодые бросались в глаза сразу. Чем-то похожие на Родиона Раскольникова, они носили бородки и темные долгополые пальто. Про себя я прозвала их разночинцами.

Тем временем служба шла чередом. Невидимый хор все чаще вступал из глубины балкона. Хор опевал слабые священнические голоса. Взгляды священников становились собранными. То коротко и властно взглядывая на прислужников, то опуская глаза в поклоне, они привычно перенимали нужное друг у друга из рук. Иногда отдавали в руки безмолвных служек, чтобы те отложили в сторону, и эти короткие передачи завершались быстрыми мимолетными поцелуями, с которыми прислужники склонялись к отдающей руке. Вскоре наступала минута, когда из боковых врат выходили иподиаконы, выносившие высокие свечи. Вслед за ними из царских врат выступал архиерей. Двух- и трехсвещия, перекрещенные в воздухе, восходили над толпой. Огромные свечи медленно клонились к предстоявшим, и им навстречу, долгой волной, начинавшейся от нефа, опускались головы — под благословение. До последней секунды не отводя глаз, я ловила миг, когда свечи, достигнув самой высокой точки, начинали крениться в мою сторону, и тогда кланялась. Стоя в поклоне, я слушала свое сердце, полнившееся теплотой. Вечные слова красоты и истины омывали мою душу, встававшую из поклона.

Вслед за дьяконом выходили служки с металлическими кру́жками и углублялись в ряды. Звон собираемых монет отдавался во всех углах. Я клала и свою лепту.

Тихо, никого не тревожа, я выбиралась по стенке и, в последний раз перекрестившись, уходила домой. Спускаясь в метро на Сенной (подходя, я всегда вспоминала, что прежде здесь была церковь, которую взорвали вскоре после моего рождения), я глядела на людей, поднимавшихся мне навстречу, и думала о том, как сильно они отличаются от оставленных в храме. Различие было столь явственным, словно перед моими глазами, с перерывом в полчаса, проходили два народа, населявших разные страны. Ясно видя это различие, я еще не умела определить его своими словами, а потому пользовалась Митиным словом — *раскол*.

Усталость и простоватость были написаны на лицах моих случайных попутчиков. Держась за поручни, они двигались, не замечая никого вокруг, словно мысль о скором возвращении домой поглощала их целиком. Изредка взглядывая на тех, кто двигался навстречу, они отводили невидящие глаза. Некоторые, стоявшие парами, перебрасывались короткими словами, и это движение губ, произносивших что-то неуловимое для моего слуха, напоминало короткие разговоры священников, вступавших на амвон. И те и эти говорили о своем, что не касалось посторонних. Однажды я вдруг подумала: соборные священники похожи на случайных людей, поднимающихся по эскалатору. В простоватой обыденности их лиц нет и следа той сосредоточенной истовости, которая написана на лицах прихожан. Усмехнувшись, я сказала себе: да, уж если делить на народы — и пассажиров, и священников я отнесу к одному. Вернувшись домой, я поделилась своими наблюдениями с мужем. Враждебно прищурив глаза, он взялся мне возражать в том смысле, что мои наблюдения незрелы и поверхностны. Разве можно по лицам судить о внутреннем состоянии людей?

Это удивило меня. Раньше, приводя литературные характеристики героев, он напирал на описание внешности. «Прежние писатели относились к лицам с особенным вниманием, взять хоть Достоевского: скупой и точный штрих — и, кажется, образ готов. Современные этим порядком пренебрегают». Теперь, словно отказываясь от литературных суждений, он произнес длинную речь, из которой следовало, что священники глубоко переживают каждое слово службы, для меня же — человека случайного — многое из того, что происходит в церкви, остается закрытым. Снова, как в дни моего рискованного крещения, мне предлагалось научиться видеть другое — то, что крылось под оболочкой в глубине.

Я пыталась объяснить ему, что в этой усталой простоватости не вижу ничего дурного. Мне даже приятно считать священников обыкновенными людьми, которые обсуждают друг с другом семейные дела. Не умея выразить яснее, я говорила, что в этой обыденности больше надежды и покоя, чем в сияющей и рассерженной истовости. «Да, может быть, я чего-то не вижу, но их сияние — оно тоже застит, мешает им видеть меня». — «Священник — не психоаналитик, тебя ему видеть незачем», — муж объяснял, что священник и не должен — он и говорит-то не от себя. «Знаешь, — мысль, пришедшая в голову, поразила меня, — тогда я вообще не пойму, зачем: если не от себя, если меня не видят — мне-то зачем идти?» «Такие как ты... Те, кто желает напрямую, все эти ваши разговоры — блеф. Не выходит! — его раздражение окрепло. — Может быть, таким, как ты, священник не нужен, но другим...»

Другие поднимались по эскалатору мне навстречу. «Если эти другие однажды придут, они придут к *обыкновенным* священникам, — я говорила уверенно, — и именно с обыкновенными, со *своими* они найдут общий язык». — «Если твои обыкновенные придут, они придут *не к священникам, а за ними*», — муж сказал в сердцах. Он высказался неосторожно. Мне захотелось поймать его на слове — если *так* относиться к обыкновенным людям, как же можно надеяться на их исправление? Впрочем, муж и сам понял: «Ладно, это я так, обыкновенные ни при чем». — «Вспомни, — возвращаясь к прежнему, я кивнула на стеллаж, — старец Зосима. Не было никакого сияния в его глазах».

Мой последний довод неожиданно возымел действие — муж полез за книгой. Судя по всему, мои слова подтвердились: полистав, он отложил недовольно. Посчитав спор исчерпанным, я заговорила о женщине, украшавшей себя вязаными розами. «Если бы ты встретил такую на улице, у тебя не было бы сомнений, но там, в церкви... Этих женщин надо лечить». — «Они и лечат. И этих женщин, и всех других», — прекращая разговор, он вышел из комнаты. Я помню, как он уходил тогда, помню его спину в проеме двери... Очень ясно помню, как, не разглядев своего собственного будущего, я подумала: уж эту-то, убранную розами, надо точно лечить.

На следующий день я осталась дома и, вспоминая прищуренные глаза и весь разговор, показавшийся мне неприятным, не находила себе места. Поразмыслив, я поняла причину беспокойства. Она крылась в решительном нежелании мужа хоть в чем-то положиться на внешность. Само по себе это вряд ли могло внушить тревогу, однако за одной решимостью крылась другая: сам себя он выводил за рамки нашей любимой литературы, подталкивая к этому и меня. Надежный причал, где мы — в течение первых лет нашей общей жизни — стояли друг подле друга, сменился шаткой лодчонкой, в которой я оставалась одна. Закрывая глаза, я видела: муж уже стоит на другом берегу и протягивает руку, но я — я не могла разглядеть его пристани, скрытой в темноте и тумане. Он уходил от меня все дальше и дальше, и, вглядываясь в туман, я чувствовала, как тревога, вошедшая в меня после крещения, крепла и возвращала к скрытому, к тому, в чем даже себе я боялась признаться.

Только через месяц я снова решилась съездить в Никольский.

С вечера, собираясь на литургию, я опять слушала Галича. С некоторых пор я делала так всегда. В моем сердце зрела странная мысль: не умея различить новую пристань, я силилась, не отступаясь от литературы, найти другую подходящую форму, способную стать временными мостками, ступив на которые, я прошла бы несколько шагов, приближающих меня к церковному *невидимому*. Проще говоря, мне хотелось соединить глуховатый голос моего прошлого, поющий под гитарный перебор, с другим, который казался его подобием. Всякий раз, слушая поминальные записки, поданные на ектению, я размышляла о том, каким образом к этому подступиться. Требовалось найти еще один — решающий — признак (для выявления общности одной глуховатости мало), но мысль оставалась неясной и шаткой. Я ведь даже не знала того, что поминальные записки приносят в алтарь вместе с просфорами, и священники, поминая имена, изымают из просфор частицы хлеба — одна частица за одно имя.

Не помню, что задержало меня, но в тот раз я сильно опоздала: Великая ектения прошла. Из боковых врат уже выходил дьякон — поминать. Поворотившись лицом к алтарю, он начал чтение. Поминальные записки были длинными. Не прислушиваясь к именам, почти неразличимым в возгласах невидного хора, я мысленно представляла себе людей, вызываемых из небытия этим слабым и монотонным голосом. Они шли мимо, но не бесконечными колоннами, а как будто небольшими группами, каждая длиною в записку. Снова, словно кто-то толкал меня под руку, я думала не о вечной жизни, а о смерти, выпавшей на долю каждого из них. Их смерть была общей, и именно мысль об этой общно-

сти навела меня на другую. Я вдруг представила себе сами
записки, которые дьякон вынимал из кармана, но увидела их
не разными бумажками, заполненными от руки, а страницами, напечатанными на машинке. Прежде я как-то не догадывалась представить себе эти строки напечатанными, но теперь, когда, поднимаясь из глубины, в мои уши вступило
вчерашнее: *Мы поименно вспомним всех, кто поднял руку...* — я вдруг увидела подписи, стоявшие в правом нижнем
углу каждого листа. Подписи под расстрельными списками.
Черные и размашистые, они выступили, словно огненные
буквы из белой стены. Этих — подписавших — уже не было
в живых, они ушли от своих оставленных на земле каракулей, но старушечьи руки, теперь писавшие за них, из года
в год заносили их имена в свои поминальные списки.

Я слушала нескончаемый перебор и думала о том, что
здесь, на моих глазах, теперь уже руками истовых старух
убитые и убийцы снова мешаются — так, что теперь их уже
не разделить... Эта мысль билась во мне гитарным перебо-
ром: записки подают одинаково — *за всех. Все одной зе-
ленкой мажутся, кто от пуль, а кто от блох...* Теперь
я слышала совершенно явственно. Вот же оно... Старухи,
словно сами они были убитыми, брали на себя прощение
убийц. Живые, они не имеют на это права, мысль выгнала
меня прочь — за стены. Эти старухи берут на себя право
мертвых.

Добравшись до дома, я взялась за уборку. Складывая
стопкой институтские конспекты, разбросанные по столу,
я наткнулась на развернутые таблицы по анализу хозяйственной деятельности. Эти бесконечные листы я привыкла
заполнять. Всмотревшись, я усмехнулась и вырвала лист из
блокнота. В качестве исходного показателя напрашивалась
воля старух. По-старушечьи выходило так, будто мертвые
составляют общность, не подлежащую разделению. Я уже
занесла руку, но поняла, что живые — подлежат. Значит,

старушечья посылка ведет в тупик: любая аналитическая таблица начинается с разделения. Хочешь не хочешь, надо делить и мертвых. Убитые и убийцы — я воспользовалась готовым разделением.

Теперь я переходила к живым, которые разделялись легко: я назвала их гонимыми и гонителями соответственно. Здесь застопорилось. Значение граф, поименованных «Убитые» и «Убийцы», сомнения не вызывало. В первую группу переходили по факту расстрела, и первая довольно часто пополнялась за счет второй. Впрочем, это мало что меняло, зато вторая группа парных показателей требовала уточнения. Додумывая на ходу, я вписала в «Гонимых» диссидентов и священников. С «Гонителями» сложнее. В моей таблице они стояли напротив «Убийц», а значит, по табличному правилу должны были обладать каким-то общим с ними признаком. Конечно, нынешних нужно было называть по-другому, но, вспомнив о преемственности поколений, о которой говорил Митя, я воспользовалась словом «большевики».

Прошлое	Новые исторические условия
Убитые (У1)	Гонимые — диссиденты и священники (Гдс)
Убийцы (У2)	Гонители — большевики (Гб)

Я уже собралась прикинуть числовые значения, но тут же заметила ошибку. Согласно моей таблице получалась статистическая формула:

$$Н\,(народ) = У1 + У2 = Гдс + Гб$$

Первый знак равенства, если верить Мите, был корректным, второй — нет. Сумма Гдс + Гб не равнялась Народу.

Люди, поднимавшиеся мне навстречу по эскалатору, не были ни священниками, ни диссидентами. Все вместе это означало, что формула не выводится напрямую. Требовалось сформулировать теорему, в которой для корректного доказательства я должна была ввести добавочный третий член.

Быстро, словно кто-то гнал руку, я писала, склоняясь над столом:

$$У1 + У2 - \textit{все мертвые}$$
$$Гдс + Гб - \textit{не все живые}$$

Определяющий признак — *все*. Следовательно, для уравнения правой и левой частей необходимо к правой части добавить *новое множество*, обеспечивающее всеобщность. Оно состояло из *остальных* живых. Это множество было аморфным по определению — не обладало достаточными признаками того, чтобы быть отнесенным либо к группе Гдс, либо к группе Гб. Однако по правилу таблицы — от этого некуда деться, в его формуле должно было присутствовать качественное разделение: в противном случае первый столбец таблицы не мог соответствовать второму. Я поняла, что таблица увязывается единственным образом:

Вечность	Прошлое	Настоящее
Н (народ)	Убитые (У1)	Гонимые (Г1) + Н Г1
	Убийцы (У2)	Гонители (Г2) + Н Г2

где Н Г1 — доля аморфного множества живущих, потенциально примыкающих к гонимым;

Н Г2 — доля аморфного множества живущих, потенциально примыкающих к гонителям.

Теперь общая формула выглядела так:

$$H = У1 + У2 = (Г1 + Н\ Г1) + (Г2 + Н\ Г2).$$

В таком виде она становилась корректной.

Оставалось сделать последний шаг — определить состав и, в случае особенной удачи и достаточности данных, найти числовые значения Н Г1 и Н Г2. Данных у меня не было. Я смяла листок.

На следующий день, вспоминая выкладки, я вдруг подумала о том, что если церковь не видит коренной разницы между убитыми и убийцами, она не должна, по логике вещей, признавать и разделения на гонимых и гонителей, иначе ее формула, по крайней мере применительно к СССР, никогда не будет доказана. Больше того, не признавая этого существенного разделения, служители церкви не замечают опасности, похожей на разверзающуюся пропасть: самим оказаться в той части аморфного множества, которое примыкает к гонителям. Здесь мне показалось, что я захожу слишком далеко.

* * *

В тот год пасхальная служба пришлась на начало апреля. Муж заговорил об этом заранее в связи с началом Великого поста. С какой-то особенной радостью, которой я удивлялась, он перечислял постные блюда, подаваемые в академической столовой. Теперь, возвращаясь с работы, он ежевечерне цитировал академическое меню, в которое входило рыбное. «Я действительно чувствую легкость в теле... Просто удивительно!» Всегда равнодушная к еде, я слушала вполуха, тем более что дома он и теперь ел без разбора — все, что подам.

Ближе к апрелю муж заговорил о том, что семьи священников, служащих в Академии, по традиции встречают Пасху в академическом храме. Семьи преподавателей тоже. На праздничную службу пускают по пригласительным билетам. Их надо предъявлять на подступах: все входы перегородят кордонами, в которых будут стоять специально привлеченные комсомольцы. Формально этих комсомольцев выставляют для того, чтобы следить за порядком: вылавливать пьяных хулиганов, которые в своем атеистическом недомыслии могут осквернить пасхальную службу. В действительности же вся эта болтовня о хулиганах — вранье. Все делается для того, чтобы не пускать в храмы молодежь. Церкви приходится с этим смиряться, поскольку территория, окружающая лавру, формально принадлежит государству. Об этом муж говорил с горечью. В последнюю пятницу он принес два билета, на одном значилась моя фамилия. Выкладывая их на стол, муж заметил, что многие хотели бы получить такой билетик, да немногие получают.

Пасхальная служба начинается ближе к полуночи, но гости, ищущие места поближе, заполняют храм заранее. Конечно, для нас, приглашенных особо, будут огорожены специальные места, но прийти надо пораньше, чтобы не попасть в сутолоку. По поводу того, как мне следует одеться, муж ничего не сказал. Обдумывая наряд, я старалась избежать крайностей. Мой выбор остановился на темно-синем нарядном платье, которое муж привез из Женевы. Платье было длинным — ниже колен, но довольно глубоко вырезанным — не закрывало шею. Голову я не повязала. Перед выходом из дома я показалась мужу, и он одобрил с энтузиазмом. «Ничего, что без платка?» — я спросила нерешительно. «Ерунда!» — он махнул рукой весело, мне показалось, как в прежние времена.

В этот час на площади перед лаврой народу было мало. Узкие струйки людей, которых я теперь узнавала с одного взгляда, переходили от метро к главным воротам. У входа я заметила группу парней с красными повязками на рукавах. Мы свернули направо: через сад короче. В узком переулке, ведущем к деревянному мостику, было безлюдно. Мы уже перешли мостки, когда один из парней, скучавших в оцеплении, отделился от своих и, заступив нам дорогу, попросил предъявить билеты. Улыбаясь простоватым, совсем деревенским лицом, он протягивал руку. Я потянулась к сумке и, уже открыв, взглянула на мужа. То, что я увидела, поразило меня. Прежде *этого* не бывало.

Его лицо напряглось и стало страшным. Выступившая шейная жила дернулась в судороге, взгляд, остановившийся на комсомольце, загорелся ненавистью. «Изыди!» — я услышала низкий голос, тяжелый, как камень. Парень отступил. Его протянутая рука упала, словно перебитая. «Простите, батюшка...» — он отступал к своим шаг за шагом. «Бог простит», — не удостоив взглядом, муж пошел вперед. Растерянная, я поспешила за ним и, уже почти нагнав, услышала смех, вспыхнувший за моей спиной. Не сбавляя шага, я обернулась. В кругу своих парень разводил руками, что-то объясняя. Поравнявшись, я пошла рядом с мужем. Его лицо оставалось чужим. Натянутая шейная жила дергалась и дергала щеку. Мы шли вперед, но отрывочные мысли, короткие и судорожные, бежали в моей голове. ...Чтобы Бог простил, комсомолец должен умереть... Они умеют только с мертвыми... Мертвого, его помянут с земли... Этот народ соединяется только под землей...

Пройдя по темному лаврскому саду, мы вышли к Академии. В сквере, разбитом у входа, было светлее. Над входными дверями горел уличный фонарь, под свет которого уже собирались ранние гости. Одним кивая, с другими здороваясь за руку, муж продвигался уверенно. Быстро оглядевшись, я подумала, что здесь прихожане другие. В их лицах сияла обычная праздничная радость, какая бывает на любом празднике. Казалось, все друг с другом знакомы: женщины обменивались поцелуями, некоторые мужчины целовались троекратно. Мы поднялись по лестнице и, пройдя длинным коридором, подошли к приоткрытой двери. «Тут можно оставить пальто и подождать, я — скоро», — муж оставил меня у входа. Помедлив, я вошла.

Просторная комната напоминала приемную. По стенам, увешанным тяжелыми портретами, стояли стулья и кресла. Женщины, девушки и дети сидели здесь и там. Взглянув на меня мимолетно, они вернулись к оживленной беседе. Я расстегнула пальто и присела. Разговор шел о куличах. Женщина средних лет, чей рассказ на секунду прервало мое появление, продолжала деловито и увлеченно. Она говорила о трудностях, с которыми столкнулась на этот раз: несвежие дрожжи, тесто плохо поднималось, совсем не успело *выходить*. «Волнуешься каждый раз — подойдет не подойдет, тесто-то тяжелое, потом еще творог — комками, пока перетрешь...» В разговор вступили другие — каждая о своих куличах. Девушки, сидевшие под присмотром матерей, время от времени поднимались и шли к высокому зеркалу, закрывавшему простенок. Оглядывая себя с головы до ног, они вполголоса обсуждали туалеты. На мой взгляд, обсуждать было нечего. Не по сезону шелковые платья, украшенные широкими воланами, годились разве что на сельский праздник. По очереди помогая друг другу, они подкалывали заколками-невидимками светлые кружевные косынки. Дети поменьше сидели смирно. «Вы — жена?..» — женщина, укутанная в цветную шаль, назвала мужа по имени-отчеству. Я кивнула. «Раздевайтесь, раздевайтесь, здесь тепло, за нами скоро придут», — признавая меня своей, они заговорили наперебой. Я вынула из мешочка туфли и, надев, медленно сняла пальто. Мое платье было простым и строгим — ни рюшей, ни кружев. Вырез, открывавший шею, строго очерчивал ключицы. Широкие рукава, собранные на локтях, уходили к запястьям узкими лучами. Я видела, *как* они замолчали. Молчание длилось так долго, что я успела улыбнуться. Сцену прервал прислужник, явившийся с приглашением.

В нарядной женской толпе я шла тем же коридором, которым меня привел муж. Он обещал, но не пришел за мною, оставил меня. Как же она сказала?.. Спускаясь по лестнице, я почувствовала взгляд, остановившийся на моей щеке. Не решаясь оглянуться, я подняла руку и коснулась, словно сгоняя назойливое насекомое. Женщина в цветной шали, шедшая впереди, обернулась и кивнула мне ободряюще. Да, *матушка*, так она сказала. Я шла, и с каждым шагом его замысел становился все яснее. Он отправил меня вперед, к этим настоящим *матушкам*, чтобы я, соединившись с ними, хотя бы на время праздника стала одной из них. Из-за меня не допущенный к священству... Я вспомнила их дружеские кивки и его реверенду... Оставляя меня с ними, он полагался на меня.

Пройдя по лестнице, мы вошли в храм, от пола до потолка залитый сиянием. Пустая полоса, похожая на просеку, рассекала толпу пополам. По полосе, сопровождаемые прислужниками, как охраной, мы прошли вперед и остановились на сбереженном для нас пятачке. Звон далеких колоколов долетал словно бы из-за стен. Дальние голоса мужского хора пели едва слышно. Из алтаря выбежали прислужники, на бегу раскатывая красную дорожку — от самых царских врат. Они катили ее, покрывая просеку, по которой несколько минут назад прошли наряженные матушки. Украдкой я взглянула на запястье. Было без пяти двенадцать. Высокие окна налились темнотой. Там, за стенами лавры, юные, как прислужники, стояли комсомольцы. Среди них был тот, кому одним ударом, наотмашь, было приказано: «Изыди!» Прислушиваясь к пению далекого крестного хода, не выходящего за оцепление, он уже не смеялся.

Теперь, оказавшись внутри храма, я осторожно огляделась. Мысль о том, что кто-то, кого я не вижу, наблюдает за мной, мешала сосредоточиться. Невидимый взгляд соскользнул со щеки и уперся в мой затылок. Я чувствовала холод, как будто к затылку было что-то приставлено. *Воскресение Твое, Христе Спасе, Ангели поют на небесех! И нас на земли сподо-оби чистым сердцем Тебе-е сла-ви-ти!* Стоящие вокруг меня тихо подпевали еще невидимому хору. Слова повторялись и повторялись, как будто не нарастая, но беспокойное движение уже началось. Створки дверей широко распахнулись и сквозь них, теперь нарастая басовито, вступило торжественное песнопение, подхваченное во все голоса. Неловко вывернув шею, словно в этот миг моя голова жила отдельно от тела, я смотрела назад.

Они входили строгими мужскими парами. Юные прислужники, стоявшие в оцеплении вдоль красной ковровой просеки, напряженными спинами держали народ. Пары расходились в стороны, выстраиваясь двумя рядами. Он шел один, внутри, в двойном кольце оцепления. Тяжелые складки пурпурного пасхального бархата облачали его тело. С каждым его шагом тусклое сияние золотого шитья разгоралось ярче. Лицо, венчавшее праздничный саккос, было собранным и сосредоточенным. Это лицо жило отдельно от праздничного облачения. Глаза, смотревшие строго, излучали спокойствие. Ни тени опасного сияния не было в его молодых глазах. Тяжелая митра плыла над кольцами оцепления. Он остановился, отвел от себя посох и передал в сторону, не оглядываясь. Иподиакон склонился сбоку. Принимая посох, он коснулся руки владыки почтительным поцелуем. В этом поцелуе не было и следа обыденной мимолетности. Владыка поднял руки, благословляя. Предстоятель и священнослужители возгласили: «*Христос воскресе из мертвых, смертию смерть поправ...* — И два слаженных хора, неведомо откуда слетевших на клирос, освобожденно и счастливо разрешились впервые: *...и сущим во гробех живот даровав!*» Повернувшись к храму, владыка Николай возгласил: «Христос воскресе!» — троекратно. Троекратно же на каждый возглас поднималось в ответ: «Воистину воскресе!»

Неотрывно я смотрела в его лицо, и взгляд мой дрожал радостным умилением. Необозримое счастье, золотистое и красноватое, заливало мою душу. Все праздные мысли о видимом и невидимом уходили, как туман, рассеянный под солнцем. То, что виделось в отсветах, становилось земным воплощением невидимого. Ради этого почти что ангельского воплощения *стоило*, разведя в равновесии руки, сделать шаг из утлой лодчонки и встать на крепкую пристань — рядом с мужем. Я повернулась и отыскала глазами: в последнем ряду правого хора он стоял, шевеля губами в лад, и лицо его розовело общей явленной радостью.

Служба была долгой. Степенно и длительно, час от часу, она шла своим чередом. С каждой минутой мне становилось все труднее. Будь я одна, я давно ушла бы домой, привычно пробравшись по стенке, тем более что толпа, до отказа заполнившая храм задолго до начала, теперь постепенно редела. На мой все-таки почти посторонний и нетерпеливый взгляд, все, происходившее в алтаре и на клиросе, теперь казалось однообразным. С трудом превозмогая себя, я думала о том, что больше всего на свете мне хочется сесть: ноги ныли. Украдкой я оглядела матушек, стоявших рядом, и изумилась. Не зная усталости, они стояли смирно, как в первый час службы.

Перед моими усталыми глазами все двигалось и развивалось незаметно. Не было коротких взглядов, которыми владыка Николай должен был бы руководить и направлять. Казалось, он не давал никаких распоряжений. Все, кто служил рядом с ним, знали свое место и свои роли. В нужный миг поднимались благословляющие свечи, в нужный миг склонялись к его руке почтительные губы. Казалось, владыка смотрел выше нас всех, но мне не могло бы прийти и в голову, что он смотрит мимо предстоявших. Борода, тронутая проседью, делала его старше своих лет. Никто, увидев впервые, не назвал бы его тридцатилетним. Что-то *врожденное* было в этом лице, то, что заставило мой измученный бессонницей мозг вспомнить слово — *иерархия*.

К четырем часам ночи служба начала спадать. Тише пели хоры, медленнее ступало духовенство. Я чувствовала себя обессиленной. Тело отказывалось мне служить. К пяти часам утра все наконец завершилось. Женщина в цветной шали, та самая, которая пыталась ободрить меня, снова обернулась и, найдя меня глазами, подошла вплотную: «Теперь все идут в трапезную», — она вознамерилась доиграть свою роль до конца. Муж подошел неприметно и теперь стоял рядом с нами. «Христос воскресе, матушка!» — они расцеловались троекратно. Все потянулись друг к другу с поцелуями. «Нам тоже надо туда?» — я спросила тихо, кивнув куда-то в сторону. «Да, обязательно, это недолго, иначе владыка обидится». Я видела, ему очень хочется пойти.

Судя по основательно поредевшей толпе — люди стояли полупрозрачным строем, взгляд легко обходил отдельные фигуры, добегая до края, — здесь оставались самые стойкие. Муж сказал: «Все идут в трапезную», значит, все оставшиеся — приглашенные. Я уже приготовилась выйти за мужем, но замерла: Митины глаза встретились с моими, и, словно пойманная с поличным, я едва не вскрикнула. Его лицо было бледным от усталости. Слабый потухающий взгляд бессильно скользнул по мне. В этот миг я не знала, чему удивляться больше: его присутствию среди приглашенных или тому, что он *достоял*. То, что он готовится пойти в трапезную, неприятно поразило меня. Среди розовых лиц, объединенных общей явленной радостью, он был и оставался чужим. Ненавистник, *сегодня* он не должен стоять и радоваться со всеми. Я встрепенулась сказать мужу, но Митины пальцы потянулись к губам тихим просящим жестом. Навстречу мне его губы шевельнулись беззвучно: я не расслышала слов, словно снова он говорил со мной в постыдном и незабываемом сне. Влажная сонная волна поднялась, отдаваясь короткой болью. Боль, похожая на жалость, опустила мои ресницы, а когда она схлынула, бледное лицо исчезло: Митя отступил за колонну. Судя по всему, муж ничего не заметил. Вслед за ним я вышла из храма. Смолчав, я больше не думала о Мите. Мысль о том, что сейчас я снова увижу владыку Николая, как-то по-особенному тронула меня.

Студенты под присмотром воспитателей разговлялись в большой столовой. Пасхальная трапеза для духовенства была накрыта в особой комнате, близкой к покоям ректора. Соединившись со своими домочадцами, священники двинулись туда. Встречая знакомых, многие то и дело останавливались и христосовались троекратно. Друг друга они величали батюшками. Молодые священники шли, подхватив под ручку своих невзрачных жен. Входя в комнату, все рассаживались, на мой взгляд, произвольно. Место во главе длинного стола оставалось пустым.

Праздничная радость снова разлилась по лицам, но здесь, в трапезной, она была другой. Эта радость, которую про себя я снова назвала обыденной, теперь, после знакомства с матушками, раздражала меня. Между тем батюшки откупоривали бутылки, их жены накладывали закуску, однако к еде никто не приступал. Все сидели над полными тарелками, дожидаясь. Я обратила внимание — детей здесь не было. Может быть, их увезли домой, а может, повели к студентам — в общую трапезную. Шум, похожий на ветер, прошел над столами. По знаку седобородого священника, сидевшего рядом с оставленным местом, все поднялись на молитву. «Ректор со студентами подойдет позже», — муж шепнул мне, когда все сели снова. Я смотрела на свою полную тарелку. После долгой ночной службы, измучившей меня, я не могла и думать о пище.

Веселое движение послышалось за дверями, и, широко распахнув створки, вошел владыка ректор, приветствуя собравшихся. Молодым шагом он прошел к оставленному месту. Небольшая стайка свиты, вошедшей вместе с ним, рассеялась незаметно. Он поднял налитый бокал и голосом, не похожим на тот, которым возглашал в храме, произнес первый тост. Этот голос был веселым. Щеки, раздавшиеся в улыбке, еще более сужали глаза. Владыка выпил вина и отставил бокал. «Пожалуйста, угощайтесь», — широким жестом он просил откушать. На своем, оставленном для него месте он сидел как глава семьи. По его монашеской жизни они были его домочадцами. Я видела: ему хочется общей радости. Нетерпеливо прикусывая полную нижнюю губу и оглаживая бороду, он обращался то к одному, то к другому. Вопросы, повисавшие в воздухе, были простыми — это были вопросы *по ним*. Он интересовался общими знакомыми, служившими Пасху в других храмах. Тот, к кому он в свой черед обращался, отвечал односложно и сковано. «Кушайте, кушайте, угощайтесь!» — старательно держась роли, он не сдавался. Они сидели, почти не прикасаясь к закуске. Их матушки, опустив глаза, пережидали бессловесно. Все было тихо, словно его веселое появление разрушило *их* радость.

Я видела, как почва, на которой он храбро и крепко стоял в пасхальном храме, здесь, в этой комнате, полной зависимого почтения, уходила у него из-под ног. Я подумала: он похож на меня, когда я стою в лодчонке, которая ходит под ногами. Там, в храме, он смотрел поверх голов, но видел всех и каждого; здесь, переводя взгляд с одного на другого, он не встречал ничьих глаз. В своей особенной и скованной почтительности их глаза уходили от него — избегали, чурались. Я нашла его взгляд и, найдя, усмехнулась. В этом взгляде угадывалось что-то более глубокое, чем желание семейного спокойствия. Оно поднималось, как на свежих дрожжах. «Будь он тестом, — я вдруг представила и снова усмехнулась, на этот раз от нелепости сравнения, — за него не пришлось бы переживать». Никто не видел моей усмешки, никто не мог видеть, а если бы и увидел, никто из них не посмел бы ее *понять*. Владыка понял. Его глаза, расслабленные желанием общего праздника, снова собрались. В этот миг, неуловимый для остальных, я подумала: мы, я и он, одного поля ягоды...

«Вы ведь сегодня впервые здесь?» — через стол он обратился ко мне вслух, назвав по имени-отчеству. По особенной тишине, мгновенно повисшей над столом, я поняла, что этот прямой вопрос — дело неслыханное. Глаза матушек остановились на мне так, словно ответ, если бы таковой последовал, ожидался от кого-то заведомо бессловесного. «Да, владыко», — я отвечала легко и почтительно, не отводя глаз. Я видела, ему пришлась по душе моя почтительная, но совсем не обыденная легкость. «А раньше, прежде, бывали?..» Матушки не успели перевести дух. Теперь уже сам вопрос, само предположение о том, что я — впервые в этих стенах, прозвучало чудовищно. Те, кто приходил впервые, *сюда* не должны были проникнуть. Ко времени их общей трапезы, обособленной от мира крепкими стенами лавры, все приходящие впервые оставались за дальним кругом комсомольского оцепления. Я, пришедшая извне, расширяла круг, а значит, обращаясь ко мне, владыка выходил за рамки семьи, потому что, придя извне, я пришла из народа. Это означало, что, побыв в соблазнительной роли отца, он — в моем присутствии — снова становился архиереем.

«...бывали на пасхальной службе?..» Все, о чем я подумала, промелькнуло так быстро, что он не успел закончить вопроса. Я вдохнула радостно, собираясь сказать правду, но в этот миг внезапная боль пронзила меня. Под столом, размахнувшись коротко, муж пнул меня ногой. «Замолчи», — он сказал сквозь зубы, не шевельнув губами. Как-то не совладав с собою, я растерялась от неожиданности и взглянула: его губы застыли напряженно, но щека конвульсивно дергалась, как будто я, к которой ректор обратился с вопросом, была вызвана к ним за стол из *того* оцепления. Господи, так оно и было. Прислушиваясь к ноющей ноге, я поняла, что мой правдивый ответ будет означать одно: я действительно не из их семьи, я пришла *оттуда*. У меня не было времени. «Нет, владыко, на пасхальной службе я не впервые». Моя открытая ложь помутила мои глаза.

Где-то далеко, за пеленой моего стыда, в тумане, не знающем солнца, владыка подымался с места, отставляя в сторону прибор. Все потянулись следом — встать. «Сидите, я — к студентам, у них сегодня веселее», — его голос становился отчужденным. Он вышел вон, ни на кого не взглянув. После его ухода веселья так и не наступило. Посидев недолго, для приличия, пары начали подыматься. Выходя из комнаты вслед за мужем, я думала о том, что владыка попросту сбежал.

В предутренний час я не находила сил сосредоточиться. Муж хотел, чтобы в среде его товарищей я стала своей. Случись так, и у него появилась бы новая иллюзия единения: как в случае с реверендой. Теперь я начинала понимать: он желал идти своим петлистым путем, но эта петля захлестывала и меня. Я прикинула еще раз — нет, для этих батюшек и матушек я не могла и не хотела становиться своей. «Неужели, если я откажусь, мне придется уйти к комсомольцам?» — в мозгу медленно плыла усталость. Бессвязные слова, похожие на отрывистые впечатления, мелькали во мне, не сопрягаясь: о духе, которым я про себя называла владыку, о теле — состоявшем из множества мужских и женских тел, — которому я, прислушиваясь к ноющей боли в ноге, вовсе отказывала в духе. Какое-то новое разделение, не учтенное в моей скороспелой формуле, медленно поднималось на поверхность. Мне казалось, я вижу неясные контуры, очерченные новыми словами. Я вспоминала Митин палец, коснувшийся губ, триумфальный выход владыки — его пасхально багровеющее облачение и думала о том, что на этом общем празднике они — тело и дух — вряд ли сумеют примириться.

Тело и кровь

На пасхальные каникулы муж в составе академической делегации, возглавляемой владыкой Николаем, отправился в Польшу. По замыслу принимающей стороны гости должны были принять участие в совместных консультациях, а в свободное время объездить несколько католических монастырей.

С вечера, предоставленная сама себе, я привычно раскладывала книги и старательно вчитывалась в написанное, но строки бежали мимо. Буквы не желали складываться в слова. Из-за черных знаков, рябивших мелкой зыбью, всплывала то рука, восходящая к губам покорным, просительным жестом, то, словно ее отгоняя, поднимались собранные глаза владыки. Странное слово *иерархия*, приходящее на ум, не давало покоя. К утру, сломленная усталостью, я добиралась до подушки и засыпала без снов.

Пасхальные каникулы подошли к концу, и в продолжение следующих недель я сама не раз заводила речь о владыке. Задернув клетчатые шторы и разлив чай, я хитро, как мне казалось, наводила разговор. Вспоминая его прежние рассказы, я снова расспрашивала о том, чем закончилась история с беззаконно отъеденной просфоркой (выяснилось, что тогда маленькому Володе здорово досталось от отца Василия), или просила рассказать подробнее, каково это было, когда его застали в ризнице спящим. Давние неправдоподобные, почти апокрифические истории, которые муж пересказывал мне с новыми подробностями и неизменным умилением, вызывали жгучий интерес, который, время от времени отпуская незначащие замечания, я старалась не обнаружить. Раз за разом я возвращала память мужа к прежним временам, так что однажды, видимо, усомнившись в том, что я в полной мере понимаю смысл давнего прегрешения владыки, *нарушившего* просфорки, муж объяснил мне самую суть: частицы, вынутые из просфорок, — каждая за свое имя — опускают в Чашу, из которой причащают, таким образом объединяя их с Телом и Кровью Христовой. «Женщины не видят главного. Частицы вынимают в алтаре, куда вашей сестре ход закрыт», — он произнес с удовольствием. «Ну что ж, — скрывая плеснувшее через край раздражение, я отшутилась, — значит, *вашей сестре* придется догадываться по косвенным признакам». Муж не поддержал шутки и вернулся к детским историям.

«Да не было ничего особенного, они уже привыкли — Володя вообще прислуживал неохотно, то одно, то другое. С дисциплиной у него всегда были нелады», — муж отвечал на мои вопросы, кажется, уже удивляясь их настойчивости. Тут меня дернул черт, и я спросила: *почему он принял постриг?* В моем вопросе крылось двойное дно: я хотела знать, почему, отворачиваясь от мира, он не сумел отвернуться окончательно? Кто как не он, идущий вперед по красной ковровой просеке, он — средоточие пасхальных сияющих глаз, мог и должен был отвернуться от видимого — несовершенного и грешного — мира, но этот мир не отпускал его — притягивал семейным академическим кругом. Я не сказала вслух, но про себя решила, что его монашество не совсем невидимое — из *видимого* он оставил себе карьеру и академическую семью. В каком-то смысле (об этом я с тайной надеждой сказала мужу) отец Петр, обремененный настоящей семьей, ведет более монашескую жизнь.

Муж решительно отмел сравнение с Петром, но своего ответа не дал. Подумав, он предположил, что кроме всего прочего монашество было важным условием карьеры. Теперь в его необдуманной интерпретации владыка ректор выходил почти заурядным честолюбцем. «Карьеру можно сделать и в другом месте...» — я вспомнила институтского ректора, начинавшего в обкоме. «Его отец из репрессированных», — муж произнес неохотно, словно это признание могло умалить в моих глазах чистоту сыновнего выбора. «Отец умер?» — я спросила не раздумывая, потому что теперь спрашивала о главном. Он кивнул. «Значит, каждый раз во время Великой ектении, когда молятся о властях?..» — «Это — не наше дело. Наше царствие не от мира сего. Церковь не выступает против власти Кесаря», — словно забыв свои же слова о том, что церковь *ничего не отпустила*, муж отказался обсуждать. «Или боится выступить?..» — я парировала запальчиво и глупо, но он уже вышел из комнаты. Я представила себе руку владыки, поднимающуюся ко лбу безгрешным, ангельским жестом — *за всех*. С этим я не могла смириться. Не смирившись, я замыслила поймать его за руку.

Случай представился скоро. По долгу службы муж занимался расшифровкой кассет с речами владыки — одновременно он переводил их на английский. Позже из этих переводов составлялись документы для Всемирного совета церквей. Обычно муж работал с кассетами по ночам: ставил на стол портативную пишущую машинку, включал диктофон, надевал наушники. Пленка крутилась беззвучно. По утрам на столе лежали листы готового английского текста. Иногда я заглядывала из любопытства: перевод речей казался мне замечательным. Я не видела оригинала и могла судить лишь по переводу, однако и в переводе, на мой взгляд, чистом и безупречном, что-то удивляло меня. В нем уживались, как-то противореча друг другу, легко узнаваемые библейские фразы и жесткие обороты речи, которые про себя я называла политическими. Просмотрев, я откладывала в сторону. Однажды диктофон дал сбой: сам по себе он переключился с «off» на «on».

Мы сидели в гостиной: я смотрела телевизор, муж печатал. Ясный и громкий голос неожиданно прорвался наружу — несвязный обрывок речи, проговоренный вслух. Этот обрывок был коротким, в несколько слов. По отрывочным словам — очень быстро муж переключил назад — я не сумела понять целого, но что-то более важное, более полное, чем

смысл, приковало мой слух. Это была странная, невырази-
мая интонация — какой-то плачущий отзвук, не имеющий отношения к безупречно переведенным листам. На следующий
день муж снова уехал в командировку. В этот раз — без владыки. Группу, состоявшую из преподавателей и священников,
пригласили в Израиль на какие-то торжества. Довольно туманно муж прокомментировал: «Едем к истокам».

В его отсутствие я поставила кассету на магнитофон.
Речь владыки была черновой. Мне показалось, он надикто-
вывал на ходу, в пустые, свободные минуты: плавное течение прерывалось то коротким распоряжением в сторону, то
паузой, заполненной шуршанием бумаг. Кажется, это называется эффектом присутствия, но как бы то ни было, я чувствовала себя так, будто сама сижу в его кабинете. Присутствие, которого я достигла, дарило меня особенным тайным
удовольствием. Закрыв глаза и представляя собранное лицо
с широковатыми скулами, я слушала живую речь владыки,
и эта речь больше не казалась мне безупречной. Глаза, глядевшие на переведенные листы, оказались несовершенным
инструментом. Противоречие, крывшееся в его языке, становилось все более явным.

Уши не обманули меня: под живым и сильным голосом,
глубоко, на самом его дне, таилась странная, неизбывная
интонация — та, которую я по короткому несвязному от-
рывку приняла за плачущую. Под живым голосом, укрытые
ясными, но противоречащими друг другу словами — биб-
лейскими и современными, — стояли бесстыжие стены
страха. Я слушала и снова перематывала назад: мне нужно
было время, чтобы свыкнуться. Слова бежали, исчезали
и снова появлялись. Господи, я думала о том, что радостное
оживление мужа, с которым он встречал свою новую деятельность, похоже на недомыслие. Теперь я видела по-другому: дух, измученный видом страшного, похожего на призрак, сидит за общим столом, надеясь хоть на какое-то вре-

мя укрыться за *их* обыденным весельем. Это страшное он скрывал от них, держал их в неведении. Сам-то он *видел* воочию и не отбрасывал видимое, не заслонялся чужим милосердным сиянием. Перед призраком, не закрывая сосредоточенных глаз, он вставал окруженный двумя рядами оцепления. Эта странная сцена, которую я представила, показалась мне похожей на другую — из «Гамлета»: принц, окруженный стражниками, выходит из круга, чтобы встретиться с призраком отца. Встретиться, чтобы отомстить. Литературное сравнение укрепило меня. Снова я чувствовала твердую почву, на которой крепко и надежно стояли мои ноги. Пленка крутилась и крутилась. Я больше не останавливала ее.

Не кабинет, в котором я представляла себя сидящей, — прежняя комната, убранная к пасхальной трапезе, встала предо мною. Сидя за пасхальным столом, на своем прежнем месте, я переживала все заново, словно случившееся было записано на пленку, которую можно было перемотать. Священники, похожие на придворных, сидели за столами, однако праздничная радость, разлившаяся по их лицам, больше не обманывала меня. Их глаза были пусты. Шум, похожий на ветер, гулял за стенами комнаты. Они сидели перед полными тарелками, на которых, беззаконно надкушенные со многих сторон, лежали чужие маленькие просфорки. Теперь я поняла: эти просфорки не были надкушенными. Они сами, своими неразборчивыми руками, вынули из них частицы хлеба — *за всех*, без разбора. Вынули и опустили в Чашу, где эти частицы убийц и убитых соединились в Теле и Крови Христовой. Он помнил об этом каждый день, а значит — я догадалась, предвосхищая, — должен был попытаться разъединить. В память об отце, по обязанности своего рождения. Нет, это невозможно. Владыка не был *принцем*. Всего, чего он достиг, он достиг не по рождению — просто сделал карьеру.

Странная мысль шевельнулась в моей затуманенной голове. Я попыталась представить себе, что бы сделала я, если бы не ему, а мне примыслилось — разъединить. Единственный выход, чтобы не допустить соединения частиц, — съесть их самому, сквозь сонную пелену я вспомнила слово: *потребить*. Однажды муж рассказывал мне об этом, но тогда я не придала значения. Священники всегда доедают то, что остается в Чаше, — Тело и Кровь: выливать нельзя, они потребляют, доедая и допивая в алтаре. Так они делают всегда, но *после*, когда ничего уже нельзя поделать, а он — он должен делать это заранее, так, как сделал однажды — в детстве. Надкусить просфорки — своими собственными зубами вынуть частицы *за убийц* — вынуть и проглотить. Вот он, этот Митин разрыв, пропасть, шизофрения: по долгу карьеры он обязан их вынуть, по долгу рождения — проглотить. Проглоченные, одни должны лежать в нем — в его теле и крови. Но если так — какой-то нелепый сонный вопрос поднимался во мне, — сколько частиц нужно отъесть, чтобы тело, смешавшись с *их* частицами, изменилось целиком, превратилось в *их* тело?

Ответ я не успела услышать. Створки двери распахнулись беззвучно. Он вошел, приветствуя собравшихся, и за ним, стайкой почтительной свиты, в комнату вступили комсомольцы, среди которых я в тот же миг узнала своего — безобразно изгнанного. Ни на шаг не отставая, они прошли за владыкой и сели за его стол. Их было много, больше, чем мест за столом, а поэтому некоторые встали за спинами сидящих, как на общей фотографии. С моего места мне было видно плохо, наверное, это мне показалось, но я увидела бледное лицо, тревожный взгляд и руку, плывущую просительным жестом — к губам. «Митя...» — имя шевельнулось во мне болью, но чужие спины, вставшие между нами, закрыли его лицо. Владыка выпил вина и отставил бокал. «Кушайте, кушайте, угощайтесь», — ровным голосом он привечал комсомольцев. Пустоглазые сидели над просфорками, не откусывая надкушенного. Всматриваясь острыми глазами, я силилась понять, видят ли *они* вошедших комсомольцев. Я-то — видела.

«Вы ведь сегодня впервые здесь?» — не ко мне, к ним, владыка обращался ко вновь пришедшим. Теперь я поняла — *придворные* не видят. Тишина, повисшая над столом, не нарушалась ничьим ответом. Бессловесные комсомольцы кивали головами. «А раньше, прежде, вы бывали на пасхальной службе?» — владыка продолжал спрашивать. Новыми, собранными, разглядевшими его тайну глазами я видела, как матушки, от каждой из которых — приняв постриг — он отказался, испуганно смотрят на меня. Их мужья сидели неподвижно, как обвисшие тяжелые облачения, среди которых, испугавшись раз и навсегда, он просыпается снова и снова... Так же, как однажды, наяву, владыка поднялся из-за стола и, оглядев застолье, направился к выходу. Широкие рукава рясы взметнулись черными крыльями. Сделав несколько шагов, но не коснувшись двери, он обернулся ко мне. У самых дверей он застыл, не приближаясь, но лицо, посрамляющее земные законы, становилось четче и яснее. Сжатые, почти прикушенные губы плыли пред моими глазами, и, медленно поднявшись с места, я сделала шаг... Короткая боль пронзила ногу, и в ту же секунду я очнулась.

Я сидела в кресле, неловко поджав под себя затекшую ступню. Пленка остановилась. Совершенно ясно я вспомнила увиденное, и жгучее чувство вины опалило мое сердце. Словно поймав себя за руку, я поняла, что замыслила: *ради себя* я хотела вернуть его миру — уличить в грехе. Только теперь я осознала, *что* натворила. Раз за разом перематывая пленку, я проникла в его тайну, и в моих глазах, сумевших разглядеть невидимое, он, глотавший частицы, стал *воплощением* греха. Его грех входил в трапезную, как входили потомки убийц, чьими частицами он был исполнен. Какой-то

ЛАВРА

долей своего изменившегося тела он стал частью их множества, а значит, спасая их, спасал и себя. «А если?.. Господи...» — только теперь я поняла окончательно: если их спасение не удастся — он сам становится обреченным.

«Какие глупости! — решительно возвращаясь к яви, я щелкнула клавишей и пихнула кассету в ящик стола. — Когда он выбирал — уже не то время. Отец ни при чем. Если бы он захотел карьеры, он сделал бы ее *где угодно* — и здесь и там, надо же, напридумывала ерунды...» Наяву, глядя на мир прежними глазами, я вернулась к детской истории с просфорками, словно надеялась, начав от нее, как от печки, зайти с другого конца. Я думала об изъеденных просфорах, но видела мальчика, заснувшего в ризнице, и вспоминала обвисшие облачения, похожие на пустоглазых гостей. Он, посвятивший себя церкви, но видевший собственные сны, был одним из них, но в то же время стоял особняком.

Я смотрела на пустые облачения и думала о том, что мир, построенный церковью, целен и совершенен, но именно в этой целостности и совершенстве он эфемерен. Его строители не видят главного разделения — на убитых и убийц, не слышат его под сердцем, а значит, этот народ им никогда не спасти. В их мире, не видящем жизни, можно полагаться только на смерть, умеющую соединять несоединимое. Я вспомнила шею мужа, изгоняющего комсомольца, храмовых старух, берущих на себя роль всепрощающих мертвых... «Если так, — я начала медленно, словно, проведя расследование, готовилась вынести вердикт, — если они не видят живого мира, значит, они и сами — мертвые, и все их усилия должны быть направлены на то, чтобы *умертвить*». Как в сказке: мертвые, они приходят к живым из темного невидимого царства.

И все-таки именно к нему пришел мой муж: в своих надеждах он полагался на владыку Николая. Теперь, в свой черед, я думала о владыке как о замковом камне, способном

79

держать конструкцию. Одной частью своего *проглотившего* тела он был с убийцами, другой — с убитыми. А значит, соединяя в себе и тех и других, он мог и должен был стать их общим первосвященником.

Быстрый Ангел

На этот раз муж не привез книг. Его подарок был особенным. Раскрыв чемодан, он высыпал горсть деревянных крестиков — от Гроба Господня. Эти крестики им вручили устроители, провожая: простые, цельного дерева, безо всяких украшений. Для меня одной их было слишком много. Я подумала, надо раздарить. Вечером, когда мы сели за чай, муж приступил к рассказу: «Ты бы удивилась. Совершенно не похоже на Евангелие: ни Крестный путь, ни все остальное — Голгофа, Вифлеем... Мы-то представляем себе так, как было написано: думаем, все осталось, как было при Нем, — ясли, дорога, гора. На самом деле все давным-давно застроено — над каждым из этих мест возвели церкви, и не угадаешь...» «Значит, если бы вам не сказали, что вот это, например, Голгофа...» — мне как-то не верилось. «Нет, конечно, гора осталась, не срывать же гору, но там не то лысое место, где — три креста, и в Вифлееме — не хлев, и пещера Лазаря — не пещера». Он принялся подробно описывать богатое убранство тамошних храмов, закрывших святые места. Конечно, я слушала его с интересом, но тайное разочарование проникало в меня. Застроив церквями, они навсегда скрыли евангельское прошлое, так что теперь — даже попади я в Израиль — мне не доведется увидеть то, что первые христиане видели воочию. Я же желала смотреть их глазами и, может быть, поэтому, внимательно слушая, не сочла его слова за рассказ очевидца: побывав на застроенных местах, он ровно ничего не разглядел. «Нет, я уж лучше по описанию... По книгам».

Закончив о путевых впечатлениях, муж ни с того ни с сего заговорил о своем попутчике, с которым каждый раз их селили в один номер. Прежде такого не случалось. Сопровождая владыку, муж всегда жил один — в отдельном. Рассказ о попутчике я слушала невнимательно, норовя свернуть обратно — к святым местам. Эта тема была интересней. Муж отвечал, но снова возвращался к своему, так что в конце концов в моей голове все начало мешаться: евангельские описания, искаженные позднейшей застройкой, и житейские обстоятельства его нового друга.

В том, что за время поездки они успели подружиться, сомнений не было. С воодушевлением, с каким он прежде рассказывал о владыке, муж говорил об отце Глебе. Говорил, что у них много общего: университетское образование (правда, тот — естественник, закончил биологический), семейное положение (тоже женат) и... Я подумала, он имеет в виду сиротство. До этого муж успел упомянуть, что отец Глеба тоже умер рано, когда сыну было двенадцать лет. Однако, замявшись, он закончил: общая судьба. Торжественность этого заявления покоробила меня. Муж заметил и объяснил, что отец Глеб довольно долго шел к церковной службе, сначала работал по специальности — преподавал химию в Крестах, хотел стать писателем (писал *в стол*), одно время увлекался восточными учениями, кажется, йогой, потом пришел к православию, но, не имея церковных знакомств, подался в дворники — в Академию. В общем, человек необыкновенный.

Дворником он работал довольно долго, смиренно подметал академический двор и ходил в храм, пока не обратил на себя внимание владыки: «В этом смысле мы оба — крестники Николая». Через несколько лет, поступив в Академию и закончив, он принял священнический сан. «Ну, и что же общего?» — замысловатая жизнь Глеба, коротко очерченная мужем, на мой взгляд, никак не совпадала с его собственной — за исключением, может быть, университета, но мало ли народу его заканчивало. «Что тебе непонятно?» — горячее и сбивчивее, чем того заслуживал мой вопрос, муж заговорил о петлистой дороге, о неожиданном и непреодолимом желании уйти в церковь, о том, что в конце концов отец Глеб после долгих мытарств стал, наконец, священником. Слова о неожиданном и непреодолимом желании смутили меня. «Конечно, я не знаю, как там у твоего Глеба, но что касается тебя...» — «Что — касается?» — он смотрел на меня так, как будто я, единственный свидетель, становилась лишним. «Я хочу сказать, — лишний свидетель, живший во мне, упорствовал, — ты-то не работал дворником. Не пригласи тебя Николай, ты бы так и... играл в "Зарницу"...» Я не успела закончить. Его щека дернулась, словно, свидетельствуя, я становилась комсомольцем, стоявшим в оцеплении. Ломая губы, он заговорил о том, что дело не в приглашении, не кто кого позвал, а в Божьей воле, которая вела их обоих — и его, и Глеба. Я не возражала, и, справившись с гневом, он — теперь уже миролюбиво — принялся рассуждать о том, что им обоим выпал трудный и долгий путь, который отец Глеб в какой-то степени уже прошел. «Вообще, мы многое повидали, знаем не понаслышке, и это — очень важно для понимания...» Видимо, он имел в виду, что общая судьба позволяет им понимать друг друга с полуслова, говорить — как он позже выразился — на одном языке, на котором в церкви заговоришь не с каждым.

В его словах было много обыденной справедливости. Я и сама легко представляла себе, каково входить в новый мир, где каждый считает тебя чужаком. С владыкой, с которым муж был связан детскими, теперь уже шаткими иллюзорными воспоминаниями, он не мог говорить на равных. Воспоминаний хватило лишь на то, чтобы пригласить на работу и доверять. Уже сожалея о своем неуместном и жестоком свидетельстве, я думала о том, что на первых порах муж и должен был цепляться за общие воспоминания, искать в них опору. Видимо, это время кончилось, потому что, восхищенно говоря о новом друге, муж поворачивал дело так, словно владыка, отказавшийся от университетской и семейной жизни, так и остался мальчиком, с которым нельзя говорить *о взрослом*.

Прошло довольно много времени, прежде чем я познакомилась с отцом Глебом. Я помню тот вечер. Я задержалась в библиотеке и пришла домой поздно. Открывая дверь, я услышала громкий смех, напомнивший мне смех университетских друзей. Такого смеха я уже давно не слышала. В последние годы друзья приходили всё реже. Звонили, собираясь зайти, но муж настойчиво ссылался то на срочную работу, то на усталость. Скучая по их компании — чего только я ни узнала, смиренно прислушиваясь к застольным беседам, — я не раз предлагала мужу *всех собрать*, но он уклонялся. Теперь, вертя ключом в скважине, я радостно торопилась, предвкушая долгий и веселый вечер. Почему-то я была уверена, что это — не Митя.

Муж вышел мне навстречу. Улыбнулся радостно и свободно. Его улыбка была светлой, словно озабоченная отчужденность, к которой я за последний год привыкла, сошла с его души. Нетерпеливо я заглянула за его плечо, угадывая — кто. Сидевшего за нашим столом я никогда прежде не видела. Теперь он торопливо поднимался — знакомиться. Быстро и стеснительно одергивая пиджак, он смотрел на меня какими-то изумленными глазами, словно увидел то, чего никак не ожидал увидеть. Это изумление было таким доверчивым, что я, шагнув навстречу и протянув руку, не удержалась: «Что это вы так смотрите, или не ожидали?» Наверное, меня сбил с толку их общий смех: на такие шуточки университетские легко находили ответы. Этот же растерялся. Изумленные глаза заморгали, руки кинулись вверх по отворотам пиджака. Какое-то смятение проступило в его лице, словно мой глупый вопрос поймал его за недозволенным. «Да, я не ожидал, совсем не ожидал, что вы — такая... другая...» — он забормотал растерянно.

«Не хватало еще идиота», — я подумала зло и несправедливо, в сердцах вычеркивая гостя из блистательной когорты университетских. В следующий миг я, мгновенно устыдившись, надела личину хозяйки и, недоумевая, над чем они могли *так* смеяться, предложила продолжить чаепитие. За столом отец Глеб постепенно приходил в себя. Коротко взглядывая на меня время от времени, он мгновенно отводил глаза, однако умудрялся весьма находчиво поддерживать разговор, в котором, по своей привычке (в присутствии университетских друзей мужа я все больше молчала и слушала), я не принимала участия. Разговор шел о владыке. Однако тон разговора разительно отличался от того, в каком муж говорил о Николае со мной. С отцом Глебом он говорил весело и свободно. Они обсуждали какую-то семинарскую историю, в которой владыка ректор каким-то образом принял участие — что-то о непослушании и дисциплине. По их веселым репликам я поняла, что кого-то из семинаристов, явившихся после двенадцати, вахтер не пустил в общежитие. Скандал выплыл наружу, и ректор вынужден был вмешаться. Вопрос о дисциплине обсуждался широко. Сдерживая смех, муж весьма артистично рассказывал, как древний и уважаемый профессор гомилетики, оказавшись с ним в трапезной за одним столом, горестно посетовал: «В какой ресторан ни приди, всё наши воспитанники сидят с блудницами и *курют*!» Потешно копируя интонацию, муж восхищался высоким профессорским слогом. «И ведь врет, собака, какие такие рестораны, будто он сам ходит — весь скрюченный, с его-то радикулитом, но врет-то сущую правду». — «Да уж — чуть отбой, наши — шасть в гостиницу и сидят... Там их уже знают. Ну а насчет блудниц, это он, конечно...» Теперь, ни к селу ни к городу вспомнив Лильку, я засмеялась. Образ скромного семинариста, проводящего время с гостиничными блудницами, позабавил меня. Забавным выглядел и профессор, врущий правду. «А разве там у вас запирают?» — «Разве запрешь от недозволенного!» — отец Глеб откликнулся легко. Сидя напротив, я смотрела веселыми глазами, забыв, что еще какой-нибудь час назад сочла его идиотом. Веселье переполняло меня. Наверное, я очень соскучилась по гостям, а потому пользовалась случаем посмеяться. Время летело быстро. Когда я взглянула на часы, уже перевалило за полночь. Поймав мой взгляд, отец Глеб вскинулся: «Ух ты, засиделся, хорошо с вами, но надо идти! А то домой не пустят...» По привычке я начала отговаривать: возьмете машину, а хотите, можете остаться у нас — место есть. В таких случаях университетские друзья сидели еще с полчаса и уходили. Отец Глеб сказал, что останется. Это был первый раз, когда он остался.

Удивившись такой готовности, я предложила кофе. «Знаете что, ребята, — муж поднялся, — мне завтра к восьми, и голова не своя — болит и болит. Вы сидите, а я пойду ложиться», — он посмотрел на отца Глеба пристально.

Мы остались одни. Я отвернулась к плите — варить кофе. Обычно, когда кто-то из университетских сидел у нас в гостях, я, отвернувшись, прислушивалась к разговору, не затихавшему ни на минуту. Так и привыкла слушать вполоборота. На этот раз прислушиваться было не к чему — за моей спиной стояла тишина. Дождавшись, пока курчавая шапка кофе поднимется над кофейником, я подхватила и обернулась. Он сидел, вперив глаза в стол. Руки лежали на краю — недвижно. Подождав минуту-другую, я вежливо прервала молчание. Я не знала, о чем начать, и уже жалела об опрометчивом приглашении. Зацепившись за конец веселого разговора — о семинаристах, профессоре и блудницах, я заговорила о Лильке — о ее дурацкой истории с негром. Наверное, мне хотелось сказать, что такие истории случаются в каждом общежитии: ректор есть ректор — во все обязан вникать. Отец Глеб слушал внимательно.

Входя во вкус, я подробно рассказывала о собрании, о предваряющем выступлении секретаря, о явлении Лаврикова. Все еще весело я рассказала о Лилькиной юбке, о том, как она подурнела, став похожей на свою деревенскую мамашу, о виноватой улыбке, сквозь которую сочился Лилькин покаянный голос. Не знаю, как это получилось, но под его внимательным взглядом я, незаметно для себя войдя в роль, заговорила Лилькиными словами, словно теперь уже не Лилька, а я стояла перед ними, кивая в такт покаянным словам. Я остановилась. Сидящий напротив меня смотрел ясными глазами: «И что же, заслужила она прощение?» Под его ясным взглядом я принялась рассказывать о том, как говорила перед ними — сияющими словами из бахромчатых книг. Он слушал собранно и внимательно, как будто слова, исходившие из моих уст, были знакомыми и близкими — известными. «Вижу, вы умеете и любите... читать?» — перед последним словом он помедлил. «Да, очень», — я ответила быстро и твердо. Его взгляд сверкнул. Я говорила, приводя все новые свидетельства, но не успела упомянуть о голосовании, когда он, коротко усмехнувшись, остановил меня: «Значит, именно *начитавшись,* вы сумели спасти ее?» Он выделил голосом то, что про себя я выделяла сама. Я замолчала, обдумывая. Что-то в его голосе насторожило меня. Заданный вопрос казался легким и очевидным: выслушав все перипетии, поинтересоваться результатом. Однако его голос выделил не сам результат — Лилькино счастливое спасение. Выходило так, будто он, слушавший внимательно, был заранее уверен в исходе. То, что его интересовало, лежало в стороне от очевидности. Как будто он, слушавший мою жалкую покаянную речь, понял, что здесь, пред его глазами, я говорила о себе, за себя, о своем страхе — о своих никуда не исчезнувших грехах. Теперь, словно грехи были дрожжами, на которых поднимаются силы, он спрашивал о том, есть ли силы у меня пойти дальше, чтобы спасать себя и их всех — отринутых и бессловесных.

Он застал меня врасплох, поймал на главном, и его лицо разительно изменилось. В нем не оставалось и тени доверчивого изумления. Лицо закрылось. Я подумала, неужели своим честным ответом я вторглась туда, куда он не желал пускать чужих? В эту область посторонним хода не было. Сюда заходили те, кто, положившись на крещение, раз и навсегда забывали обо *всех* прошлых грехах. Жесткое стояло в его глазах, словно сейчас, минуту назад, он, быстро подняв нож, нанес мне удар — пригвоздил.

Мне не хотелось продолжать. Сохраняя вежливость хозяйки, я спросила о недавнем путешествии, надеясь снова услышать рассказ о святых местах, закрытых церквами. Услышать и забыть. Отец Глеб задумался. Скосив глаза, он внимательно смотрел за окно: за стеклом рваными пунктирными линиями догорали последние окна. Его глаза вернулись. Они были такими ясными, что я невольно усомнилась в том, верно ли поняла его короткое и жесткое отчуждение. «Самое удивительное — пустыня. Я привык думать, что там — пески, куда ни глянь, *он* так написал: пески и редкие кусты, похожие *на всё*». — «Похожие на... всё?» Господи, я не могла взять в толк, о чем это. «Да, — он улыбнулся радостно и доверчиво: — *По сути дела куст похож на всё. А разве?..*» Ясность и жесткость, соединявшаяся в его взгляде, изумляли меня. Я поднялась и отвернулась к плите. Его странные слова удивляли.

Он смотрел ясными глазами, но говорил бессвязно, будто пьяный. «А разве вы *его* не знаете?» Вопрос, обращенный ко мне, толкнулся в спину. Я не успела ни ответить, ни обернуться. Голос, не похожий на его голос, начал странные слова: *Идем, Исак, чего ж ты встал, идем, сейчас иду, ответ средь веток мокрых ныряет под ночным густым дождем,*

как быстрый плот, туда, где гаснет окрик... Я слушала.
Стрела, оперенная этими словами, пронзила мою спину между лопаток. Она дрожала, не позволяя продохнуть. Голос шел и шел дальше, не щадя меня, как будто не желая замечать боли, прораставшейся во мне из этих слов. Справившись, я обернулась: «Что это?» — мне хотелось сжать пальцы и приложить к спине, к больному месту, так, как каких-нибудь полчаса назад я прикладывала к груди. За последний час он сумел ударить меня дважды. Эти удары были разными: один — жесткий, другой — ясный; я не знала, как объяснить по-другому, разные, они рождали одинаковую боль.

Он остановился и, глядя на меня внимательно, назвал имя и фамилию. Это имя мне ни о чем не говорило. «Но это, — я возвращалась к больным словам, — я уже думала, мне не сказать, это противоречие... Библейский и современный — два языка, которые надо...» — я забормотала, ни на что не надеясь. «Соединить», — он закончил за меня, и я кивнула. Я думала о том, что уши снова не обманули меня. Из-под живого, не похожего ни на чей голос, вырывалась странная интонация: человек, написавший больные слова, видел воочию и не отбрасывал видимое. Он зажигал свечу с другого конца — свечу, уже горевшую огнем владыки Николая. Я не смогла бы объяснить иначе, я и сейчас вряд ли могу объяснить, но под этим языком прорастала какая-то другая иерархия, встававшая рядом с иерархией владыки. С этой — другой иерархией, иерархией языка — он и сумел сладить: подобно тому, как владыка ладил со своей. В его слаженных словах мой разорванный мир обретал новую надежду. Когда-нибудь он, разорванный надвое, мог стать похожим не на дерево, разбитое молнией до корней, а на куст, из которого, вслед за этими словами, проросли бы мои пальцы и сложились вместе — прижать. «Одного поля ягоды», — наверное, я пробормотала вслух. Этот человек, имя которого я только что услышала, знал слова, чтобы в одном кусте соединять разорванное: два языка — библейский и современный.

«Нас привезли на самый край пустыни — привезли и поставили, — начав со стихов, отец Глеб продолжил неожиданно, как сначала. В его глазах проступала решимость, похожая на мою. — И вот я стою на краю пустыни и вижу камни — камни и камни, хребты камней — до горизонта. И я думаю, нет, так не должно быть, там, в *той* истории — семя, и звезды, и песок на берегу, это, написанное, важнее того, что есть на самом деле, что видишь своими глазами. Но главное — он описал это так, что нет нужды: правда или неправда». Отец Глеб говорил, не останавливаясь, мне было трудно понять дословно, но я понимала главное: странные слова отца Глеба походили на мои — сонные, в которых правда и неправда не содержались изначально — они творились. Простыми и ясными словами он говорил о том, что правда, явленная в стихах, куда как выше правды обыденной жизни, различимой простыми глазами. Он говорил о том, что когда-то для него самого именно из таких, особенных, слов проросла правда слов церковных, о которой прежде, в своей предшествующей жизни, он не имел понятия. «Знаю, — я откликнулась радостно, — мне тоже, когда в первый раз — молитвы, мне тоже казалось, что они *так* прорастают...» Глядя в его сияющие глаза, я думала: моя жизнь движется по кругу, словно сейчас я снова подхожу ко дню своего крещения, а значит, если теперь, на новом витке, постараюсь, я сумею добиться правильных снов. А значит, избежать позорных: преодолеть, отринуть, забыть.

Отец Глеб молчал, как будто прислушиваясь. Его взгляд собирался, становился внимательным. Под этим взглядом я заговорила все быстрее и быстрее, словно опять входила в Лилькину покаянную роль. Я говорила сбивчиво: о гробе, затянутом пестрым ситцем, который на кладбище стал красноватым, о девушке Миле — со ртом, обезображенном белым шрамом, которую все называют красавицей, о мальчике-инвалиде, скрывающем свою душу от не желающего быть зрячим отца. Сняв руку с больной груди, я заговорила о двух народах, несоединимых в одном. «Если стоять *на одной житейской правде*, смотреть ей в глаза, в этой стране убийц и убитых... В этой стране все застроено и закрыто, а значит, тоже разрушено... В этой разорванной стране у меня нет сил любить...» Корни моего дерева, расщепленного молнией, не доставали до воды. В тоске я говорила о том, что ищу другое лицо, похожее на мое, но не могу найти. В нем должно соединиться все так, как соединяется в этих больных словах — о кусте. Однажды мне приснилось чужое и близкое, но это такой сон, который пугает меня, потому что если *это* сбудется, я погибну.

Я сказала больше, чем отцу Василию, но меньше, чем отцу Валериану — если б довелось. Он выслушал. Я ждала. Он был священником и теперь обязан был заговорить со мною профессионально — простыми и правильными словами: о милости Божьей, о ежедневной молитве, о том, что только Бог соединяет все. Снова, как в первый день крещения, он должен был заговорить так, как отец Петр: засиять глазами. Его глаза умели быть ясными. Если бы он посмел — клянусь, я подняла бы его с места и выгнала вон.

«Все дело в вере, — он сказал, отстраняя и правду, и неправду. — Во всех наших поисках нам дается по вере, но *нашими* глазами смотреть бесполезно», — он заговорил жестко, словно я действительно стала Лилькой, а он, знающий *всякое* сияние, выходил из рядов и вставал рядом со мной — на защиту. Он мог защитить, потому что знал и любил написанное, то, о чем говорили бахромчатые книги. Забирая глубже и дальше мирного сияния отца Петра, он говорил: да, мир действительно разорван, но не до́лжно отбрасывать ни один из обрывков. Есть клей, чтобы соединить разорванное, он прочен и вечен, как будто сварен из отборных костей. Все разорванное соединяется жертвой. Ее приносят, когда хотят соединить. Он говорил о Боге, но о другом, непримиримом и жестком, требующим в жертву лучшее, что есть в любом из нас. Это лучшее мы должны осознать в себе сами и, осознав, принести и сложить к Его ногам. Меньшего Господь не приемлет. Я подумала, отцу Петру этот Бог неведом. Господи, теперь я поняла: своим первым ударом, пришедшимся в мою грудь, он примеривался ко мне, как к жертве. Присматривался к тому, что во мне есть.

«Но я, я еще не знаю, что есть во мне... Я не знаю, что могу *предложить*...» Его взгляд смягчился: «Бог милостив. Ему одному известно, кого или что должно принести в жертву. *Ангел быстро поднял*, вы слышите, *как* звучит это слово? Все решается быстро, в один миг, который не пропустишь. *На горе Ягве усмотрится*». Я не поняла слов, но увидела, как дрожат его руки. Он говорил вдохновенно, и в этом мареве вдохновения и правда, и неправда становились бестелесными. Вера же обретала плотную и необоримую силу, и в этот миг, который я не пропустила, я поверила ему.

Сиамские близнецы

С этого началось счастливое и радостное время, которому суждено было длиться ровно два года. Время, которое я могла бы назвать невинным. Мы провели его втроем. Новый окраинный дом, поваленный на землю, обрел третьего жильца. Называя это время невинным, я прежде всего имею в виду наши супружеские отношения: как-то незаметно они стали бесплотными. Впрочем, и раньше, хотя тогда я об этом еще не догадывалась, они, во всяком случае с моей стороны, не были, если можно так выразиться, полноценно плотскими. Теперь я и вовсе уклонялась, но с мужем мы не разговаривали об этом. Все установилось само собой, и наше умолчание, первое время казавшееся мне напряженным, постепенно приобрело черты деликатной сдержанности. Во всем остальном наша семейная жизнь протекала по-прежнему, и стоило чьей-нибудь шутке вильнуть в ту сторону (впрочем, даже в шутках ни один из нас двоих той стороной не злоупотреблял; если и случалось злоупотребление, то со стороны отца Глеба, падкого на такого рода юмор), мы не прятали испуганных глаз, и в нашем сдержанном смехе царила гармония, как в истинно счастливых семьях. Теперь, по прошествии лет, я рискнула бы сказать определеннее: новые отношения обладали изрядной и прочной силой. Их корни питали особые источники, бившие вдали от бурных струй ненависти и любви. Эта новая сила уводила с земли, приобщая к мысли о светлых мирах, в которых нет и не может быть убывания. В тех мирах, явленных на евангельских страницах, любовь была безмерной потому, что для нее не было мерила: пребывая в постоянстве, она не возрастала и не убывала. Устав от тоски убывания, я отдыхала в радости.

Конечно, говоря о том, что отец Глеб стал нашим жильцом, я изрядно преувеличиваю, поскольку по-настоящему никто никуда не переезжал. Его семейная жизнь шла своим чередом, однако все чаще отец Глеб приезжал к нам после службы и, засиживаясь до глубокой ночи, оставался спать в гостиной. Думаю, что он сам (тогда мне казалось, что муж вряд ли делится с ним этими подробностями) догадался о тихой ясности наших отношений — в конце концов мужской опыт его предшествующей жизни оставался при нем, — однако об этой установившейся ясности он никогда не заговаривал прямо, может быть, потому, что сам вряд ли чувствовал в себе силы вступить на этот бесплотный путь. Иногда словно какая-то необоримая мысль срывала его с места, он уезжал домой — всегда далеко за полночь. Как бы то ни было, но такие случаи стремительных отъездов были довольно редки, из чего я и делаю заключение: ясная гармония нашей жизни чем-то привлекала его — как новый опыт. О том, что он нами любуется, я знаю от него самого: однажды, прислушавшись к коротким и, на чужой взгляд, не вполне ясным репликам, он подивился нашему умению понимать друг друга почти без слов: подивился и позавидовал.

Наша маленькая кухня, в которой и двоим-то было не повернуться, соединяла в долгих ночных разговорах троих. Они садились по обе стороны стола — отец Глеб забирался в самый дальний угол, а я, мостясь сбоку, часто вскакивала: то подогреть, то подать. Задернув клетчатые шторы, мы говорили о разном — то важном, то легкомысленном, однако атмосфера наших ночных бесед, при всей их бойкости и остроумии, разительно отличалась от прошлых — университетских — бдений. Конечно, дело не в том, что мои собеседники соблюдали деликатность, — при случае, к месту, и тот и другой позволяли себе и соленые шутки, и вполне *университетские* выражения. Говоря об особой атмосфере, я в первую очередь имею в виду выбор тем — на нашей кухне мы не спорили о политике, без которой не обходились прошлые, университетские, разговоры. Однако было и общее: среди нас, собравшихся вместе, словно бы присутствовал кто-то четвертый, молчаливо сидевший в углу; но если в университетском случае он готов был воспользоваться любым поводом, чтобы, кажется, помимо воли участников, свести разговор на политические рельсы, здесь он ловил фразы, чтобы, поймав и ловко ухватившись, свернуть в область метафизики. Не проходило и вечера, чтобы, оттолкнувшись от любого, даже незначительного события: опоздания автобуса, головной боли, случайной встречи на улице, — мы не принимались бы обосновывать *неслучайность*. К этим разговорам отец Глеб относился с особой серьезностью, пытаясь уловить в дневных событиях бесспорные знаки их принадлежности к событиям другого мира: в частных случаях дня он силился разглядеть их истинные, платоновские идеи.

Иногда он заходил так далеко, что я, стесняясь высказаться вслух, невольно думала о суеверии.

Однажды, когда его размышления показались мне особенно смехотворными (что-то насчет того, что если нужный автобус не подошел в течение двадцати минут, это означает, что Бог не приветствует цель поездки), я разразилась тирадой о несовершенстве нашего городского транспорта: более или менее хорошо он работает только по утрам, когда все, с Божьей помощью, едут на работу, а по вечерам, возвращаясь домой, можно прождать и полчаса, не означает ли это, что домой возвращаться не следует? Выслушав, отец Глеб пожал плечами, однако лицо его приобрело жесткое выражение, словно он огораживался от моих слов, ни в коей мере его не убеждавших. Это выражение жесткости снова испугало меня, и я, гоня от себя испуг и вспомнив подходящую цитату, весело сказала: «Вот, вот, не иначе — что-то сверхъестественное нами руководит!» — и воздела глубокомысленный палец. Нежданно-негаданно отцу Глебу пришлось по душе мое восклицание, и, откидывая голову, он принялся смеяться и воздевать палец в ответ. Теперь, стоило разговору свернуть в привычное русло, я, немного подождав, приводила веселые слова о сверхъестественном, и отец Глеб неизменно подхватывал с улыбкой. Эта улыбка смягчала мои мысли о суеверии, поскольку про себя я считала, что юмор и суеверие уживаться не могут.

Прошло еще немного времени, и однажды, читая Библию, я поняла, что в этих, на мой взгляд, странных и по-домашнему доверительных отношениях отца Глеба с Богом (Бог призывался в участники ежедневных событий) не было суеверия. Подобным образом общались с Богом и библейские герои, пользовавшиеся прямым правом своей избранности. Здесь я подумала, что и жесткость отца Глеба имеет тот же — библейский — источник, а значит, его тягу к нашим с мужем — евангельским — отношениям можно назвать словом *предвосхищение*. Начитавшись бахромчатых книг, я размышляла о том, что, душой оставаясь в пространстве Библии, отец Глеб живет в ожидании мистического взрыва, обещанного Осевым временем. Точнее говоря, он, природный русский, обладал жесткой, возвышенной и в то же время приземленной душой иудея, готового, однако, выйти за пределы древнего Завета. Правда, и готовясь к переходу, он (подобно тому, как владыка Николай, принявший монашество, оставлял себе карьеру и академическую семью) не мог расстаться с непреклонной мыслью о жертве, которую его Бог мог потребовать от любого из нас.

Мысль о соединении Заветов, сколь бы странным ни казался мой новый переход, подтверждало и полное согласие, царившее между мужем и его новым другом. В этой атмосфере я чувствовала себя счастливой. Все страхи, рожденные в моей душе, кажется, покинули меня. Согласие, давно утраченное университетской компанией, рождало чувство радостной беззаботности и было залогом того, что и возникни между нами непонимание, оно станет мимолетным — разрешимым. Вспоминая то время, я могу сказать, что оба они — и муж, и отец Глеб — как-то удивительно дополняли друг друга. Я чувствовала это с самого начала, но заговорила позже, по прошествии двух безмятежных лет, когда их прочное соединение больше не казалось мне безопасным.

Нет, однажды я все-таки обмолвилась об этом единстве, и они, довольно рассмеявшись, признались, что заметили его еще в Израиле. Тут отец Глеб выдвинул и развил теорию интровертов и экстравертов, двух типов людей, один из которых сосредоточен на внутренних событиях в ущерб внешним, а другой — наоборот. Себя он отнес к первым, рассказав несколько совершенно анекдотических случаев, выдающих его беспомощность там, где надо было держать внешнее ухо востро. С особым восхищением он привел примеры блистательного анализа внешней ситуации, проведенного мужем, и вроде бы в шутку посетовал, что никогда, сложись его жизнь по-другому, он не смог бы работать каким-нибудь оперуполномоченным. «Самое большее, на что я был бы способен, это стать следователем». Профессиональные свойства, необходимые и тем и другим, он хорошо изучил, работая в Крестах. «Вот представь, — отец Глеб обратился к мужу, — ты входишь в класс. Можешь ли ты сразу, едва взглянув, сказать, кто отсутствует?» — «Конечно», — представив, муж удивился легкости задания. «А я — нет! Я могу просидеть целый урок напротив, но так и не заметить, что *такого-то* нет». Об этой своей *внешней* слепоте отец Глеб говорил даже с некоторой гордостью. «Зато ты можешь побеседовать с человеком каких-нибудь десять минут и увидеть столько, сколько иной за всю жизнь не рассмотрит», — прихлебывая чай, муж утверждал восхищенно, и внутренне я охотно с ним согласилась. Я вспомнила о первом — *ангельском* — разговоре и, запоздало удивившись, поняла: тогда, несколькими вопросами соединив меня, себя и бахромчатые книги, он попросту *обработал* меня. «Уж не знаю, как насчет оперуполномоченного, но следователем вы стали бы отменным», — пошутила я беззлобно.

Позже, когда отец Глеб уехал — на этот раз он сорвался особенно стремительно, — муж, вернувшись к развитой теории, весело рассказал о том, что отец Глеб не умеет взглянуть со стороны даже на исписанный листок: получив от студента сочинение, он углубляется в дебри, домысливает и размышляет, вместо того чтобы решительно выставить заслуженную оценку. Этот разговор об интровертах и экстравертах, кажется, задел его, потому что, не останавливаясь, он принялся вспоминать еще какие-то случаи, пока, наконец, не рассказал о том смешном отчете, который отец Глеб написал после посещения Израиля. Убирая со стола, я как-то прослушала начало и не поняла, кому и зачем этот отчет писался: что-то такое невинное, о посещении Мертвого моря, в котором они все искупались. Предваряя веселый рассказ, муж объяснил, что в этом море высокая концентрация соли, поэтому вода обладает особыми свойствами. Точнее говоря, это уже и не вода, а крепкий солевой раствор, выталкивающий на морскую поверхность любое тело. «В эту воду нельзя нырнуть — вытесняет... Странное чувство, как будто нет тяжести тела...» — так он сказал и дернул шейной жилой. «Ну, и что же Глеб?» — я торопила, прерывая его раздумья. «Глеб? — он переспросил, словно приходя в себя. — Да, описывая свои впечатления, Глеб выразился так: "Тело долго не тонуло"», — эту фразу муж произнес зловеще. Я ответила, что действительно смешно, как в дешевом детективе. Муж сказал, что владыка обратил внимание на эту фразу и смеялся. «Как же он собирался стать писателем, если ничего не слышит?» — я вспомнила о том, что отец Глеб, по словам мужа, долго писал в стол. «Потому и не стал», — муж ответил равнодушно, думая о чем-то своем.

Это странное разделение на интровертов и экстравертов, сформулированное отцом Глебом и с горячей готовностью принятое ими обоими, навело меня на мысль, что именно оно, так поразившее их при первых встречах, оказалось главной сближающей силой. Подумав, я не нашла в этом ничего странного. На первых порах чувствуя себя чужаками, они искали того, к кому в новом и отчасти враждебном окружении можно было, обороняясь, прижаться спиной. Они и прижались друг к другу, но так, что глаза одного — за них обоих — были повернуты вовнутрь. Другого — наружу.

На следующий день я сказала, что их союз похож на нерасторжимую сцепку сиамских близнецов. «Да, — засмеялся отец Глеб, — родись мы при Петре, не миновать нам прозрачного сосуда с крепким раствором, куда навечно замуровали бы наши тела». Тут он вскочил с места, и муж, поддержав шутку, с готовностью поднялся и встал рядом. Так они и застыли, спрятав за спины один правую, другой левую руку и прижавшись друг к другу боками. При этом муж со свойственным ему артистизмом смешно скосился, став похожим не то на дохлого петуха с закатившимся глазом, не то и вправду на сиамского близнеца, запаянного в банке. Конечно, я посмеялась за компанию, однако назавтра отправилась в Кунсткамеру и долго ходила по залам в поисках сосудов. В последний раз я бывала здесь классе в пятом. Пробираясь среди фольклорных костюмов и дорогих подарков китайских императоров, я ругательски ругала себя за то, что придумала это нелепое, неотвязное сравнение, да еще и приплела к нему оба Завета. К вящему облегчению, наконец, найдя, я не обнаружила ни малейшего внешнего сходства между своей шутовской парочкой и отвратительно вывернутыми на стороны маленькими тельцами. Стоя в одиночестве перед банкой, заполненной мутным и желтоватым, я, преодолевая жалость и отвращение, думала: Господи, *эти*, будь они разъяты по отдельности, похожи на мальчика Петю, сидящего в уединенной комнате над зеленой книгой. Ручки, изломанные в локтевых суставах, ссохшиеся коричневые пальцы, словно сведенные судорогой... Не в силах сойти с места, я стояла и смотрела, как непропорционально тяжелые головки, расходясь в стороны, вжимаются в плечи иссохшими ушами... В каком-то из залов, уже возвращаясь назад, я заметила портрет Петра Первого и с мимолетным недоумением подумала о том, какими же странными, причудливыми мыслями полнилась его царственная голова, чтобы здесь, в самом центре возлюбленного города, решительно выставить на обозрение это беззащитное и накрепко соединенное уродство — пары младенческих тел.

Вернувшись домой и застав их обоих на кухне, я вдруг призналась, что сегодня ходила в Кунсткамеру. Уже рассказывая, как пробиралась среди костюмов и подарков, я запоздало подумала, что они, вспомнив наш вчерашний шутливый разговор, чего доброго, могут и обидеться. Мой поход в Кунсткамеру выходил за рамки их шутливости. Уводя их внимание в сторону, я заговорила о том, что эти младенцы, выставленные в центре города, похожи на других, которых древние родители приносили в жертву своим жестоким богам: зарывали под домашним порогом в залог будущих замечательных успехов. «Ну, помните, то ли Молоху, то ли кому-то из этих, как же их? Предшественников нашего Бога», — от волнения, внезапно охватившего меня, я никак не могла вспомнить — кто и в каком народе. Я помню свое волнение: тогда оно показалось необъяснимым. Волноваться о том, что осталось в глубокой древности, давным-давно ушло, погрузилось... И все-таки, волнуясь, я тыкала пальцем в нашу входную дверь, словно под порогом новой квартиры могло быть зарыто что-то, похожее на жертву. Видя мое затруднение, отец Глеб мгновенно пришел на помощь. В этом вопросе он выказал величайшую осведомленность и, рассказывая о первенцах, приносимых в жертву, приводил все новые первобытные примеры. «Да, кстати, у Томаса Манна эта история с Лаваном, кажется, там тоже — они с женой — сына, первенца, живьем в каком-то глиняном сосуде, и схоронили под порогом, ну ты-то как филолог должен помнить лучше моего», — торопливо глотая слова, он обращался к мужу. Я видела, что этот разговор о первенцах, принесенных в жертву, который я завела, чтобы сбить их с обидного следа, волнует отца Глеба. Дожидаясь ответа, который мог подтвердить его ссылку на Лавана, он даже подпрыгивал на месте, напрягаясь всем телом. Торопливым и знакомым жестом его пальцы касались отворотов пиджака. Может быть, ему просто-напросто передалось мое волнение. «Нет, про Лавана я не помню, да и в Библии этого... — покосившись на мой указующий перст, муж произнес с сомнением. — Нет, в "Иосифе" не про это, ты путаешь, там про то, как родители этого, Петепра, принесли его в жертву: оскопили». Тут он нахмурился и дернул шеей. «Да нет же, вспомни», — горячо и сердито отец Глеб принялся возражать, но муж стоял на своем. Уточнить они не смогли — книги в доме не было. Наконец, замерев на мертвой точке, они отошли от темы. Я сидела и радовалась, потому что разговор, начавшийся с моей бестактности, которую, к счастью, не заметили, отошел прочь от моих нелепых мыслей — об экстравертах и интровертах, сиамских близнецах и Петре Первом. Стал литературным.

Уже собираясь уходить к себе, муж, неожиданно вернувшись к теме Кунсткамеры, заговорил о зле, которое Петр Первый принес Русской православной церкви, поставил ее в зависимость от государства. Устав от долгого дня, я не очень-то вслушивалась, однако и услышанного оказалось довольно, чтобы сомнительная теория отца Глеба об интровертах и экстравертах — сросшихся спинами близнецов — как-то соединилась в моем мозгу с антицерковными деяниями Петра.

Через несколько дней я зашла к своей школьной подруге. Огромная профессорская квартира, тяжелые портьеры, стеллажи, полные книг. Немного смущаясь и боясь перепутать, я назвала имя писателя и спросила — нет ли. Она повела меня к собраниям сочинений, где писатель и обнаружился в самом верхнем ряду. Встав на деревянную лесенку, я вытянула крайний том и, справившись в указателе, обнаружила искомое: «Иосиф и его братья». Обещав вернуть в ближайшее время, я унесла с собой.

Загадочная история Иосифа и его братьев захватила меня. Погружаясь в древность, я глотала страницу за страницей, пока не дошла до истории Лавана. Тема глиняного сосуда с замурованным заживо младенцем, о котором в одной из первых частей упоминалось вскользь, получала свое зловещее развитие в дальнейшем, причем чем дальше, тем явственнее повествование разворачивалось таким образом, что все, вскользь упомянутое, никуда не пропадало: оно нанизывалось на невидимый стержень, пронзавший насквозь все повествование. Мое восхищение стало и вовсе безграничным, когда, удерживая в голове все перипетии, я вдруг поняла, что каждая предыдущая история оказывается развернутым определением следующей, и так — без конца. В этой загадочной книге каждое слово, родившееся по случаю, не исчезало даже тогда, когда исчезал сам случай. Стоя на срубе колодца и заглядывая в самую глубь, можно было, черпнув ведром, вытянуть на поверхность *все*. Это я поняла раньше, чем дошла до престарелых родителей Петепра, а потому мысль о том, что глиняный сосуд Лавана является предвосхищением другой жертвы — оскопленного первенца кровосмешения, — не застала меня врасплох.

Отойдя от книжных событий и спускаясь по стержню, я добралась до Исаака и Авраама и, перехватывая руками, принялась взбираться наверх. Мысль о жертвах, пронизывающих и соединяющих все сущее, не отпускала меня. Чем выше, тем легче я находила ей подтверждение. Стержень, по которому я ползла, становился все холоднее. Как язык к железному замку, к нему прилипали мои ладони. Лоскутками кожи, прилипшей к замерзшему металлу, рвались мои мысли о ноже, поднятом Ангелом, о скорчившихся в глине костях Лаванова первенца, о скопце Петепра, не желающем углядеть истину, о мальчике Пете, выворачивающем локти, об иссохших до коричневого цвета сиамских близнецах. Лоскутом оторвалось о Петре Первом: о его сосудах с крепким солевым раствором — в основании великого города. И последней, пришедшей после остальных, шевельнулась мысль об убитых, идущих мимо меня нескончаемыми группами, каждая длиною в поминальную записку. Нанизанные на стержень, эти мысли облекались *единым* словом, оно объединяло их — пронзало насквозь. Все они были *жертвами*, на которых стояла наша общая нынешняя жизнь. Ими она соединялась. Совершенно ясно я поняла: жизнь, построенная на жертвах, не может насытиться прошлым. Снова и снова она будет требовать новых жертв.

Господи, я сама ступила на этот путь, я сама пожелала единения, и теперь, как вода в необожженном глиняном сосуде, оно находило себе выход — неудержимо и быстро. Все выше и выше по индевевшему стержню, я добралась до Русской православной церкви, которую Петр Первый, замуровав в стекло отвратительных младенцев, тоже принес в жертву. «Ага! Вот тебе, хотела!» — в этот миг я восклицала не о церкви, а о себе, словно церковь, принесенная в жертву, определяла и мое будущее. Какие-то невнятные слова, откуда-то вычитанные, — *ибо я уже становлюсь жертвою, и время моего отшествия настает...* — дрожали в срубе колодца. Разорванные ладони подбирались к острому концу. Нависая над острием, я чувствовала его как раз напротив того места, куда, оперенная больными словами, вонзилась — между лопаток — стрела. Мне оставалось последнее усилие, чтобы, упав на острие, завершить найденное единство. Я оглянулась, но в пустоте, окружавшей меня, не усмотрела быстрого Ангела.

Необъяснимая песня

Между тем карьера отца Глеба развивалась быстро и успешно. На моих глазах — в течение наших двух безмятежных и невинных лет — он получил приход, правда, довольно скромный, но кроме того — почти на исходе двухгодичного срока — был назначен на должность преподавателя гомилетики. Помню, как они с мужем обсуждали приказ владыки, а я, удивляясь слову, вспоминала разве что профессора, уличавшего семинаристов в курении с блудницами. Теперь я спросила, и мне объяснили суть: гомилетика, вспомогательная богословская наука, которая изучает теорию собеседования и церковной проповеди. Насчет собеседования — после наших с отцом Глебом ночных разговоров, в которых он выказал себя истинным виртуозом, — у меня сомнений не возникло. А вот что касается проповедей, тут я действительно удивилась.

По моим представлениям, педагог, обучающий семинаристов проповедовать, должен обладать артистическим даром, способным зажечь массы. Что-то вроде Савонаролы — другого примера мне в голову не приходило. Отец Глеб не был похож на Савонаролу. На амвоне его голос был тихим и слабым. Чтобы ясно расслышать, нужно было подойти близко. Пытаясь говорить громче, он напрягал связки, отчего голос становился напряженным и высоковатым — скверным. Мало того, не умея послушать себя со стороны, он старался говорить напевно. Эта напевность пробивалась через нос. В общем, будь отец Глеб чужим, я назвала бы его голос козлиным. Сами же проповеди — к тому времени мне довелось слышать его не раз — представлялись мне тусклыми. Грешным делом я подумала, что наш институтский философ, застывший на греках и римлянах, вспыхивал ярче. Обычно отец Глеб начинал с Праздника и, танцуя от него; как от печки, произносил простые и обыденные слова, не имеющие ничего общего с тем тайным и пугающим накалом, полыхавшим в речах и проповедях владыки. В его глазах, время от времени поднимавшихся на прихожан, не было и следа той жесткости, которая так поразила меня однажды. Поразмыслив, я пришла к выводу, что форма и содержание этих проповедей как раз и соответствуют маленькому приходу, на который отец Глеб был назначен. Тут я почему-то сказала себе: на пробу. Может быть, владыка думал о том, что небольшая постоянная аудитория, собиравшаяся в маленьком храме, не нуждается в пламенных проповедниках. Местные бабки не очень-то прислушиваются к речам. Конечно, этими мыслями я не поделилась даже с мужем, опасаясь его резкого отпора — за друга он всегда готов был вступиться. Но сама я никак не могла понять, почему владыка Николай, умеющий распознавать самое важное, дал отцу Глебу гомилетику. Неужели под слабым, обыденным голосом отца Глеба он расслышал силу и мощь прирожденного, но никак не проявившего себя проповедника? Почтение, которое я испытывала к Николаю, все больше склоняло меня к мысли о том, что он — сумел.

Кажется, не я одна замечала недостатки его голоса. Ближе к весне владыка Николай распорядился, чтобы отец Глеб брал уроки сольного пения, которые в Академии вели консерваторские преподаватели. Это называлось постановкой голоса. Об уроках мне рассказал муж. Сам-то он обладал великолепным баритоном и замечательным музыкальным слухом. С высоты этих достоинств он, воздевая руки к небу, и рассказал мне, как его друг, страдая и заставляя страдать несчастного педагога, распевает итальянские народные песни. «Прибавь сюда его итальянский, да и прононс — тот еще!» — «Неужели по-итальянски?» — «Именно!» — муж отвечал с истинно филологическим высокомерием. Поймав его на этом грехе, я и ляпнула о Савонароле, дескать, вот немножко обучится итальянскому, поставит голос и возьмется клеймить нас позором — за грехи. Видимо, эта мысль показалась мужу столь нелепой, что он весело посмеялся в ответ: «Воистину Савонарола! Правда, тот, насколько я помню, *пылал* во Флоренции, а наш — все больше у воды, по венецианским каналам путешествует...»

Уроки итальянского пения продолжались с завидной регулярностью. Педагог встречался с отцом Глебом два раза в неделю, однако дело двигалось медленно. Прошло месяца два, но они все еще топтались на песне гондольера. В общем, я не могла не напроситься послушать.

Я пришла вечером, после службы. Студенты, успевшие переодеться в штатское, уже сбегали вниз по лестнице, уходя в город. Хихикнув про себя, я подумала: к блудницам. На бегу они вежливо здоровались, оглядывая меня удивленно;

в Академию я ходила редко, да и час был поздний. Комнатка, приспособленная под уроки пения, располагалась в подвальном этаже. Нужно было спуститься по лестнице и, пройдя через улицу, зайти в боковое крыло. Отец Глеб появился в конце длинного, в этот час темноватого коридора, ведущего в покои ректора. Он приближался стремительно. Полы подрясника развевались, словно раздутые ветром. Сосредоточенно глядя вперед, он шел по красному ковру, выстилающему подходы к покоям. Он подошел совсем близко, и, здороваясь, я вдруг заметила странное: один его глаз косил. «Есть новости, — он обратился к мужу растерянно и напряженно, — потом, позже, вечером». То ли не хотел при мне, то ли боялся испортить рассказ, выложив на ходу. А может быть, медлил, чтобы собраться с мыслями. Похоже, новости были серьезными: я видела, как глаза мужа собрались, словно он заранее знал, о чем речь. Между тем отец Глеб не спешил трогаться. Топчась на месте и оглядываясь, словно нас могли подслушать, он то опускал глаза, то брался за наперсный крест, то снова смотрел на нас пустым отсутствующим взором. Наконец, не выдержав, я спросила — идем? «Да, да», — как будто очнувшись, он повернулся и поспешил вперед — вниз по узкой лестнице. Входя в боковое крыло, я услышала тихий голос, бубнивший словно бы из-под лестницы: «*Се, Аз возгнещу в тебе огнь, и пожжет в тебе всяко древо зеленое и всяко древо сухое*», — наверное, кто-то из семинаристов готовился к службе. Машинально я подумала, что *так* — на *Аз* — говорит Бог, и вдруг, безо всякой видимой связи, вспомнила, что однажды, обсуждая со мной очередную проповедь отца Глеба, муж указал мне на одну грубую ошибку: по правилу гомилетики проповедник не имел права употреблять местоимения *я* и *вы*, исключительно — *мы*. Это правило отец Глеб всегда нарушал — как выразился муж — простодушно.

Комнатка, в которую мы вошли, была маленькой. В углу стояло пианино, за которым, разложив ноты, ожидал седой человек. Отец Глеб извинился, сославшись на вызов к ректору, и сразу же встал к инструменту. Не выказывая ни тени неудовольствия, педагог опустил пальцы на клавиши. Муж вышел из комнаты, я, боясь помешать, села в угол. Дальнейшее превзошло мои ожидания.

«Ну что ж, начнем как обычно», — тихим и мягким голосом педагог дал ноту. Поправив наперсный крест, отец Глеб вступил. Неверным тенором он пел простую распевку, которой когда-то давно мы распевались в школе: «Лё-о-о-о, лё-о-о-о», — все выше и выше, словно поднимаясь по ступеням. То есть он должен был подниматься по нотному стану, но голос, не похожий на голос, не слушаясь нот, петлял, мучительно не попадая в звуки. Ступени шаткой лестницы, по которой он напряженно и сосредоточенно двигался вверх, скрипели под ногами, выскальзывали из-под ног. То выше, то ниже — он ступал и ступал невпопад. Сидя в своем углу, я никак не могла понять, что же смешного находит в этом муж. Черная фигура, украшенная тяжелым золотым крестом, со страдальческим упорством стремилась туда, куда легко, не напрягая голоса, я могла взлететь, встав на его место. Я сдерживала себя с трудом: мне хотелось прийти на помощь, встать рядом и вступить. Так, как я встала рядом с Лилькой, так, как он сам встал рядом со мною, обещая *быстрого* Ангела. Мое тело напряглось. Я уже вставала, но тут, помогая себе, он взмахнул руками: широкие рукава подрясника соскользнули с запястьев к локтям. Из-под гладкого черного сукна красноватым отсветом вспыхнула толстая фланелевая рубаха. Педагог снял руки с клавиш. Распевка закончилась. Безо всякого перехода они приступали к основному уроку.

Лицо пианиста стало собранным и точным. Устремляясь ввысь из маленькой комнаты, звуки уходили туда, где не было скверных голосов. Невольно я посочувствовала педагогу: после консерваторских учеников *такие* уроки были испытанием. Отец Глеб не слушал. Я смотрела, как, все сильнее кося глазом, он уходил в себя. Музыка прервалась, педагог увидел ученика и кивнул. Тихо и уважительно он сыграл вступление. Отец Глеб начал.

Сквозь двойную полосу звуков — пения и музыки — я услышала какое-то всхлипывание и, покосившись, увидела — сквозь проем полуоткрытой двери, — как муж, налегая грудью на стол, всхлипывает и вытирает глаза. Очки лежали рядом. Неуемный хохот сотрясал его. Поймав мой взгляд, он застонал коротко и махнул рукой. Отец Глеб подходил к припеву. Я видела, как педагог, взглядывая снизу, хочет помочь. Помимо воли его губы складывались и шевелились, как шевелятся губы взрослого, который кормит с ложечки малыша. Он очень хотел помочь, но музыка, льющаяся из-под его пальцев, не желала приходить на помощь: небрежно обходя голос, нежная мелодия уходила ввысь. Борясь с подступающим смехом, я смотрела на косящий глаз и вдруг вспомнила, как — ужасно похоже — скосился муж, представляя сиамского близнеца. Чтобы не рассмеяться в голос, я принялась думать о том, как сейчас, не выдержав, педагог жахнет кулаком по роялю. Он должен был сделать это, прекратить, высказать все, что полагалось, *любому* ученику. Его музыкальные уши не могли *это* выдержать. Стоны, несшиеся из-за двери, становились слышнее. Не видя и не слыша, отец Глеб начинал второй куплет. Откинув голову, словно окончательно войдя в роль юного гондольера, он балансировал на узкой лодочной скамье, отводя руки в стороны. Широкие раструбы подрясника дрожали мелкой рябью. На лице выступило вдохновение. Темное тяжелое пламя, вырвавшееся из-под спуда, занялось в его глазах. Теперь он пел так, словно перед ним — на широкой необозримой площади — замерла толпа людей, собравшихся со всего света. Он пел для них дивную песню. Помимо воли я вспомнила давнюю картину: однажды к нам в школу пришел гипнотизер. В нашем класse он проводил показательный сеанс. Вызвав одну из дево-

се он проводил показательный сеанс. Вызвав одну из дево-чек, он ввел ее в транс, внушил, что она — великая певица, и приказал петь. Скверным голосом выводя рулады, она си-яла пламенными глазами...

Наконец, глубоко вздохнув напоследок, отец Глеб оста-новился. Педагог кивнул головой и принялся складывать но-ты: «Сегодня лучше», — он хвалил тихо и смиренно. Я слу-шала, не веря ушам. Кивая в ответ, отец Глеб то потирал ру-ки, то касался тяжелого креста. Муж входил в двери. Если бы не краснота растертых ладонями век, едва заметная под очками, я бы не поверила, что минуту назад он хохотал. «Ну как?» — отец Глеб обращался к нему серьезно. «Ну, конеч-но... намного...» — муж мямлил, поглядывая на меня. «Мо-жет быть, теперь вы, "Разбойника". — педагог обратился к мужу просительно. — Для нашего удовольствия».

Отец Глеб подошел ко мне и сел рядом. Я покосилась на раструбы подрясника. Фланелевая рубашка больше не лезла наружу. Муж подошел к роялю. По памяти, не све-ряясь с нотами, педагог взял аккорд. Из самой глубины, как будто вступая с какой-то скрытой, самой нижней сту-пени, муж начал сильно и торжественно: *Жи-или двенад-цать разбойников, жи-ил Кудеяр-атаман. Мно-ого разбойники про-олили крови честных христиан...* Я слушала медленно нарастающие звуки. Низкий краси-вый баритон выпевал историю разбойника, который умер для разбойной жизни — стал монахом. Эта история никак не объяснялась, по крайней мере, я, привыкая к книж-ным объяснениям, ничего не могла уловить. Все случилось вдруг, чудесным и полным образом, обходящим всяческие детали, словно они были чем-то вроде правильных нот, ко-торыми — в особых случаях — можно легко пренебречь. Прежде я никогда не слышала этой песни. Необъяснимое и неожиданное завершение разбойничьей жизни тронуло меня. А может быть, не сама история, а голос, спевший ее.

Тогда я подумала — проникновенно. Теперь, когда прошло много лет, я нахожу другое слово.

Отойдя от рояля, муж снял очки и вытер глаза. Конечно, это были не слезы, может быть, дневная усталость, скопившаяся под веками, однако теперь, когда я вспоминаю его песню, я всегда вижу руку, снимающую большие роговые очки — чтобы вытереть глаза...

* * *

Она, правая рука, двадцать лет назад вытершая глаза, лежала, прикрывая собой левую, когда я, с трудом переставляя ноги, подошла и посмотрела. Открытый гроб выставили посреди храма. Он лежал, убранный белым, — ногами к алтарю. Смертные покровы сливались с белизной облачений, в которых они — бесконечными парами — выходили к гробу из алтаря. Душный запах ладана завивался нерастворимыми струями, не давая дышать. С трудом переводя дыхание, я молилась о том, чтобы только не упасть — *при них*. Их, отпевавших его тело, собралось баснословно много, потому что ко дню своей смерти он успел принять сан и сделать церковную карьеру. Отпевание совпало с днем Преображения, и белые ризы, плывшие перед моими глазами, означали цвет праздничного чуда. Высокие голоса невидимого хора стремились ввысь, не приближаясь к земле. Облаченный в смертное, он лежал в самом сердце Праздника — его средоточием. Лицо, открытое во гробе, означало теперь уже вечную промежуточность его сана — между мирянином и иереем, но невиданная торжественность обряда эту промежуточность посрамляла. Из всех, чьего прибытия на церемонию ожидали до последней минуты, не было одного лишь владыки Николая, которому неотложные дела нового — московского — поприща не позволили приехать в Санкт-Петербург.

Они известили меня, но все сделали сами, потому что протодиаконский сан покойного и их прочное место в новом мире, пришедшем на смену старому, открывали самые высокие двери. Резолюция губернатора почтительно и благосклонно чернела на белом поле прошения, которым Московская Патриархия вежливо осведомлялась о согласии властей похоронить новопреставленного на Никольском кладбище — в стенах Александро-Невской лавры. В последние годы он трудился особенно успешно и занимал несколько значимых должностей, так что несомненные заслуги перед церковью, упоминаемые в бумаге, позволяли хлопотать об *особом* месте. За места на Никольском кладбище власти, время от времени желавшие захоронить здесь своих, выкладывали большие деньги. Деньги поступали в городскую казну, поскольку формально лаврская земля, как и прежде, принадлежала государству.

В последние годы он страдал от сердечной болезни, двигался тяжело и одышливо, однако, ни на день не оставляя трудов, отказывался от операции, оплату которой брали на себя американские церковные фонды. Синий след мгновенно ударившей смерти был закрашен профессионально и тщательно, так что лицо, напоследок явленное прихожанам, выглядело спокойно и молодо, словно жизнь не оставила на нем ничего, кроме памяти. Я стояла над свежевырытой ямой, а по другую сторону, вглядываясь в меня со страдальческим упорством, стоял отец Глеб. Он смотрел неотрывно, как будто силился, пронзив мое сердце, окончательно и наверное узнать, что именно я принесла в жертву. Я думаю, ему бы понравился ответ.

В бумаге, которую мне, за отсутствием родных, выдали на руки, стояла причина смерти. Любой человек, доведись ему оценивать, назвал бы ее счастливой. Над могилой — их заботливым радением — поставлен дубовый крест изумительной красоты. Теперь, глядя в темное перекрестье, я с болью в сердце вспоминаю «Разбойника» и всякий раз вижу маленькую комнату, в которой они пели по очереди: один скверно, другой — прекрасно.

* * *

Все засобирались. Уже на ходу, складывая ноты в портфель, педагог сделал мужу несколько коротких замечаний. Наверное, он думал, что *это* можно спеть еще лучше. Наскоро они договаривались о будущем уроке, а я, отойдя к окну, ловила ускользающую мысль, как-то связанную с их сегодняшним пением. Она мелькнула во время «Разбойника», но тогда, вслушиваясь в слова, я потеряла ее. Теперь, начав от голосов, я вдруг поймала: тенор и баритон, страшная фантазия на русские темы. Я вспомнила Митино лицо, в котором попеременно то ломался уродливый кривляка, то шевелил губами угрюмый ненавистник. Ничего похожего в сегодняшнем пении не было. Я вообще изумилась тому, что это пришло: вдохновение отца Глеба ни капли не походило на изломанное кривлянье, я уж не говорю о «Разбойнике» — в песне мужа не было и тени угрюмой ненависти. Ругнув себя за нелепые мысли, как, бывает, ругают за длинный язык, я отвернулась от окна и вежливо попрощалась с педагогом.

Мы остались втроем. Их лица стали собранными, словно теперь, после окончания урока, мы возвращались к главному. «Ну?» — муж спросил тихо. Отец Глеб стоял отвернувшись к окну. Быстрая судорога прошла по его спине. Я видела складки, сморщившие подрясник. Он поднял руку и взялся за шпингалет. Рука цеплялась сведенными пальцами. Широкий раструб соскользнул вниз, открывая красную рубаху. Он взмахнул рукавом, словно, обернувшись, должен был увидеть толпу, собравшуюся на площади. «Владыка благословил меня духовником Академии и Семинарии», — отец Глеб произнес глухо, в окно, не оборачиваясь. «Ё-ешкин кот», — муж протянул, и я переморгнула.

Отец Глеб обернулся. Косящий глаз, поразивший меня, встал на место. Они смотрели друг на друга, не обращая на меня внимания. «Так это же... чудо...» — муж отвел глаза и заходил по комнате. Он ходил и ходил, не останавливаясь. Его походка стала странной — развалистой и неуверенной, как будто, услышав сказанное, он разучился ровно ходить. Идя вдоль, он постукивал по стене костяшками пальцев. Звук был глухим и тусклым, словно не здесь, в комнате, а там — снаружи росло живое дерево и стучало ветками по стене. Отец Глеб стоял как деревянный истукан. «Вы можете мне, наконец?..» — сказала я, разозлившись. «Это означает, что с этого дня *все* они — студенты Академии и Семинарии — *обязаны исповедоваться ему*», — выделяя голосом слова, муж бросил отрывисто через плечо. Теперь он, наконец, остановился. Дерево, выросшее за стеной, свело ветви. «Ну и что?» — я никак не могла взять в толк. Деревянный истукан ожил. Отец Глеб повернулся ко мне. Теперь он смотрел на меня сияющими глазами, искал разделить свою радость. Глаза, устремленные на меня, ждали ответного сияния. Толпа, которую он ожидал увидеть, сократилась до меня — одной. «Это значит, — не глядя на нас, муж говорил как будто сам с собою, словно не мой раздраженный вопрос, а его собственные мысли заставили его заговорить, — это значит... Отец Глеб, я поздравляю тебя!» Шагнув навстречу, он свел руки и нагнулся в поклоне. Прекрасный баритон поклонился скверному тенору, так я подумала, вздрогнув.

Подняв кисть, отец Глеб сложил пальцы и перекрестил склоненную голову. Благословляющий жест был неловким и скованным, словно не рука — слабый побег, выбившийся из древесины, пророс его пальцами из темного сухого ствола. В неверном свете единственной потолочной лампы его кисть действительно казалась зеленоватой.

Домой мы поехали на такси. Сидя в машине рядом с шофером, муж поминутно оглядывался на нас, сидевших сзади, и потирал руки. В ответ отец Глеб взглядывал коротко. Казалось, они ведут неслышный, но непрерывный разговор: время от времени на поверхность, как коряги из тихого омута, выныривали несвязные, но понятные им обоим восклицания: как в хорошей семье. Прислушиваясь, я поняла, что дело идет о каком-то противостоянии: университетские — с одной стороны, провинциальные — с другой, в котором, решая вопрос о назначении нового духовника, владыка принял сторону университетских. Сейчас они действительно походили на университетских. Сидя в машине, они перебрасывались короткими победительными фразами, и странная сцена благословения показалась мне придуманной, вымышленной, невозможной. Если бы я могла, я стерла бы ее из памяти, как стерла бы красную рубаху, напряженно косящий глаз и скверную итальянскую песню. Но самое главное, я стерла бы это страшное разделение, перешедшее в мое сердце из чужой фантазии, от которого теперь мне некуда было деться. Я думала о том, что, сделав первый правильный шаг — выбрав университетских, — владыка ошибся на втором: если бы он знал условия *этого* выбора, он ни за что не выбрал бы тенор. «Если бы он слышал их пение...» — судорожно я искала способ помочь. Нет, сегодняшний урок, окажись здесь владыка, ничего бы не изменил. *Своими* глазами он не увидел бы этого разделения, которое в его голове никак не соединялось с убитыми и убийцами. «Господи, — снова, опуская голову, я одергивала себя. — Что это я придумываю? Если и есть разделение на тенор и баритон, при чем здесь убитые и убийцы, зачем — в одну кучу, в *той* песне нет ни убийц, ни убитых, то есть убийцы есть, но они не поют, они приезжают на машине, а тенор с баритоном просто встречают их, это вообще один человек, раздвоение личности: народ-шизофреник. Он ищет для убийц иконы — рыскает по деревням... Это просто Митя, тогда он стал говорить, что никуда не деться, и песня попалась случайно — хотели-то "Рождество"». Я устала и откинулась на сиденье. Уже на излете я подумала о том, что, может быть, владыка прав, что не делит университетских на теноров и баритонов: наверное, *в его деле* этим разделением можно пренебречь.

«И все-таки, если бы пришлось мне, — уходя от сегодняшнего пения, я размышляла, успокаиваясь. — Если бы кто-то заставил выбрать меня, я выбрала бы баритон: в его памятливой ненависти больше...» Я не смогла подобрать слова. В моих ушах стоял низкий красивый голос, выпевавший «Разбойника», но разве я могла сказать, что в ненависти больше *чуда и красоты*? Сидя на заднем сиденье, я думала о красоте православного обряда, о том, что умей они прислушаться, редкие из *разбойников* смогли бы воспротивиться этой всеобъемлющей теплоте.

Мы уже подъезжали к Серебристому бульвару, когда неожиданно из темной широкой арки выскочил автомобиль — наперерез. Чудом наш водитель успел свернуть. Машину занесло и крутануло. Отвратительный скрежет тормозов резанул уши. Мотнув ушибленной головой, я открыла глаза и прямо у своих губ увидела глаза отца Глеба. Всей тяжестью тела, занесенного на повороте, он наваливался на меня. Медленно, словно время стало тяжестью, его рука раскрылась и цепко сжала мою. Он держал ее изо всех сил, не отводя от моих губ тяжелого лица. Замерев, я слушала всем телом. Впервые за два невинных года я почувствовала свое тело. Оно втягивало и отталкивало, словно я сама была крепким солевым раствором, а он входил в мои воды, как в Мертвое море. Боль, пронзившая голову, исчезла. В тишине, разлившейся над темной улицей, его рука дрогнула и разжалась. Под брань водителя, выруливающего от кромки, отец Глеб — тяжело и медленно — отодвинулся от меня.

Млекопитательница

Он продолжал ходить к нам в гости, и наши разговоры, тянущиеся далеко за полночь, оставались прежними. Разве что теперь, время от времени рассказывая о своем новом поприще, отец Глеб все чаще смотрел на меня искательно, словно став духовником Академии, обрел не столько должность, сколько особое право — говорить со мной. Конечно, соблюдая тайну исповеди, он никогда не вдавался в греховные подробности своих подопечных, однако по коротким замечаниям, которые он иногда позволял, я понимала, что его опыт, основанный на прежней жизни и подкрепленный внутренними талантами интроверта, от месяца к месяцу становится изощреннее. Мне, чувствующей свое тело, его опыт представлялся все более притягательным. Однажды, оставшись с ним наедине — муж снова сослался на усталость и ушел спать пораньше, — я, понимая, что сама, по своей опасной воле нагибаюсь над колодцем, принялась вспоминать о своем опыте крещения, который — переходя грань приватного разговора — назвала неудачным. Склоняясь над столом, я говорила о том, что по прошествии стольких лет меня нисколько не обижают пустые сияющие глаза отца Петра, заливавшие ровным светом мою жалкую, ничтожную жизнь. Теперь меня нисколько не обескураживает такое невнимание к моей собственной жизни — в ней нет и не было ничего такого, на чем можно остановить искушенный и внимательный взгляд. Однако сама по себе уверенность отцов церкви в том, что крещение смывает грехи, включая первородный, не может не изумлять. Их уверенность противоречит очевидности, проступающей в жалких, измученных лицах тех, чьи подспудные чаяния имеют мало общего с обыденными трудами. С отвращением я вспомнила Лильку. «Неужели вы, обретший новый опыт исповедничества, не чувствуете, *что* на самом деле гуляет в людской крови?» Отец Глеб слушал внимательно и настороженно. «Ну, — он протянул нерешительно, — что касается крови, ты преувеличиваешь...», — но я-то видела: мои рассуждения задели за живое. «Здесь не так просто... Церковь не снимает ответственности с человечества за наш первородный грех». Сидя через стол, напротив, отец Глеб глядел внимательно, и его глаз, обыкновенно то веселый, то смущенный, снова начинал косить. Иногда я взглядывала на его руки, державшие край стола, и видела, что разговор, начавшийся по моей опасной воле, и манит, и мучает его. Тогда я замолкала, чтобы он мог прекратить, заговорить о другом, но он не заговаривал. Опустив глаза, он дожидался моего голоса.

«Все это давно... Слишком давние времена...» — он бормотал неуверенно. «Разве церковь не замечает того, что *все*, происходящее нынче, прорастает из прежних времен?» Я имела в виду времена, которые лишь молодые губы могут назвать давними. До них, считая поколениями как шагами, было довольно легко добраться — восемь-десять шагов. «Если человечество до сей поры не снимает с себя ответственности за первородный грех, случившийся в мифологические времена, и церковь поддерживает его в этом безоговорочно, почему же от другого греха, в этой стране касающегося каждого, она отводит пустые сияющие глаза?»

Подхватив попавшийся под руку лист бумаги, я наскоро расчертила табличные графы и принялась заполнять их на его глазах, сверяясь с памятью. Я говорила долго и подробно. Веселея с каждым словом, легко призналась в том, в чем убедилась: само по себе крещение не всегда оказывается безотказным универсальным механизмом, избавляющим от грехов. По крайней мере со мною — так. Будь я младенцем... но те, кто крестятся взрослыми, рискуют большим — я сослалась на слова мужа, а от себя добавила, что вот и я, сколь невинной ни казалась бы мне моя собственная жизнь, не могу почувствовать себя свободной от грехов прежде, чем не покаюсь в смертном грехе убийства, доставшемся мне не по крови, но по наследству — в моем *втором первородном грехе*. «Понимаете, *первородный русский грех?*» Я так сказала, и он поежился.

Трудность заключается в том, что церковь, какой она является, не может принять моего покаяния, не признав этого греха, то есть не *возложив его и на себя*. Взяв из моей руки лист, он разглядывал внимательно, словно я была студенткой, а он, сидевший напротив, был членом комиссии, принимавшей экзамен. Я видела — он *хочет* найти ошибку. «Когда церковь говорит о первородном грехе... — отец Глеб выступал от лица всей комиссии, — мы относим его ко всему человечеству, потому что его совершили оба наших прародителя — и отец, и мать. Здесь, даже если согласиться с твоими построениями, грех относится к части народа — положим, к тем, чьи предки в действительности оказались среди убийц и гонителей, но церковь в их число не входит, она всегда была среди *гонимых*». Путаясь в датах, он ссылался на давнее решение Поместного собора, согласно которому церковь, отделенная от государства, не несет никакой ответственности за гражданский выбор отдельных священников и мирян. Физической силе она противопоставляет духовную силу и веру. Церковь — над схваткой, а если и оказывается втянутой, то в любом случае находится не среди гонителей. Он взмахнул моим листком, как доказательством, и заговорил о пролитой крови архиереев, священников и монахов. «Вы хотите сказать, что церковь признает лишь те грехи, которые передаются по *семейной* крови? — я думала о том, что это русский взгляд. — А если окажется так... Если мне удастся доказать, что церковь — среди гонителей, будет ли это означать, что *вы* призна́ете *эту греховность* и согласитесь с тем, что...» Я замолчала, не зная, о чем просить. Словно я оказалась в какой-то сказке, похожей на «Сказку о рыбаке и рыбке»: что бы ни попросила, назавтра покажется мало. Я подумала о том, что все кончится разбитым корытом, тем самым, с которого все и началось.

«Может быть, вы и правы, — призрак разбитого корыта мешал сосредоточиться. — Может, и вправду стоит начать поближе, с моих собственных грехов...» Я сказала, чтобы успокоить, мне и в голову не пришло, что сейчас, здесь... Он бросил на меня настороженный взгляд. «Не беспокойтесь, я совсем не собираюсь исповедоваться, да было бы и странно, так, сидя за столом...» Мои слова обрадовали его, и вдруг, преисполнившись сочувствия, я представила себе, сколько же чужих убогих грехов он должен был выслушивать ежедневно — по должности. Чужие грехи, наполняя его тело, изо дня в день стремились в небо. К престолу они подлетали легкими, пустыми, полыми. «У вас — трудная работа, — я начала снова, отходя от себя, — если бы мне выпало на вашем месте, мне было бы тяжко, — я говорила, еще не зная, как объяснить, — если слушать день за днем, что-то остается...» — «В душе?» — теперь, успокоившись, он помогал доброжелательно. «Нет, я не знаю, вряд ли...» — «Если не в душе — значит... — он понял, но отказался продолжить. — Говорят-то не мне, я ведь — ничто, проводник». Свободная музыка, обходя его слабый скверный голос, уходила в небо. Для того чтобы уйти, ей не нужно было его тело. Я подумала, что чужие грехи совсем не похожи на музыку. «Когда вы стоите так, между небом и землей, и чужие грехи, которые *признаются церковью*, проходят сквозь вас — вы действительно остаетесь свободным, но если... — я вспомнила о владыке, выедающем чужие просфорки, и подумала, что, *не признавая*, церковь собирает в себе *первородный русский грех*.

Церковь — Тело Христово, так говорили бахромчатые книги, и в этом теле... Я смотрела на отца Глеба, боясь вымолвить: именно в этом теле, наливая его тяжестью, копятся непризнанные, а значит, и нераскаянные грехи.

Словно разглядев мои мысли, его косящий глаз зажегся и, по какой-то одному ему понятной связи, он стал рассказывать о временах, когда занимался йогой. По его словам, особенно тяжко пришлось тогда, когда, не вполне отойдя от восточных учений, он начинал молиться по-православному. «Действительно опасная штука, — йоговские упражнения и православные молитвы, накладываясь друг на друга, давали жуткий эффект: — Какие-то разные поля, физически несовместимые, я не знаю, как получалось, но по вечерам меня рвало». Рвота прекратилась, когда он, окончательно оставив медитацию, сосредоточился на молитвах. «Мне пришлось выбирать. Иногда нечто подобное я чувствую после долгих исповедей, ты права — что-то, наверное, стекается тяжестью, подпирает, но теперь я знаю, как облегчить». Я вскинула брови, но смолчала. Я поняла его. Он хотел сказать: то, с чем церковь имеет дело, и мои мысли о *первородном русском грехе* — это разные поля, несовместимые физически. В одном пространстве их собирать нельзя. Впрочем, может быть, я ошиблась, потому что, повеселев, он стал говорить о том, что иногда, так, за столом — проще, можно обсуждать какие-то вещи от себя, так сказать, вне церкви и безо всяких последствий. «Конечно, легче, — я согласилась сразу. — Во-первых, нет никакой тайны исповеди, а во-вторых, никакой мистики, а значит, можно попытаться соединить несоединимое». — «Ты имеешь в виду, что если за столом...» — «За столом — это никакая не исповедь, а разговор доверительный, как...» Я чуть не сказала — в постели, но не сказала. Резко, как будто что-то, похожее на машину, выскочив из тьмы, выросло передо мной, легло тяжестью на мое тело, я заговорила о том, что завтра к нам приходят университетские друзья: после долгого перерыва решили навестить нас — в нашей дали. «Придут вечером, часов в семь, приходите и вы», — мне хотелось видеть его среди веселых лиц, некогда окружавших мою любовь. В те, любовные, времена я не думала о грехах. А еще я подумала о том, что, может быть, стоит сделать попытку соединить отца Глеба с Митей, который лучше меня сумеет рассказать ему о фантазиях на русские темы — рассказать и переубедить. Мысль о Мите не испугала меня. Я думала лишь о том, что во мне нет таланта проповедника, я не знаю слов, способных передать мой страх перед невыносимой тяжестью, которой наливается мое тело, когда я пытаюсь стать безгрешной в этой стране.

По обыкновению наших встреч он пришел позже, после службы, когда вечеринка была в разгаре. Все сидели за столом, заставленным едой: я наготовила вволю. Ожидая звонка, я прислушивалась, изредка поглядывая на мужа. Через силу он делал вид, что ему весело — как прежде. Водка, стоявшая перед ним в полупустой бутылке, не брала. Он то отвечал на шутку, то, вдруг уходя в себя, становился неприятно мрачным, и тогда жила на шее дергалась и дергала щеку. Он ловил себя на судороге и распускал лицо, но вежливо распущенного выражения хватало ненадолго: снова его взгляд собирался. Изрядно подвыпившие гости этого не замечали. Для них, смотревших прежними, университетскими глазами, он оставался тем, кем был всегда. Они не задумывались о его начинающейся карьере, да и, не зная подробностей, вряд ли могли оценить степень его удач и неудач. Как хозяйка я сидела близко к двери, чтобы легче встать и подать. Митя, на которого я рассчитывала, сидел рядом со мной. Теперь, когда он пришел и сел рядом, я не поворачивала головы. Его близость меня сковывала, как будто не только я, но и он знал о том, что случилось со мною *той* ночью. Сидя рядом со мной, он молчал. Когда раздался звонок, я поднялась и вышла.

Распахнув дверь, я встала на пороге. Он стоял по ту сторону, опустив глаза, словно под порогом было зарыто что-то, скорченное в глиняном сосуде: он не решался перешагнуть. «Заходите», — приказала я весело. Отец Глеб вошел и, не раздеваясь, принялся рыться в нагрудном кармане, судорожно, как ищут последние деньги. «Вот, я для тебя — подарок, — он вытащил маленькое, похожее на книжицу, — какая-то бабка принесла, сказала отдать, кому надо». Я протянула руку. «Это — Богоматерь Млекопитательница, редкий сюжет, очень старая...» — он объяснял подарок. Женщина, одетая в красное, кормила грудью крепко спеленутого Младенца. Кожа Младенца была коричневой, высохшей. «Почему — мне?» Пелены, укрывавшие младенческие ноги, были густого глиняного цвета. «Женщина спасается деторождением», — произнес он мрачно. Обдумав наш разговор, он предлагал мне другой выход. Усмехнувшись, я приняла подарок.

Когда мы вошли в комнату, муж поднялся с места и принялся представлять отца Глеба. Друзья кивали доброжелательно. Покивав, они вернулись к своим разговорам, нимало не заботясь о том, чтобы ввести нового гостя в курс дела. По хмельному обыкновению они начали вспоминать давние истории из совхозной жизни: в начале шестидесятых их первый курс ездил на картошку. Подробности я выучила давно. Вначале шли скоромные воспоминания о совхозных девицах, благосклонных к ленинградским студентам, затем кухонные перипетии: кто, что и при каких обстоятельствах стряпал, тем самым прогуливая полевые работы.

Кульминацией же веселья был рассказ о суде, который они к концу совхозного срока придумали и разыграли по всем правилам: прокурор, адвокат, свидетели. Подсудимым, виновным в постыдном юношеском грехе, был избран мой муж. Соль заключалась в том, что, учитывая присутствие преподавателей, сам постыдный плотский грех никак не назывался — и прокурор, и адвокат, и свидетели, приводившие новые подробности, вынуждены были говорить обиняками, но так, чтобы непосвященные сочли содеянное *всего лишь* тяжким уголовным преступлением, в то время как у посвященных не должно было возникнуть и тени сомнения в природе осуждаемого греха. Хохот, начавшийся пятнадцать лет назад, вспыхивал всякий раз, когда они собирались вместе. В особенности их веселило то, что и прокурор, и адвокат требовали одного и того же (по-восточному жестокая и бесповоротная процедура напрямую не называлась) — при этом обвинитель называл ее высшей мерой, защитник — снисхождением. В своем последнем слове подсудимый соглашался с приговором: он говорил, что приносит в жертву свою плоть — в назидание потомкам. В моем присутствии они вспоминали эту историю особенно охотно. Я замечала это и раньше, но сегодня, когда после долгого перерыва, заполненного странными и трудными событиями моей жизни, они снова завели волынку, что-то злое поднялось во мне: покосившись на мужа, я испугалась, что теперь, учитывая нашу с ним *новую* жизнь, он может вспылить и выгнать. Надо было что-то предпринять, но не решаясь вслух, я склонилась к уху ближайшего и, в этот миг совершенно забыв о том, кто сидит со мною рядом, тихим шепотом посетовала, что в жизни часто случается навыворот — вот ведь, судили, а теперь у осужденного за *такой* грех самая молодая и красивая жена.

Шум, стоявший над столом, не помешал ему расслышать дословно. Митя повернул ко мне лицо, на котором в этот веселый миг еще оставались следы ушедшей совхозной молодости. Следы исчезли в короткой усмешке, спрятались у губных морщин. Нынешний возраст, от которого они в те университетские годы ожидали многого, выступил, как ранняя седина. Снова, как в тот давний раз, я смотрела неотрывно. Он глядел на меня удивленно, видно, успев привыкнуть к моей обычной почтительной бессловесности, никак не мог решить, *как* следует понимать меня.

«Ты хочешь сказать, что *многое* удалось ему лучше, чем нам? — он счел меня достойной прямого разговора. — Или преподать нам урок смирения? Как там *у вас*: всякий, унижающий себя, возвысится?» — глаза, отбросившие веселье юности, смотрели на меня с усмешкой. Она была такой тяжкой, словно сквозь его тело, повернутое ко мне, прошли грехи многих. Теперь он поворачивал разговор так, будто искал моей вины. Я молчала, во мне не было слов. После моей непочтительной дерзости я чувствовала себя виноватой.

Спасаясь, я поднялась и вышла на кухню. Склонившись над духовкой, я поливала шкварчащее мясо растопленной жирной жижей. То, что попадало на ложку, было мутным и желтоватым. Там, в стеклянных сосудах, спрятанных в Кунсткамере, желтоватый раствор был мутным, но холодным. Здесь он шипел и брызгал из-под пальцев, прожигая руки. Я вздрагивала от каждого ожога. Отвращение, похожее на боль, пронзало меня. Жирный кусок мяса, приготовленный моими руками, жег пальцы. От него исходил ужасный запах. Спазм сдавил горло, будто что-то разное, физически несовместимое готовилось соединиться. Захлопнув духовку, я сунула руки под воду. «Лучше мылом, быстрее проходит», — собеседник, которого я выбрала сама, покинул общий стол вслед за мною и теперь стоял за моей спиной — в дверях. Я смотрела, как льется вода.

«Зачем самой, могла бы сказать — я бы помог». Я черпнула полную горсть и, обмыв лицо, сглотнула спазм. «Что-то не по себе, тошнит...» — мне хотелось забыть о разговоре. Теперь, когда он предложил помощь, моя недавняя грубость стала особенно удручающей. «Ах, вот оно что... — он протянул, — так бы и сказала, раздражительность, на людей бросаешься...» — «Что?» — я думала о куске мяса, который теперь нужно будет выкладывать на блюдо. «И когда ожидается?» Наверное, он действительно был пьян, потому что трезвым он никогда бы не стал смотреть на мой живот. Он смотрел долго и внимательно, словно уже сейчас, стоя в кухонных дверях, видел мое другое — тяжелое тело. «*У нас*, — злость, в которой я была виновата, снова поднималась во мне, — говорят, что женщина спасается *этим*», — я опустила глаза. «И ты решила спастись?» — злость, выпущенная на волю, на его губах шипела согласными. Легко и свободно, словно стала музыкой, она убегала с водой, омывая наши голоса. Руки, оставленные под краном, свело холодом. Освобожденное от злости, мое отяжелевшее тело становилось легким.

«Ты считаешь, что это зависит от моего решения?» — голосом я хотела выделить последнее слово, но злость взмахнула предпоследним. «Ты хочешь сказать?..» — он понял по-своему. «Я хочу сказать, что меня тошнит от вида этого мяса, но это ничего не значит, вернее, значит, но не это...» — я запуталась и замолчала. Мясо, облитое раскаленным жиром, было похоже на человечину. Как будто мы, собравшиеся здесь, стали дикарями. Закоренелыми язычниками. Но разве тому, кого я собралась угощать, я могла *это* сказать?

«Ты хочешь сказать, что, — он начал снова и назвал мужа по имени, — ничего не может?..» Господи, он действительно был пьян. Отвратительная глумливая усмешка прошла по его шипевшим губам. Глядя на кусок, шкварчащий сквозь стекло духовки, он облизнулся. «Говоришь, самая молодая и красивая?» — он переспросил. Какая-то странная судорога прошла по моей шее и дернула щеку. Моя невинная жизнь билась кровью под кожей. «Вот, — в своем доме я не могла допустить скандала, — мясо в духовке, блюдо — на столе. Прошу», — я взмахнула рукой и, обойдя его, стоявшего на пороге, пошла в комнату.

Вернувшись, я увидела, что все уже вышли из-за стола. Медленная музыка соединяла танцующие пары. Я окинула быстрым взглядом — муж сидел за письменным столом и перекладывал бумаги. По выражению его лица я поняла, что этот раз — последний. Больше никогда, что бы ни случилось, он их не пригласит. Но, если так, значит, Митя и отец Глеб никогда не сойдутся вместе, где же им, как не в моем доме, я подбирала форму, сходиться. Нет, это другое, так говорят, когда противники — на дуэли... Я оглянулась.

Отец Глеб стоял в углу. В своем черном, плохо подогнанном костюме он выглядел нелепо среди их джинсов и свитеров. Поймав мой взгляд, отец Глеб улыбнулся — он улыбался застенчиво, словно, понимая всю свою неуместность, хотел извиниться передо мной. Обойдя танцующих, я приблизилась и пригласила. Он танцевал старательно и неловко — неумело. «Хорошие ребята». Мне показалось, он говорит искренно. Машинально я посмотрела на дверь. С подносом, полным мяса, Митя стоял в дверях и смотрел на нас. Взгляд был злым. «Особенно он — вот этот», — яростными глазами я указала на Митю и высвободила пальцы.

Пары распались. Подхватив чистые тарелки, они накладывали себе куски. Стол был сдвинут, поэтому рассаживались кто где. Остатки мяса лежали на блюде. Я смотрела, не отводя глаз. Жир, застывавший на глазах, спекался коричневатыми сгустками. Язычники ели с аппетитом, внимательно обсасывая кости. Ничто на свете не могло заставить меня съесть. Снова, в который раз, я поднялась из-за стола и вышла.

В своей комнате я взяла в руки подаренную иконку. На распахе красноватого покрывала тонко, словно волосным пером, были выведены буквы. Буквы, написанные на Ее сердце, были слишком мелкими для моих — совсем не зорких — глаз. Зеленовато-коричневое поле иконки было повреждено — по углам проступало простое почерневшее дерево. Маленькая рука Богородицы, написанная коричневым, поднялась к Ее лицу. Жест был обыденным, словно богомаз, мелко выписывая детали, видел руку обыкновенной женщины. Все-таки надеясь разобрать буквы, я поднесла ближе к лицу.

«Целуешь?» — настойчивый собеседник снова стоял в дверях. «Ты бы поел», — я обернулась. «Ну, и кто же на фото?» — он протянул руку. Я отдёрнула. «Ага, — Митя грозил пьяным пальцем, — тайна, недостоин, а кто же достоин? Может быть, Сеттембрини в штатском, с которым танцуем?.. С ним-то ты уже поделилась? Как бы не ошибиться — глядь, окажется Нафтой...» — «Чем поделилась?» — «Сокровенным... Мол, муж-то — не может... То-то я заметил, как ты задёргалась, когда эти идиоты завели про дурацкий суд...» — «Шёл бы ты к своим, танцуют...» — с отвращением я слушала околесицу. Обрывочные мысли о том, что муж совершенно прав, оставляя их в прошлом, мелькали в моей голове.

«Нафтой, Нафтой, по лицу видать, птичку — по полёту...» — «Какая нафта, что ты несёшь?..» Непонятное, ватное слово блестело кристалликами нафталина. Мой план свести их с отцом Глебом — глупость. Разозлившись, я пихнула его на самое дно. «Всё это уже было, старо, за что вы взялись», — он говорил, трезвея на глазах. «Что? Где — было?» — скоро уйдут, лучше не прекословить. «В этой стране — ничего нового, лежит в сундуках, открывают крышку — и снова... Вынут, наденут — облачатся, — он оглянулся с тоской, словно увидел их, висящих по стенам ризницы, в которой страшно просыпаться. — Лучше изучать издалека, в теории — на своей шкуре бо-ольно. Им-то *там* хорошо рассуждать о русском терпении». Он взялся за свою руку, покачивая, словно крышка сундука, пропахшего нафталином, прищемила её. «Это я помню: никуда не деться, ни вам, ни нам».

Словно почуяв мою насмешку, Митя выпятил губу: «Петруша всё сделал за всех — первый революционер, наш первенец, урод!» — «Первый?» — я переспросила, ещё не понимая. «Великий, — он ответил иронично и машинально, как отмахнулся. — Он попробовал, а эти — твои, подчинились охотно, не стали прекословить. Уж они-то должны были — анафеме!» — Митя поднял руку, как замахнулся. Рука опустилась бессильно. Я не знала, чем ему ответить. «Вот и теперь... Отвратительно», — ничего, кроме злобы, не горело в его глазах. «*Это* — не в сундуках, — мне показалось, что-то совпадает с моим, с моим отвращением, — есть такие стеклянные банки. Это — в них». Он был пьян, я говорила не для него — для себя.

«Я теперь пьян, почему — в банках?» — он вникал с трудом. Дальше мне не хотелось. «Как это ты говорил, какая — нафта?» — я отводила разговор. Теперь я жалела, что зашла далеко. «Какая? Какой? Ты правда не знаешь? Ах да, в вашем экономическом учат считать... цифры, а надо — читать буквы, хотя нет — не надо. Таких, как ты — церковных, — все одно не просветить. Томас Манн "Волшебная гора", глупости, считайте дальше, пишите ваши цифры», — он говорил зло и решительно, но я не слушала: смотрела на его слабые плечи. «Это надо прочитать, пожалуйста, иначе...» — он смотрел беззащитно, как будто, прочитав, я сделала бы это *для него*. Я передернула плечами. «Так, хватит», — я сжала его руку и вывела. Отец Глеб снимал с полки книгу. Он стоял и вертел в руке, словно не решался раскрыть.

«Что это?» — подойдя к отцу Глебу, я встала рядом. «Что?» — он переспросил испуганно, словно, приблизившись, я застала его врасплох. Не объясняя, я протянула руку. *«Настольная книга священнослужителя. Том I».* Темно-синий матовый переплет. На средней полке тома стояли рядом, все восемь, в едином строю. Этим приобретением муж особенно гордился. *«Настольную книгу»* выпустили ничтожным тиражом. «Очень хорошие, я люблю, читаю и перечитываю время от времени». — «Ты? — отец Глеб переспросил изумленно. — Зачем?» — «Ну, не знаю, — я растерялась, — чтобы лучше понимать. В церкви, во время службы не всегда понимаешь дословно. С голоса — трудно, иногда бывает проще глазами». Краем уха я слушала пустую танцевальную болтовню. «Дословно и не обязательно. Достаточно сопереживать, проникнуться общим смыслом. Разум — плохой помощник: сказано, будьте как дети», — он повторил упрямо и рассеянно, словно, к чему-то прислушиваясь, заговаривал сам себя. Косящий взгляд обходил меня стороной. «Мы — не дети. Взрослое дитя — идиот», — я отрезала зло. Не отвечая, он вынул из моей руки книгу и вернул на полку.

«Мне нужно поговорить с тобой», — голос был тихим и робким, едва слышным сквозь танцевальный шум. Отвлекаясь от разговора, я обернулась. Митя стоял за моим плечом. Глаза отца Глеба уперлись в пол. Совладав, он отвернулся к окну. «Сейчас приду», — я кивнула Мите. Он пошел к выходу, и, медля, я внимательно глядела вслед. От двери, неожиданно обернувшись, словно не полагаясь на мое слово, Митя двинулся обратно. Все были заняты своим, ни один из них не смотрел на меня, а потому никто не мог заметить, как, вернувшись, Дмитрий вложил в мою руку. Я раскрыла вечером, когда разошлись: маленький, свернутый в квадратик листик, вырванный из блокнота, на котором торопливым карандашом мелкими буквами — мне пришлось поднести к лицу: «Пожалуйста, позвони мне». И номер телефона. Я училась в экономическом, поэтому и запомнила механически, как привыкла запоминать любые цифровые значения.

Верх, низ и земля

Начало я прослушала. Что-то о Комитете защиты мира, о добровольно-обязательных взносах, которые церковь должна делать — деньги тянут, а храмы восстанавливать не разрешают, муж говорил с возмущением. «Ты прямо как папаша — об алиментах!» — «Что?» — он переспросил, растерявшись. «Ну, государство — вроде матери-одиночки: деньги из церкви тянет, а воспитывать дитятку не дает». Они посмеялись и покивали, и я спросила, много ли денег у церкви. Они снова покивали. «А правда про отца Богдана — золотые ручки?» — продолжила я ехидно. «Ну, это — ерунда, бабьи сплетни», — муж отмахнулся и, видя недоумение отца Глеба, неохотно пояснил: мать репетиторствует в семье, он мотнул головой презрительно, учит дочек, говорит, живут богато — некуда деньги девать, отец Богдан закатил ремонт — хрущевка, потолки два сорок, но — лепнина, мебель, дверные ручки позолотил... Отец Глеб рассмеялся: «С этого станется! Интересно, в сортире *совмещенном* тоже ручки — золотом? Русская народная сказочка "Сортир — золотые ручки!"»

«Золотом, золотом, чем нелепее, тем скорее поверят, — муж не смеялся. — Хотя нет, помнишь, та история с митрополитом Николаем во время войны с Кореей?» С воодушевлением он заговорил о давней истории, когда на конгрессе Комитета защиты мира митрополит понес несусветную чушь о зверствах американцев, чем нелепее, тем лучше, — рассчитал, уж этому-то ни за что не поверят: скальпы, младенцы на солдатских штыках, бактериологическое оружие... Конечно, иностранцы не поверили, а ГБ не придраться — как с первой полосы. «Вот и вам надо так, с владыкой, совмещать половчее...» — отец Глеб перешел к актуальным афганским делам. «Кстати, о совмещении, — муж не пожелал слушать, но продолжил тему по касательной. — Сегодня вечером *наш уполномоченный* молился в алтаре. Я видел сам — стоит и крестится, думал, никто его не видит...» — «Или — наоборот», — я поднялась и вышла. Проходя мимо стеллажей, я взглянула украдкой. На кухне смеялись. Какая-то странная мысль коснулась меня.

Прикрыв дверь, я подошла к своей полке. Бахромчатые книги глядели на меня доверчиво, в их лицах сияло непорушенное достоинство: стоящие на *этой* полке были живыми. Едва касаясь, я гладила переплеты: нельзя, чтобы они слышали про *совмещение*. Так я подумала и усмехнулась, но с упорством, защищающим душу, снова повторила про себя — живые. Рядом с ними я чувствовала себя взрослой. «С чего бы это? — сев в кресло, я задумалась. Эти книги пришли *оттуда*, здесь они оказались случайно, если бы не стечение обстоятельств — им самим нашу границу не перейти. Все живущие здесь в сравнении с ними — хитрецы. Это и есть — взрослые». Теперь я думала о них, как о детях: если услышат о словесных хитростях, о том, чтобы говорить одно, а думать другое, так, как умеем *мы* (рука уполномоченного гэбэшника складывалась в троеперстие), они переймут, и тогда из давнего, непорушенного языка, не похожего на наш — то грубый, то двоедушный, — вытечет вон все его сияние. Глупая мысль о том, что я — мать-одиночка, мешала сосредоточиться. Сидя в кресле, я приложила руку к животу, словно, глядя на светлые книги, стоящие ровным рядом, чувствовала себя женщиной, которой предстояло родить. Я думала о том, что в шутке о матери-одиночке нет глупости. Она была умной, словно теперь, вопреки грубому кухонному разговору, все зависело от моего решения, и перед этим решением я стояла одна. О *моих* бахромчатых книгах я думала как о здоровых детях, которые рождались и росли в другом мире, далеко отстоящем от нашего: наше уродство, переданное с потоками пролитой крови, обошло их стороной. «Женщина спасается деторождением...» — теперь я понимала и принимала. Они родились далеко, дальше, чем я могла дотянуться, но все-таки они здесь — самые главные из них. Они пришли из другого мира, недостижимого и эфемерного, по крайней мере, для меня. Муж уезжает и возвращается, взад-вперед пересекает границу, но это — это ровно ничего не меняет — Женева, Париж: хитрые и двоедушные выдумки. На самом деле этого нет. Другой мир: туда и обратно — клиническая смерть.

Случается время от времени с некоторыми, но по-настоящему: уехать *туда* — значит, исчезнуть для нашего здешнего мира, умереть.

Два разных мира, несовместимых и неслиянных: все, что приходит оттуда, здесь, в нашем мире, рождается заново, а значит, и мои бахромчатые книги: являясь сюда, они должны будут заново родиться. Странным образом, словно именно я стояла на грани, разделяющей оба мира, я чувствовала их во чреве: нерожденные младенцы, они слушали моими ушами. Нельзя, чтобы слышали дурное. Темная мысль о материнстве летела вперед. Рано или поздно они вырастут и уйдут от меня, не вполне прозревая будущее, *это* я знала наверное, но знала и другое: от меня одной зависело, *какими* они уйдут. «Ничего, одна, так одна, выращу...» Другие книги смотрели на меня настороженно, но за них, разрезанных фабричным способом, я не бралась отвечать. Выходя, я осторожно прикрыла дверь, словно выходила из будущей детской.

Дни шли чередом, и моя привычка заглядывать в бахромчатые книги, разрезанные моими руками, укоренилась. Прислушиваясь к их голосам, я, не то спасаясь от мыслей об одиноком материнстве, не то сама возвращаясь в детство, видела мир как будто заново — отрывочным и не совмещенным. Привычный смысл, открытый в известной последовательности слов и мыслей, отвращал меня. Хватая через край, я сторонилась любого — явленного прежде — смысла. «Когда они все родятся для нашего мира, их смысл изменится: под влиянием нашего, опороченного, он станет другим...» Теперь я проводила много времени за странным занятием, цель которого пока что не могла себе объяснить: вынув фразу из контекста, я принималась обдумывать ее так и этак, нимало не заботясь о том, чтобы в мыслях своих воссоздать ее в том смысловом окружении, в котором она — под авторским пером — рождалась на свет. Сначала я называла это занятие игрой.

Игра чем-то напоминала детское гадание, когда вам говорят страницу и номер строки, а вы, полистав и найдя, торжественно зачитываете вслух, предоставляя вопрошающему полную свободу примерять услышанное на свою жизнь. На свою жизнь я не мерила. Равнодушное сияние отца Петра давно и окончательным образом укрепило меня в мысли, что моя жизнь — повод ничтожный. Однако отказ от *личного* участия не делал игру менее захватывающей. Тем интереснее становились размышления об *общем*, о законах, у которых и отдельные люди, и целые общественные движения оказываются в безусловном подчинении. При этом я столкнулась со странностью, относящейся ко мне лично. Однажды мне попалась в руки книга Владимира Соловьева, о котором прежде я и не слыхала, и, полистав, я наткнулась на фразу о том, что каждая точка развития с самого начала содержится в развивающемся явлении, но в нерасчлененном виде. Не прочитав ни единого слова, которые окружали ее, я принялась размышлять. Через некоторое время, очнувшись, я заглянула и поразилась совпадению: слова, стоявшие *до и после, в точности* совпали с теми, которые пришли ко мне, словно книга была их оттиском, а матрица, существовавшая вне весомого книжного тела, могла отпечататься на любом еще чистом листе. Живые слова, построенные в верном порядке, умели рождаться заново. Конечно, такие совпадения были крайне редки — я могла бы припомнить еще один случай (тот же автор о последствиях татаро-монгольского ига), но, как бы то ни было, это открытие казалось мне важным. Строя свой мир, на эти вехи можно было опереться. Обыкновенно же моя дорога уводила в сторону, и, сверяясь, я безоговорочно признавала превосходство чужого ума. Это превосходство и радовало, и пугало меня. Радовало, потому что в нем была моя надежда, и я продолжала раздумывать часами, устремляясь в такие дали, до которых моя слабая мысль, не будь она обвита чужой лозой, ни за что бы не добралась.

Прошло еще немного времени, прежде чем я заметила, что, размышляя, я прихожу в особенное — зыбкое — состояние, в котором слова исчезают, привычные понятия начинают смещаться, а на их место — еще бессловесные и невыразимые — встают образы. Они выстраивались в ряды, и в каждом из них каким-то неясным чувством я ощущала присутствие холодного стержня. Стоило мне достигнуть этой особой сосредоточенности, и стержни охотно и услужливо холодили мои руки, приглашая совершить путешествие по моему выбору: вверх или вниз. Про себя, невесть почему вспоминая о владыке Николае, я, впрочем, никак не объясняя, называла эти путешествия иерархией. Первое время, научившись приходить в зыбкое состояние, я чувствовала себя так, как, верно, должны чувствовать слепоглухонемые: однажды я видела телевизионную передачу о таких детях. С рождения они обладали единственной возможностью: ощупать мир. Свой мир они строили наощупь, создавали его сначала. Посмотрев передачу, я восхитилась мужеством и мастерством учителей, которые, приложив к своему горлу чувствительные детские руки, учили их словам. Холодные стержни, пронзающие бахромчатые книги, были учителями — мои руки ложились на них.

Прошло много недель, прежде чем я, привыкнув к холоду, научилась *распознавать* под руками — узнавать разные стержни. Именно тогда во мне и возникла мысль, что, научившись, я сумею выразить. Чужие слова для такого дела не годились. Пугающее желание зашевелилось во мне. Оно шевелилось явственно, как плод в тяжелеющем чреве, и, вглядываясь в темно выписанные черты Богоматери Млекопитательницы, я, словно вынимая из контекста, теперь примеряла к своей руке мелкие, почти неразличимые буквы, чернеющие в распахе ее красноватого покрова: примерялась писать. Мало-помалу я обдумывала свой новый иерархический мир, преодолевающий и *разорванное надвое*, и отвратительно *совмещенное* прошлое.

К этому времени наши ночные беседы с отцом Глебом стали особенно доверительными (впрочем, они не переходили зыбкой исповедальной грани), поэтому я, укрепившись в одиноких мыслях о своей вызревающей задаче, решилась поделиться с ним — рассказать. Он слушал внимательно. Интерес, засветившийся в его глазах, встречал каждое мое слово. Стараясь говорить понятно, я повела речь о бахромчатых книгах, чьей матерью и младенцем я чувствовала себя одновременно, о стержнях, холодеющих под моими руками, о тяжести, вызревающей во чреве, от которой — я не могла сказать яснее — можно было освободиться, только найдя для нее слова. Тут, испугавшись неточности, я попыталась объяснить ему: то, с чем мне придется иметь дело, не вполне исчерпывается понятием слова — по крайней мере, тем, что мы привыкли так называть. *Мои* слова должны были стать сложнее и полнее слов — я описывала неуклюже и бесхитростно, — они упорядочены и протяженны, уходят вглубь и ввысь. Эти слова, к которым я стремлюсь, не могут быть двоедушными: они должны *сцепиться* друг с другом, но не по образу и подобию жизненных звеньев — жизненным будет только первый, самый неглубокий слой. Радуясь вниманию отца Глеба, я призналась, что иногда слышу отрывки. Они еще не сцепляются в одно, но уже приходят, когда я, бывает, меньше всего их ожидаю: сначала возникает тихий звук, каждый раз особый, словно где-то вдали невидимый и неумелый регент подает ноту из-за такта, и, собираясь на звук, я начинаю различать фразу, похожую на музыкальную. Правда, — тут я перешла на шепот, — если долго прислушиваться, потом становится плохо, и по лицу идут красные пятна — я замечала много раз, когда смотрелась в зеркало *после*... Я не знала, как сказать ясно, после *чего*. Отец Глеб выслушал до конца и признался, что ему надо подумать. Еще он сказал, что на первый взгляд это очень похоже на медитацию, которой он в свои йоговские времена предавался с той же истовостью, что и я — своей. «Иногда получалось, но это — дело такое, заразное: засасывает».

Он говорил с опаской, как говорят о болоте. Особенно его насторожила пятнистая краснота, выступающая на моем лице, — видно, что-то внутри организма отторгает напряженные усилия такого рода. «Помнишь, я говорил о разных полях, физически несовместимых — тут очень похоже». После этого, правда, пока еще предварительного вывода, я не решилась рассказать о Богородице, к которой, точнее, к ее мельчайшим буквам, частенько притягивало мой взгляд. Я подумала, что признайся я в том, что приплела сюда Богородицу, отец Глеб окончательно утвердится в своем мнении о несовместимых полях.

Между тем, мрачнея на глазах, он рассказал мне о своем неудачном писательском опыте, о том времени, когда, *одержимый соблазном*, он писал в стол. Так он сказал о своих попытках, которые, по его же словам, закончились ничем. «Знаешь, это хитрейшая штука. Ночью пишешь, как пьяный, кажется, написал гениальную вещь, а утром, на трезвую голову, смотришь и ужасаешься... В конце концов, мне пришлось выбирать». — «Почему вы называете это соблазном? Что здесь?..» — «Соблазн, конечно — соблазн. *В искушении никто не говори, Бог меня искушает...* » — произнес он непреклонно.

В другие дни, когда мы вдвоем садились друг против друга за кухонный столик, я не заговаривала, а он больше не спрашивал, подобно тому, как воспитанные люди, однажды поговорив откровенно, замолкают и, боясь неделикатности, больше не заводят речь на тему, давшую повод для откровенности. Только однажды, вне всякой видимой связи, он, словно возвращаясь к разговору, заговорил о фильме «Расемон»: японский режиссер, имя которого отец Глеб позабыл, рассказал о том, как глазами разных свидетелей всякий раз создаются новые миры. «Штука в том, что ни один из них — не настоящий. Все, что отдельный человек может измыслить, это — морок, марево, ложное и опасное свидетельство. На это свидетельство никак нельзя полагаться».

Трудно сказать, чем руководствовался отец Глеб в своем деликатном молчании, мой же рот оставался на запоре, в первую очередь из-за слов о соблазне. Сказанные походя, они намекали на то, что напряженная и неумелая игра, казавшаяся мне невинной, на самом деле таковой не была. По мнению отца Глеба — впрочем, невысказанному, — она походила на постыдный грех. Качая головой в одиночестве, я думала, окажись мы все в *совхозе*, меня, а не мужа вполне могли выбрать в качестве подсудимой. Помню, некоторое время я даже задавалась шутливым вопросом, какого же наказания потребовали бы для меня адвокат и прокурор.

Как бы то ни было, но теперь, раскрывая бахромчатую книгу, я прислушивалась к угрызениям совести, но соблазн был велик, и, махнув рукой, я улетала в дальние дали, в которых, увитые звуками — нежной, но прочной лозой, — наливались соком присыпанные тонкой синеватой пылью *мои слова*.

Однажды, не сладив с переполнявшей меня радостью, я, совершенно неожиданно для себя, призналась во всем мужу. Мой рассказ показался ему странным, в особенности же не понравился случай с Владимиром Соловьевым. «Так быть не может», — он отрезал уверенно, и принялся выявлять истинную причину: то ли читала раньше, но позабыла, то ли, сама того не заметив, успела охватить мгновенным взором написанное, как, бывало, делала на уроках. «Помнишь, ты как-то рассказывала?» Действительно, я умела, уже услышав свою фамилию, мгновенно и цепко ухватить взглядом целую страницу и пересказать, выйдя к доске. Довод был сильным — не поспоришь. Выслушав, я замолчала, но с этого дня укрепилась в мысли об ущербности одиночества: детского и материнского. Для своих книг я должна была найти кого-то, кто мог бы стать им если не отцом, то — отчимом.

Муж сам заговорил об этом. Наверное, теперь, когда я вспоминаю о самом важном, в этой случайности нет ни малейшего значения, но все-таки он заговорил сам. Я стояла спиной: в одной руке черпак, в другой — тарелка, когда, устраиваясь за столом поудобнее (я услышала стон проседающего стула), он сказал, что встретил Митю на Невском, недалеко от Лавры. «Гоголем, гоголем, и под ручку с дамой! Меня не заметил. Ворковал, как тетерев на току». Боясь расплескать, я опустила дрогнувшую тарелку. Губы, шептавшие над ухом женщины, совершали невыносимое. Жаркая струя боли, от которой я не успела заслониться, облила горло. «Этого не может быть, — через силу я сглотнула кипяток, — ты обознался». — «Почему?» — муж протянул удивленно. — Я видел совершенно ясно, вот как тебя». — «Меня? Меня ты не видишь совсем», — с отвращением я слушала собственный голос. Номер телефона, написанный мелкими цифрами, поднимался в моей памяти. Вглядываясь, я поднесла его слишком близко к глазам. На этом листке были тихие слова, которые он шепнул *мне*, а не той женщине, — вывел быстрым карандашом. Об этом я думала тогда, когда на следующий день, отдавая профессорской дочери «Иосифа...», спросила «Волшебную гору». Пожав плечами и пробурчав что-то насчет заумных дур, она книгу выдала, но предупредила, что большего занудства свет не видел: «Добро бы в университете...» Дома, вынимая из сумки, я думала о том, что прежде, чем звонить, должна прочитать.

Полистав, я с удивлением заметила, что кое-где, может быть, по вине типографии, листы не разрезаны. Решительной рукой я взялась за ножик и, стараясь не оставить бахромчатых следов, резала долго и аккуратно. Бумага была тонкой, и туповатый нож, идя от угла к сердцевине, двигался легко: уголки бахромы выбились в двух-трех местах, у самого переплета. Закончив, я осмотрела: все-таки бахромка была заметна. Только теперь, когда начало было положено, я расслышала чуть заметную боль и, внимательно осмотрев ладони, заметила неглубокую царапину в основании большого пальца. Кровоточащий след ножа показался пугающе знакомым, и, вылизывая, чтобы остановить кровь, я никак не могла вспомнить — что это и откуда.

Я принялась за чтение в тот же вечер и, едва войдя в курс дела, спрятала разрезанную книгу: дождаться, когда останусь одна. По какому-то странному — сильному и легкому — звуку, поднимавшемуся со страниц мне навстречу, я поставила необыкновенную историю обыкновенного Ганса Касторпа в один ряд с моими странными, совершенно незрелыми опытами, похожими на зыбкое состояние ума, ощупывающего холодноватые стержни. Больше того, не прочитав и четверти, я — со всею скромностью, на которую была способна, — неожиданно поняла, что мои упражнения, которых я как будто бы должна была стыдиться, имеют отношение к этой живой и полной собою музыке. Конечно, оно было сомнительным: неровные пальцы начинающей и не слишком одаренной ученицы в сравнении со смелой и собранной игрой великого музыканта. Этот роман я видела похожим на клавиатуру какого-то невиданного органа. Ряды его клавиш, располагаясь на трех уровнях — верхнем, среднем и нижнем, — звучали слаженно и одновременно: *вневременно.* Я видела воочию, как пальцы, лежащие на одном из рядов, волшебным и невидимым образом извлекают звуки из двух оставшихся так, что все ряды звучат одинаково сильно. В этом звучании привычные и плоские слова исчезали, но если в моих упражнениях на место исчезнувших слов наплывали бессловесные и невыразимые образы, которые можно было различать только на ощупь, здесь привычные и плоские слова обретали три измерения — длину, ширину и высоту. Про себя, разглядывая их, обретших перспективу, я называла эти три измерения по-своему: верх, низ и земля.

На этот раз муж уехал не скоро, а потому, помня о припрятанной книге, но все еще не решаясь до нее дотронуться, я предавалась размышлениям об этой иерархии — верха, низа и земли, — постепенно убеждая себя в том, что именно в *этом* кроется секрет *освобождения*. Я думала о том, что любое неполное сочетание — верх и земля, верх и низ, низ и земля, к которым я в своей жизни привыкла, — и приводят к тому отвратительному физическому состоянию, когда у одних вспухают красные пятна, а других попросту тянет рвать. Укрепившись в этой мысли, я поняла окончательно: не два уровня — библейский и современный, странное сочетание которых я слышала в рыдающем звуке речей владыки Николая, не два языка, вонзившихся в мою спину оперенной стрелой *тех* стихов, которые читал отец Глеб, — соединять следовало три: три измерения, выступающих из страниц так же явственно, как стол, нарисованный в согласии с перспективой, выступает из плоского листа. Я хорошо помню то ощущение полного счастья, охватившего мою душу, когда я поняла: как бы то ни было, но я сделаю это.

Внимательно, как будто в последний раз, я подумала о муже. Нет. Словно наяву я слышала его голос, когда, сидя напротив меня, он рассказывал о русской поэзии и прозе. Его рассуждения были стройны, однако мысли, которые он, вдохновляясь моим любовным вниманием, облекал в слова, теперь, после чтения *этой* волшебной книги, казались мне плоскими. На мой нынешний взгляд, его мыслям не хватало иерархии — пронзительного сочетания земли, верха и низа. Подбирая сравнение, я называла его суждения школьными. Мне же, умеющей ощупывать холодные стержни, хотелось других — университетских.

Муж уехал в командировку буквально на следующий день. Дождавшись ночи, я открыла книгу и, начав снова, читала бесстрашно и свободно. Теперь, доведись подбирать сравнение, я не назвала бы себя слепоглухонемой. Холодные стержни, на которых, как на учительском горле, когда-то лежали мои руки, сделали свое дело: то, что раньше я называла *своими* словами, упорядоченными и протяженными, уходящими вглубь и ввысь, теперь, став *чужими*, проходили сквозь землю — то есть, попросту говоря, были заземлены. Это физическое сравнение казалось мне самым подходящим для того, чтобы объяснить саму возможность освобождения: разряда. Сейчас мне кажется странным, что, охваченная новыми чувствами, я, найдя простейшую физическую аналогию, не вспомнила о том, что случается с одиноко растущим деревом, через которое — соединяя одним ударом верх, низ, и землю — проходит электрический разряд.

Я позвонила в тот же день, когда отдала книгу. Выйдя из профессорского дома на Исаакиевской и обойдя собор, я перешла к гостинице и на самом углу Гоголя увидела эту телефонную будку. Ее дверца была широко раскрыта, но стекла — я осмотрела придирчиво — оказались целыми. Я вошла и закрыла плотно, словно кто-то, следующий неотступно, мог подслушать меня. Сквозь грязноватые окошки, похожие на стекла аквариума, я смотрела на проплывающих мимо людей. Торопливый номер телефона всплыл в моей памяти.

Я проверила дверь и, пошарив в кармане, загадала на две копейки: если не окажется двушки, звонить не буду. Горсть монет звякнула в ладони, и, поднеся близко к глазам, я увидела множество двухкопеечных, пересыпанных серебряными орлами и решками большего достоинства. Уже набирая номер, я подумала, что с того вечера, окончившегося торопливо-вежливой запиской, прошло уже столько времени, что из моего звонка, окажись он запоздалым, найдется совершенно невинный выход: я прислушаюсь к голосу и, почувствовав неладное, сведу дело к бессмыслено-дружескому поводу. Голос оказался растерянным. Мне стоило лишь назваться, и он, вдруг заторопившись, попросил меня о встрече — если возможно, тем же вечером.

Мы встретились у Владимирской, и Дмитрий предложил зайти в кафе-мороженое — на Загородном, второй дом от угла. Предлагая, он именно так и выразился, словно, путая времена, назвал какой-то старинный адрес. Тогда, в первый раз идя рядом с ним по улице, я снова подумала, что он и сам какой-то старинный. Митя прервал молчание: «Знаешь, я сразу узнал твой голос, ты произносишь мое имя через “и” — *Димитрий* — как-то по-старинному», — как будто прочел мои мысли. Я не призналась в совпадении.

Мы сидели за столиком. Митя молчал, словно не решался заговорить. «Я рад, что ты позвонила, знаешь, я уже отчаялся дождаться. Ту записку, — он помедлил и сморщился, как от стыда, — я написал потому, что хотел поговорить с тобой». — «О чем?» — я спросила ровно.

«Тогда я был пьян, не знаю, почему так случилось, отвратительно, обычно я... Но за столом ты сидела рядом, какое-то странное чувство, раньше никогда не было. Я смотрел, и сердце мое обливалось жалостью, — он снова сморщился. — Этот твой Глеб — опасный человек. Я вижу, ты тянешься сама, да и он подталкивает очень умело — к краю пропасти, и там — твоя погибель». — «Погибель? — я откликнулась раздраженно. — Значит, ты считаешь церковь погибелью, и *от нее* хочешь меня спасти?» Он кивнул, глядя мимо. «Но ты ведь сам, вспомни, тогда на Пасху, или станешь отпираться, но я видела, я не могла ошибиться!» — словно наяву я видела его руку, тянущуюся к губам. «Если бы сам, на своей шкуре я не знал, как *оно* притягивает, разве с одного взгляда я разглядел бы это в тебе? Разница в том, что я — взрослее, ты живешь беззащитным сердцем, а значит, если случится, станешь легкой добычей».

«Во всем мире, куда ни погляди, люди ходят в церковь, неужели все как один погибнут?» Я спросила, и Митя замолчал, обдумывая. «Во-первых, они ходят в *другую* церковь, а во-вторых, даже если бы и в эту, мне нет никакого дела до них.

Вот, — рот сломался и замер горестно, — это и есть — самое главное, то, ради чего я тогда написал, а сегодня — пришел».

Поверхность, лежавшая между нами, была серой и неровной. Я водила по ней пальцем и слушала странную и бессвязную речь о том, что с моим мужем они друзья, а потому, посягнув на меня, он совершил бы непростительный, смертный грех, грех предательства, который карается страшной казнью: по Данте он окажется в девятом круге, там, где предатели и соблазнители, что с любой — божеской и человеческой — точки зрения мы с ним в разном положении, потому что мой грех, случись он с нами, конечно же, не идет ни в какое сравнение с его грехом, мой — вполне простительная житейская, земная история, в которой не может быть и речи о посмертном мучительном воздаянии. «Я много думал о тебе, специально перечитал. Я думал о том, что если когда-нибудь я бы на это решился, я поставил бы крест на вечной жизни, и вот теперь я просто не знаю, что же мне делать...» Теперь он принялся рассказывать о каком-то глубоком водоеме, в котором, окованное льдом, окажется его собственное тело. «Этот лед совершенно прозрачный, и ты, скользя по поверхности, в последний раз сможешь увидеть меня». Он говорил и говорил, не останавливаясь, делился со мною своими мучительными раздумьями, на которые, как получалось с его слов, он потратил месяцы, прошедшие с нашей последней встречи. Черная тоска, имени которой я еще не знала, подступала к моему сердцу. Сидя напротив, я больше не думала о бахромчатых книгах, для которых еще совсем недавно надеялась найти отца. Все глубже и глубже погружаясь в его слова, я видела другое дно, на котором, презрительно вырванная из стойки воро́та, лежала — под слоем тепловатой талой воды — испрошенная и полученная реверенда. Слова, проникавшие в мои уши, были другими, но это не меняло дела: снова, как и для моего мужа, я становилась камнем на дороге, который, устремляясь к жизни вечной, следовало обойти. Мое никому не принадлежащее тело лежало камнем на всех дорогах. «Ценою жизни вечной», — так я подумала и усмехнулась. Моя усмешка была неприятной и неуместной, напряженной и похожей на косящий глаз. Они загнали меня в этот угол, из которого, как зверь, перегрызающий собственную кость, я должна была вырваться, чтобы жить.

Я оглянулась, словно кто-то, шедший за мной неотступно, уже приближался к дверям. Он высмотрел меня на Исаакиевской площади, в той телефонной будке, где я, малодушно шаря по карманам, ставила свою будущую жизнь против случайных двух копеек. Дожидаясь вечера и этого разговора, он ходил по Невскому взад и вперед и теперь, свернув на Загородный, считал дома, сверяясь со старинным адресом. Тут, неосторожно коснувшись, я вспомнила неглубокий порез, оставленный книжным ножом. Такие же ранки — господи, теперь я вспомнила — оставлял острый фруктовый ножик, ходивший в неловких ручках девственной супруги Петепра. Ей, полюбившей смуглого управляющего, приснился сон, отворивший ее кровь. «Я позвонила сама, а значит, твой грех, если он случится, — на мне». Я сказала очень тихо, но, шедший за мною, *он* был близко, а значит, мог и должен был услышать. Боль пронзила мою правую руку — у самой кисти. Будь у Мити мои глаза, он увидел бы свежую культю, из которой полновесными каплями падала алая кровь.

Дмитрий остановился, словно только и ждал моих слов, словно эти слова, произнесенные вслух, меняли дело, словно, едва произнесенные, они становились тем, чем он мог заручиться. Теперь он заговорил о другом, сказал, что все это — его нервные фантазии, не стоит обращать внимания, он думал обо мне неотступно, ждал, что я позвоню, и дождался. Его взгляд становился теплым и благодарным — растапливал лед. Он смотрел на меня просительно, как будто снова просил прочитать. Поговорив еще, мы условились встретиться через два дня.

Оказавшись на улице, я сослалась на неотложное дело и распрощалась у метро. Проводив глазами его узкую спину — одно плечо немного выше другого, как у Лильки, — я пошла по Владимирскому, все еще чувствуя руку. Она висела безвольно. Я думала о том, что, отворив, дала выход своей крови, и теперь она постепенно вытечет — капля за каплей. Еще я думала о том, что теперь меня легко поймать: красные капли, падающие на землю, укажут мой путь. Ближе к Невскому боль начала утихать. Я шла и шла не оглядываясь, совсем не думая о событиях прошедшего дня. Еще не свернув, я услышала тихий звук, похожий на те, что приходили ко мне нежданно. В зыбком мареве, привычно охватившем меня, я прислушалась, дожидаясь слов. Сейчас я должна была их услышать — странные и неясные, всегда вступающие издалека. Голос, ясно назвавший меня по имени, раздался близко — из-за плеча. Он прозвучал так явственно, что я оглянулась. В первом вечернем сумраке пустеющей улицы я не различила никого, кто мог бы меня окликнуть. Этот *никто* мог скрыться в любой подворотне. Повинуясь странному чувству, я пошла назад — как на зов. Под аркой ближайшей подворотни темнели мусорные баки. Возле них копошился кто-то, невидный с улицы. Не решаясь, я стояла в проеме арки. Спина, прикрывающая ближайший бак, напряглась. Вынув руки из груды, он поворотил ко мне отвратительно озабоченную рожу и, пробормотав несвязное, пригрозил стиснутым кулаком.

ЧАСТЬ II

Думаете ли вы, что Я пришел дать мир земле?
Нет, говорю вам, но разделение. Ибо отныне
пятеро в одном доме станут разделяться,
трое против двух и двое против трех.

Лк 12:51—52

Ненависть и просвещение

Если бы теперь нашелся кто-то, кто попросил бы меня рассказать нашу с Дмитрием историю *попросту*, я оказалась бы в трудном положении. Поразмыслив, я, наверное, нашла бы слова, способные воссоздать ее так, чтобы многие, жившие в одно время со мною, узнали в ней подробности своих собственных историй и даже сочли бы ее типической. Само по себе это не кажется мне невозможным. Правда, до тех пор, пока я двигалась в *том* направлении, и время, разворачиваясь в *прямой перспективе*, раскрывало передо мною широкий горизонт надежд и желаний, эта история в моих глазах оставалась чем-то совершенно особенным. Каждая ее деталь: долгие поиски ключа от мастерской, где мы встречались один раз в неделю, когда Дмитрий брал отгул на полдня, аккуратно деля на половинки полученные свободные дни за работу на подшефной овощебазе; ритуальная бутылка вина, которое мы разливали в простые стаканы, его привычка, разговаривая со мною, складывать руки на коленях — все эти детали, пережитые в *том* времени, казались важными и особенными, а значит, достойными *личных* слов.

Елена Чижова

То время ушло. В новом же, в котором я двигаюсь в направлении *обратном*, именно это свойство — приватности и особости — замыкает мои губы, но вовсе не потому, что я не решаюсь нарушить деликатное молчание. Теперь, когда я смотрю на дело с другой стороны, время разворачивается передо мною в обратной перспективе, и я — со всеми личными, приватными словами — мало что значу под тем, исходящим из одной точки взглядом, под которым жизнь каждого человека становится огромной и важной, но мелкие детали, из которых она, казалось бы, соткана, теряют в важности, подобно тому, как случается с крупным рогатым скотом, перед смертью теряющим в весе. Это сравнение не должно никого смущать, поскольку дело здесь не в скоте, а в смерти, перед лицом которой нет рискованных сравнений.

Иногда я думаю о том, что во времени, текущем вспять, истинно значимой становится не особость, а *подобие*. Каким-то странным образом, словно замыкая круг, мое нынешнее время становится похожим на другое — когда, отвращенная сама от себя сияющими глазами отца Петра, я глядела на других, живущих и давно ушедших, надеясь изменить нашу с ними общую жизнь. Я хотела изгнать из нее то *особое*, что камнем лежало на пути. Иными словами, победить разделение.

Говоря по чести, есть и еще одна причина, по которой я избегаю пускаться в подробности: до сих пор я боюсь оказаться изобличенной в том, что Дмитрий никогда не любил меня. Во времени, которое подчиняется прямой перспективе, для женщины нет большего позора. Пустись я в детали, и может случиться так, что по какой-то вполне простительной человеческой слабости, от которой мы не вполне свободны ни в одной из перспектив, я примусь доказывать обратное. Я начну подбирать и подтасовывать пустяки, чтобы, складывая их, как кусочки смальты, в одну мозаику, попытаться найти смягчающие позор обстоятельства, выложить их иным узором — перед лицом Судии, в руки которого однажды буду предана.

Теперь же, пока это время еще не наступило, я хочу вернуться к задаче, ради решения которой, горделиво возмечтав соединить в себе верх, низ и землю, я и закрыла за собой дверь телефонной будки, чтобы, положившись на двухкопеечный случай, набрать сохраненный памятью номер. С этой точки зрения мой выбор оказался безупречным. Дмитрий был истинно приземленным человеком. Давая это определение, я ни в коем случае не вношу в него ни восхищения, ни порицания, а лишь пытаюсь обозначить его в какой-то степени совершенно романтические пристрастия, главнейшим из которых было страстное отношение к государству. Не было на свете силы, способной вызвать его большую ярость, чем упоминание, пусть даже мимолетное, об этом Молохе, честной работе на которого он отдал лучшие годы. Одаренный от природы глубоким аналитическим умом, он не обладал достаточной внутренней силой, чтобы — не взирая на внешние обстоятельства, а точнее, вопреки им, — реализовать свой дар прирожденного ученого, утаивая от государства самой природой данные в полное и личное распоряжение ночные часы. Слабая конституция, полученная в наследство от отца (после войны его отец, ученый-филолог, был репрессирован и умер в тюрьме), требовала долгого и полноценного сна, внутреннюю подготовку к которому он начинал, едва возвращался с работы: часов с шести Дмитрий начинал зевать и, устраиваясь в кресле, любил помечтать о том времени, когда, избавившись от необходимости ходить на службу (способ избавления виделся ему туманно), напишет, как он выражался, бестселлер.

За образец, а точнее говоря, прообраз или подобие бестселлера он, однажды получив от кого-то из друзей и прочитав в оригинале, раз и навсегда принял книгу Джорджа Оруэлла «1984». Во времена, когда до указанного на обложке рубежа оставалось еще несколько лет, он в разговорах с друзьями столь часто ссылался на эту книгу, что постепенно, может быть, устав от собственного бездействия, привык думать о себе как о неком новом Уинстоне, вынужденном до поры до времени служить в Министерстве правды. Его министерством был закрытый научно-исследовательский институт, где Дмитрий, никогда не стремившийся сделать *такого рода* карьеру, занимал скромную должность. Однако и занимая ее, он работал старательно и честно (гордая черта характера, доставшаяся от матери), как задолго до него работал Иаков — на Лавана. Эту аналогию можно продолжить: подобно тому, как между Иаковом и Лаваном существовал настоящий договор, впрочем, однажды нарушенный, Дмитрий держал в голове некое подобие негласного договора между собой и безжалостным государством, венцом которого должна была стать награда. Правда, в отличие от договора библейского этой наградой были не любовные объятия, а нечто совершенно обратное: уклонение от объятий своенравно-ревнивого государства. Непорушимая вера в конечную справедливость нашептывала Дмитрию, что если он станет честно трудиться и выполнять элементарные требования — то есть, попросту говоря, не высовываться, — наниматель рано или поздно вознаградит его за скромность и усердие: отпустит на волю. Мечта об *отъезде* главенствовала, но поскольку ее осуществление откладывалось на годы, на передний план и вышла другая — о так никогда и не написанном бестселлере. Мечта о бестселлере была промежуточной, но практичной: если бы книга поспела к моменту отъезда, она решила бы многие материальные и социальные проблемы, могущие возникнуть у человека, вырвавшегося на Запад.

Обо всем этом я узнала далеко не сразу, и первое время, по укоренившейся привычке, продолжала считать его личностью загадочной, однако чем дальше, тем яснее начинала различать в нем и сильные, и слабые черты.

Будучи человеком талантливым, Дмитрий обладал развитым воображением, которое позволяло ему за каждым, пусть самым незначительным явлением видеть его истинный прообраз, вычитанный из заветной книги. С каким-то особым сладострастием он любил ввергать себя в условия, подобные тем, в которых вынуждены были жить герои Оруэлла: он курил дешевые папиросы и пил бачковый кофе в дешевых пирожковых, с истинным, то есть врожденным отвращением косясь на грязные следы, оставшиеся на пластмассовых немытых подносах. Он любил рассуждать о *пролах*, брезгливо называя их народом-богоносцем, и всегда подчеркивал, что не имеет к этому народу ровно никакого отношения, разве что по ошибке, то есть по месту рождения. «С ними у меня нет ничего общего: если это — люди, значит, я — верблюд» — это категорическое утверждение было у него в ходу. Сказать по правде, действительность, окружавшая его, была достойной и реалистичной декорацией пьесы, в которой он играл роль Уинстона. Для полного правдоподобия требовалось еще одно действующее лицо — Джулия, на роль которой, пройдя, судя по всему, сквозь череду невидимых миру неудач, Дмитрий и пригласил меня. В этом смысле именно я стала его последней надеждой.

Честности ради должна сказать, что, узнав его близко, я довольно скоро пришла к убеждению, что он — хороший, но не выдающийся актер. Кажется, это называется *актер одной роли*. Раз войдя в образ, он никогда из него не выбивался, не позволяя внешним обстоятельствам вмешиваться в ход пьесы. Если кто-то пытался высказать свои соображения, отличные от его собственных, Дмитрий улыбался тонко и недоверчиво, давая понять, что ему — виднее.

Главное, что привлекало его во мне, была моя абсолютная аморальность. Эта аморальность была особой. Сама по себе она не имела ничего общего с известной аморальностью Джулии, так восхищавшей книжного Уинстона, да и Дмитрий, воспитанный глубоко порядочной матерью, никогда — в этом вопросе никакой англичанин был ему не указ — не одобрял беспорядочных половых контактов. Более того, от одной мысли о моей возможной измене он приходил в ярость. Его вообще коробила легкость нравов, принятая в университетском окружении, из которого, недолго думая, можно было легко выбрать куда более точный прототип главной героини. Некоторые университетские дамы могли дать мне в этом вопросе очков двадцать-тридцать вперед. Однако в другом, более важном для Дмитрия смысле большинство из них были высокоморальными: то есть, попросту говоря, разделяли его политические взгляды. Остальные относились к текущей деятельности государства, по меньшей мере, внимательно, а значит, с точки зрения Дмитрия, не имели ни малейшего шанса стать — даже по прошествии времени — *достаточно* аморальными. Мою же глухоту к внешнему миру (странным образом уживавшуюся с пристальным и пристрастным вниманием к прошлому) он — с заботливо выношенной непреклонностью — раз и навсегда нарек аморальным двоемыслием.

Оставаясь человеком истинно, как-то по старинному порядочным (по крайней мере, слово «честь» не было для него пустым звуком), он с наслаждением выискивал во мне «низкие черты» и, обнаружив, искренно ими восхищался. Вообще говоря, это было нетрудно: в те годы я часто влипала в истории, не вполне идеологически безупречные, о чем и рассказывала простодушно. Так однажды, немного опоздав, я объяснила свою непунктуальность тем, что нас погнали мыть столовую, которую должна была посетить какая-то делегация — не то обкомовская, не то иностранная. Зло и безжалостно высказавшись насчет потемкинских деревень, он совершенно неожиданно пришел в мирное расположение и принялся расспрашивать, что я об этом думаю. Я призналась, что мне на все это наплевать, пусть любуются, жаль только потерянного времени, и Дмитрий, обличив меня в трусливом двоемыслии и восхищенно оглядев с ног до головы, произнес: «Надо же, ты принимаешь участие в их отвратительных играх и даже *не понимаешь*, как все это низко! А впрочем, *тебе* это идет». Мужчинам же ничего подобного он не прощал. Стоило мне однажды упомянуть, что владыка Николай вынужден был — на одном из заседаний Совета церквей — говорить какие-то обтекаемые слова об участии СССР в афганских событиях (перед этой поездкой моего мужа специально вызывали на инструктаж), Дмитрий пришел в ярость, обличая церковь в прямом сотрудничестве с органами. Я, знавшая мнение другой стороны, попыталась высказаться примирительно, но он не пожелал и слушать.

«Неужто ты думаешь, что женевы, иерусалимы и советы церквей предоставляются *за так*? Такие подарочки дороги, за них платят твердой валютой, причем и та и другая сторона, — неприятно морщась, он стучал костяшками пальцев. — Интересно было бы послушать, что скажет твой доморощенный Нафта, спроси ты его о тайне исповеди: как, сколько раз в месяц, в каком потаенном кабинетике? Или *они* выезжают сами, как говорится, на объект?» — «Прекрати, — мой голос сорвался, — ты не смеешь огульно и без доказательств!» — «Доказательства? — Митя вскинулся мгновенно. — Десятки и сотни тех, кто им по недомыслию доверился. Кстати, если тебе, паче чаянья, придет в голову каяться, ты уж постарайся — по возможности — обойти мое имя стороной».

Впав в состояние сильнейшего возбуждения, Митя говорил о том, что основа религиозного начала — независимость и достоинство духовенства. Это — необходимое условие. Остальное — мерзейшая из ересей, ведущая к окончательному расколу. «Эта свеча горит с обеих сторон, потому что даже в самом униженном народе случаются странные мутации: рождается и вырастает тончайший слой людей, имеющих понятие о достоинстве и чести. Им знаком подлинный вкус свободы, а значит, никогда они не станут чистосердечно повиноваться зависимому от государства духовенству. Но тут начинается игра природы, так сказать, непостижная уму: именно этот слой образует соль нации, а значит, его внутреннее отчуждение от *такой* церкви обрекает ее на маргинальность, то есть изолирует церковь от истинной национальной жизни, оставляя ей на откуп тех, чья интеллектуальная деятельность — в силу ее незрелости — не имеет влияния на духовное будущее страны». По-митиному выходило, что такое положение — бомба замедленного действия, запущенный и тикающий механизм, куда более опасный для основ церковной жизни, нежели приступы бессмысленной и беспощадной ненависти *пролов*, сбрасывающих кресты с церковных куполов. Наслушавшись отвлеченных рассуждений, я требовала прямых доказательств, и Митя, спускаясь с интеллектуальных небес на землю, обличал церковь в том, что она работает рука об руку с государством, как, например, в истории с Глебом Якуниным и еще одним, я забыла трудную фамилию. Те подали письмо протеста против гонений на церковь, и патриарх запретил им служить, пока не покаются. «Теперь Якунин *сидит*, а церковь и в ус не дует. Пра-ав был товарищ Сталин: попы-коммунисты! Хочешь еще доказательств? Предоставлю, дай срок...»

Эта история испугала меня. Вернувшись домой, я спросила мужа, и, поморщившись, он ответил, что, во-первых, *тогда* Якунина защищали, во-вторых, он не сидит, а в-третьих, Якунин обратился к мировой общественности, в ООН и во Всемирный совет церквей. «Ну и что?» — я удивилась искренне, не понимая, почему церковь в этом случае отказывает в защите. «Это не церковная, а правозащитная деятельность — Комитет защиты прав верующих, который Якунин создал», — муж объяснил раздраженно. «А разве некого и не от чего защищать?» — я парировала зло. «Есть, но не этими методами. Церкви необходимо идти на компромисс. Она вынуждена делать это, чтобы сохранить преемственность иерархии, действующие приходы, то есть саму организацию». Малопонятный довод не убедил меня. Вспоминая Митины яростные слова, я заговорила о зависимой церкви, о том, что, подчиняясь государству, она становится слабой и неполноценной. «Брось, — муж оборвал решительно, — влияние церкви крепнет год от года. Все, что ты говоришь, а точнее, повторяешь, давно опубликовано и известно. Словоблудием прикрываются те, кто не имеет понятия о глубокой и безусловной, подлинно детской вере. Французские штучки, блестящий, но весьма поверхностный ум», — усмехнувшись, муж назвал имя француза-путешественника, давным-давно проехавшего по России.

Конечно, и обличая церковь в бездействии, Дмитрий никого не призывал на баррикады, тем более что и сам, работая на государство, то принимал участие в субботнике, то выступал на политчасе, который в его институте устраивали по четвергам; однако он знал особую грань, позволявшую ему во всех случаях сохранить честь. Этой гранью, за которой оставалось аморальное поведение, было *осознание* низости происходящего, в которое преступный монстр вовлекал беззащитного перед его мощью человека. Осознать значило отмежеваться. Некоторая шаткость такой позиции, особенно ясно заметная на фоне набиравших обороты диссидентских процессов, заставила его — в доверительных кухонных разговорах с друзьями — вставать на защиту теории малых дел, которую он почерпнул, если не ошибаюсь, у Василия Розанова.

Может быть, еще большее восхищение, чем моя политическая аморальность, вызывала у Дмитрия моя необразованность, которую он, талантливый и образованный филолог, считал аморальностью особого рода. В том, что я недостаточно начитана, он обличал меня постоянно, но, смягчаясь в своем царственном презрении, восхищался моим, как он говорил, прелестным невежеством. Сам-то он был энциклопедически образован. Заканчивая английское отделение, он увлекся русской литературой и идеями структурализма, и его студенческая работа о пушкинском «Золотом петушке», выполненная задолго до сложившихся традиций Тартуской школы, до сих пор кажется мне образцом высокого и зрелого анализа. На первых курсах университета ему прочили аспирантуру (по тем временам его анкета считалась *относительно подходящей*), но что-то, о чем он не любил распространяться, называя соблазнами Старшего Брата, встало на пути, и по своей врожденной порядочности он был вынужден отказаться от научной и преподавательской карьеры, к которой имел более чем склонность — призвание. Памятуя давние московские события, в которых Митя оказался косвенно замешанным, я, как мне казалось, понимала подоплеку его неудач и обходила и науку, и педагогику стороной. Однако и сохраняя деликатное молчание, я не могла не замечать того, что любые упоминания об институтских успехах (не прикладывая особых усилий, я училась на отлично и даже состояла в студенческом научном обществе) вызывали его нескрываемое раздражение. В таких случаях он не отказывал себе в удовольствии лишний раз восхититься моей аморальностью.

Я же читала и читала, подгоняемая с двух сторон: пассивной деятельностью мужа, привозившего в дом все новые книги, и Митиным страстным высокомерием, с которым он, усмехаясь, называл все новые и новые имена. Время от времени его искренняя любовь к знаниям перевешивала, и, выходя из презрительной роли, он принимался растолковывать мне — с подлинной педагогической страстью — внутреннюю структуру того или иного великого романа: той же «Волшебной горы». В такие моменты я чувствовала радость и восхищение и, забывая о его презрительном высокомерии, задавала прямые вопросы, на которые получала исчерпывающие и изысканные ответы. Одним из первых стал вопрос о Нафте, с которым он, едва владея собой в грубом кухонном разговоре, сравнил отца Глеба. Я спросила, и, не чинясь, Митя удостоил меня блестящим рассуждением об иезуите и чернокнижнике, схоластике и недомерке, который разговаривал сиповатым голосом, звучавшим как надтреснутая тарелка. С одобрением, редким в его устах, Митя упомянул и об антиподе, замечавшем в господине Нафте явные signi mortificationis — симптомы омертвения. Этот другой — гуманист и рыцарь просвещения — неизменно вступался за идеи разума и их законное влияние на юные, колеблющиеся умы. Распутывая сюжетные линии, Митя рассказывал, как силою обстоятельств обыкновенный мальчик Ганс Касторп поднялся *туда, наверх,* и оказался меж двух огней, пылавших в — различных по самой своей природе — учительских устах. Эти уста склонялись к юным ушам с двух противоположных, но взаимодополняющих сторон. Мальчик, умевший слушать простым и обыденным сердцем, оставил с носом их обоих: так и не взял ничью сторону, Митя закончил, усмехаясь. В общем, аналитическая школа, которую я прошла в мастерской, позволила мне позже, когда я перечитала все, что он считал обязательным, с хрустом разгрызать самые трудные художественные композиции, получая одобрение из уст своего личного Сеттембрини.

Два года, прошедшие с нашей первой *личной* встречи —
о ее обстоятельствах, а особенно о договоре, свидетелем
которого был разве что тот воображаемый субъект, чьи
пристальные глаза я в первый раз ощутила на себе в га-
дальной телефонной будке, ни один из нас не заговаривал — эти два года оставались для меня, если так можно
выразиться, не вполне полноценными, поскольку радость
взаимного обладания так и не становилась — в нашем
с Митей случае — обоюдной. Пеняя на свой ограниченный
опыт, я винила во всем себя и, держа при себе собственные разочарования, совершенно серьезно размышляла
о каком-то дефекте, похожем на порчу, с которым, так и не
став полноценной женщиной, должна была мириться. Эта
неполноценность, о которой никто и никогда не должен
был узнать, а в особенности Митя, преломлялась в моем
тогдашнем — растревоженном и неустойчивом — сознании
каким-то особым образом: я мирилась с ней как с законо-
мерной карой за грех. Не тот первый *взрослый* грех, единственный раз случившийся со мною во сне — в ночь после моего крещения, а этот, нынешний, которому мы, встречаясь
в мастерской, предавались наяву. Более того, в глубине души опасаясь более страшного наказания, я считала эту кару
если не наименьшей из возможных, то, по крайней мере,
вполне выносимой.

С другой стороны, именно эти годы, пришедшиеся на
мою женскую неполноценность, оказались необычайно пло-
дотворными: доверительность, крепнувшая от раза к разу,
соединенная с нашими — почти университетскими — штуди-
ями, позволяла мне, возвращаясь к заветным *литературным* мыслям, уверять себя в том, что как бы то ни было, но
я — на верном пути. То, что раньше туманно называлось
судьбой матери-одиночки, больше не страшило меня. Уле-
тая мыслью за стремительными рассуждениями Мити, которые — как мне казалось — довольно часто совпадали с ба-

хромчатыми, я чувствовала себя увереннее, словно произнесенные живыми губами, они действительно рождались на свет заново — так, как я однажды предугадала. Через некоторое время я стала приносить с собой свои книги и, передавая их Мите из рук в руки, чувствовала себя матерью, сажающей на *другие* колени свое дитя. Я любила смотреть, как Дмитрий, любовно перелистывая страницы, вдруг останавливался, захваченный чужой мыслью, и углублялся в чтение, забывая обо мне. Это длилось какихнибудь пять-десять минут, но мне, смотрящей со стороны, казалось, что слово *отчим*, приходившее на ум раньше, несет в себе какой-то отчужденно-оскорбительный оттенок, совсем не заслуженный Митей. Для этих книг, лежащих на его руках, он становился отцом.

В общем, я могу сказать, что, если вынести за скобки гроздья его гнева, Митя, и не любя меня, относился ко мне с нежностью. Наши встречи были полны радости: мы находили выход из любого тупика. Пожалуй, единственное, что вызывало его ничем не смягчаемое раздражение, — это мои, впрочем, очень редкие, упоминания о голосах. В первый раз я рассказала довольно скупо: дескать, иногда, впадая в особое — я не посмела назвать его зыбким — состояние, я слышу обрывки фраз, и слова, из которых они состоят, кажутся мне подлинными. Приноравливаясь к его аналитической привычке, я сказала, что они являются мне в таком сочетании, которое я сама вряд ли сумела бы построить.

Через несколько недель, решившись продолжить, я призналась, что раньше, до наших встреч, эти голоса слышались как будто из одного источника, теперь же со мной бывает и так: на улице или в метро я слышу голос, окликающий меня по имени, совсем не похожий на те — другие. «Не похож? Чем же?» — Митя спросил рассеянно. Собравшись, я попыталась объяснить: он одинокий, пустой и немузыкальный и произносит одно мое имя. Выслушав, Митя недовольно пожал плечами и перевел разговор.

Прошло еще немного времени, и однажды, совершенно неожиданно для меня, он стал расспрашивать о том, кем я собираюсь работать после окончания института и, посетовав на неустойчивость моей психики, посоветовал выбрать что-нибудь устойчивое: бухгалтер или банковский служащий. Презрительная гримаска, сломавшая его губы, отозвалась во мне обидой. Твердо, словно окончательное решение принималось сейчас, я сказала, что, закончив институт, никогда не буду работать по специальности. Тут я прикусила язык. Еще минута, и я, пускаясь во все тяжкие, призналась бы Мите во всем. Рассказала бы о своем тайно окрепшем желании — писать, о задуманном трехмерном языке, способном, выстраивая *другой* мир, померяться силами с миром *настоящим*. «Почему-у?» — он протянул удивленно. «Ну, а ты, вот ты хотел бы стать счетоводом?» — я отвечала, соблюдая осторожность. Презрительная гримаска расцвела высокомерием: «Ну, во-первых, ты сама выбрала экономический, а во-вторых, должна же ты *кем-то* работать...»

Под резонными и высказанными словами крылись другие. Я сидела оглушенная. Выделенным словом, имевшим плоский и единственный смысл, он поворачивал дело так, словно не бывало ни бахромчатых книг, которые он нянчил, ни наших литературных разборов, когда, легко и весело улыбаясь, он хвалил меня. Все становилось пустым и не взаправдашним, похожим на глупую детскую игру, от которой взрослый отходит в сторону, возвращаясь к своим делам. Забытая детская боль рухнувшего мира пронзила сердце, и, ударив кулаком по сапогу, сломавшему башню моего песочного замка, я вздернула губу и, не снисходя до многомерных подробностей, объявила, что буду *писателем*, потому что слышу те — *другие* голоса.

То, что я увидела, поразило меня. Его жесткая губа дернулась, холодные глаза сошлись на мне, и голосом, истончившимся до ненависти, он заговорил тихо и страшно: «Неужели ты не понимаешь, что это — смешно?» Холодно, словно я посягнула на то, что он, бессонный страж, взялся охранять, Митя говорил, что от голосов надо лечиться, нет ничего на свете более нелепого, чем мои мысли, здесь требуется медикаментозное вмешательство, он давно замечал странное выражение лица, когда я выпучиваю глаза, становясь *ужасно* некрасивой, ну он-то к этому привык и старается не замечать, но *когда* мне попадется кто-то другой, еще неизвестно, как он на это посмотрит, в любом случае надо проконсультироваться, быть может, это — базедова болезнь, в Средние века таких больных считали ведьмами, конечно, это крайность, но за всем этим есть резон, неизвестно, как скажется на здоровье будущего ребенка, рано или поздно придется рожать — как все нормальные женщины... Я слушала, уже не понимая слов. Слова становились густой черной массой, похожей на смолу — черной смолой он мазал мои ворота. Как будто со стороны, словно уже умерла, я видела свое растерянное, опозоренное лицо, и — другое, о котором давным-давно позабыла. Оно выходило из темноты, вставало рядом со мной — под фонарем. Я видела мальчика, украшенного красной повязкой. Он протягивал руку из тьмы — за моим билетом. Низкий голос, тяжелый, как камень, перебил протянутую кисть, и, отступая в темноту, мальчик тянул меня за собой — в свое оцепление. Не было у меня билета, чтобы идти туда, куда могли проходить настоящие писатели. Я была самозванкой, которую, поставив густое оцепление, нельзя было допускать в святая святых. Те, кто приходил беззаконно, *сюда* не должны были пройти. Натянутая шейная жила дернула мою щеку. Я переняла этот тик у мужа, умеющего говорить «Изыди!».

Стены, в которых я сидела, были обшарпанными и грязными. Прежде я этого не видела. Бутылка дешевого вина, кислого, как яблочный уксус, стояла полупустой. Глядя на жидкость, застывшую в зеленоватом сосуде, я чувствовала оскомину, сводившую рот. Я шевельнула челюстью, будто желала сглотнуть. Полнившее голову знание, которое дал мне лежащий рядом со мною, рассыпа́лось прахом. Скорбь другого знания дрожала в моем теле. Он смотрел на меня со страхом. Страх, тонкий, как морские водоросли, качнулся в его глазах, словно я и вправду была опасным плодом, которого он вкусил по недомыслию. Грубое и злое шевельнулось на моем языке, мой новый язык был терпким и соленым. Митино лицо оплывало, становясь растерянным. Его рука поднялась, закрывая. Если бы я захотела, я растоптала бы его, как гнилое яблоко, вдавила в землю. «Значит, смешно?» — изнемогая от ненависти, я отбросила его руку и посмотрела сверху вниз пустыми, хохочущими глазами. «Нет, — он сказал, — нет», — нежность и боль поднимались в его глазах...

В тот день не было на свете смеха лучше и прекраснее моего, потому что ко мне явилась радость, замешанная на молоке и крови верблюда, сойдя с которого я смотрела по сторонам новыми глазами. В них отражалась сырая земля, на которой отныне я стала полноценной женщиной.

Прощеное воскресенье

Тот, кто сочтет радость, которая явилась мне наяву, событием слишком ничтожным, чтобы изменить жизнь, будет, конечно, прав. Однако моя жизнь совершенно повернулась. Видимо, почувствовав во мне что-то новое, Митя с верблюжьим упорством домогался встреч, находя все более нелепые предлоги. Кафедральные секретарши — с сентября я осталась работать на кафедре управления, выбрав одну из трех предложенных: невиданная честь для девицы без роду и племени, — уже поджимали губы особенным образом, когда, дождавшись перемены, сообщали, что мне снова *звонили*. Я пеняла Мите, и он, злясь на глупых баб, требовал, чтобы я выписала ему точное расписание, указав перерывы между парами. Расписание я дала, и он, дозваниваясь и пользуясь тем, что я не могу говорить открыто, назначал встречу. Я являлась.

Опасливо оглядываясь по сторонам, — теперь, когда порча была снята, все чаще и чаще я задумывалась о новом наказании, которое должно меня настигнуть, — я бежала от остановки мимо низких домиков, чтобы, дойдя и постучавшись условно — один сильный, один слабый, — переступить порог. За порогом дожидался Митя, обыкновенно приходивший чуть раньше. Я опускалась на грязный топчан и, слушая сбивчивые объяснения, всякий раз убеждалась в том, что они — надуманные. Надуманность льстила: с самомнением неопытности я принимала настойчивость за любовь. Рассказав, он неизменно интересовался моими делами, справляясь исключительно о кафедральных. Мое распределение и предложенная аспирантура доставляли ему болезненное удовольствие. То восхищаясь моими успехами, то обличая в беспринципности («Разве не ты собиралась отказаться от *этой* работы?»), он слушал без устали, и выражение его лица менялось с той же быстротой, с которой он соскальзывал то в тенор, то в баритон, подпевая Галичу.

Я рассказывала, Митя вникал в подробности, заставляя снова и снова повторять диалоги. Он просил новых поворотов, и постепенно я привыкла их выдумывать — для него. В моих рассказах обыденная кафедральная жизнь наполнялась эфемерным смыслом. Приноравливаясь к слушателю, я вводила новых персонажей — партийную даму, вещавшую визгливым голосом, глуповатого аспиранта, исполнявшего штатную роль стукача, которого все — по моему сценарию — опасались, пожилого сытого ловеласа, норовившего явиться с плановой проверкой на мои семинарские занятия. Вникая в перипетии, Митя давал советы и, вздрагивая от ненависти, учил меня отчуждению: «Вежливость со всеми, но никаких доверительных контактов». Запомнив выдуманные фамилии и оперируя ими, он рассуждал о том, какие ничтожные люди подвизаются в *нашей* науке. Рассуждения доставляли ему радость. Входя во вкус, я подумывала о трагической развязке: пусть бы стукач убил партийную даму или сам покончил с собой, не вынеся мук совести. Однажды я сделала шаг: ни с того ни с сего заговорила о том, что аспирант, выпив лишку (в те годы кафедральные праздники устраивались особенно часто), поймал меня на набережной и принялся каяться в грехах. Митино лицо исказилось: как *тогда*. Он перебил меня, не дослушав. Снова, как в тот верблюжий раз, побелевшие глаза обратились ко мне: «Неужели ты не понимаешь, что это — смешно! — он повторил дословно. — Нет ничего пошлее покаяний стукача, *эти* достойны одного презрения, пока есть на свете дуры, готовые сочувствовать, их порода никогда не переведется, их следует холодом вымораживать, как тараканов».

Я слушала, замирая. Холод, сочившийся из глаз, обливал сердце. Его ненависть была живой: она способна была вдохнуть жизнь в пустую марионетку, словно не я, придумавшая, а Митя, возненавидевший, был сказочным Карабасом-Барабасом: снимал с крюков пустые театральные куклы и пускал их в пляс. Куклы, вышедшие из-под моих рук, повиновались его плетке. Упрекая меня в неопытности и неумении разбираться в людях («Похоже, наши литературные уроки — не в коня корм»), он находил психологические мотивы, истоки которых, по его представлениям, крылись в прежних временах: у партийной дамы обнаружился обкомовский отец (на этом основании Митя называл ее подлым пометом); у аспиранта — выведенная из села мамаша, строчившая доносы на интеллигентных соседей, добиваясь комнаты для подрастающего мальчика. Ловелас страшился жены-торговки.

Жизнь ненавистных кукол обрастала бытовыми подробностями, которые Митя выдумывал сладострастно. Кривоватая улыбка, которой он сопровождал рассказы, истощала мои силы. С хитростью фокусника он вытягивал из цилиндра все новых зайцев. Ненависть питала его вдохновение. Партийная дама оказалась старой девой: сама мысль о ее черствой любви отпугивала мужчин. «Ты заметила, нет женщин, одевающихся не по моде, просто у одних она — нынешняя, у других — десятилетней давности, у третьих...» Партийную он отнес к четвертым, наделив ее прической «вшивый домик». «А я?» — я представила «домик» и рассмеялась. Митя оглядел одобрительно, хмыкнул и снова взялся за свое. Маленький аспирант робел женщин и, не признаваясь в своем бессилии, которое считал временным, предавался страсти доносительства. Женщины, которых он выбирал и подкарауливал на набережной, должны были приходить в *особенный* ужас: их содрогающиеся сердца вознаграждали его за отсутствие иных содроганий. Старый ловелас, не надеющийся на мою благосклонность, сидя на моих занятиях, воображал непристойные сцены.

Дерево поддельной жизни, взращенное Митиной ненавистью, прирастало многими ветвями. Довольно скоро, утомленная ненавистью, как любовью, я впадала в дремотное состояние и, борясь с сонливостью, думала о том, что, выращенное его руками, это дерево не дает плодов. Забыв обо мне, как прежде забывал над страницами, он выводил своих покорных актеров и, замирая у подмостков, остро переживал разыгрываемое. «Ты как книгу пишешь», — я сказала однажды, и он обрадовался. Радость была такой сильной, что я удержалась сказать: книга — не живая, видимость книги, что-то иное, чему я не знала названия, похожее на голос, зовущий меня по имени, одинокий и монотонный, не такой, как другие — зыбкие и множественные, бахромчатые книжные голоса...

Теперь наши встречи всегда заканчивались радостью, но, возвращаясь домой — на остановке его взгляд лучился нежно, — я все больше страдала от мысли, что *не могу* пойти в церковь. Грех, в который я впала, удерживал меня. От этого греха я не могла и не хотела отказаться. Однажды, набравшись смелости, я все-таки отправилась, но, уже ступив на паперть, не посмела перешагнуть. Звук песнопений, донесшийся сквозь двери, напугал меня. Оглядываясь на нищих, тянущих руки, я отступила.

Дома, обдумывая мучительно, я говорила себе, что попала в западню, из которой — единственный выход: признаться в том, что все рассказанное мною — выдумки. Если я скажу ему правду, этого он мне не простит. Слова приходили сами собой, но, проговаривая, я каждый раз убеждалась в том, что вырваться — значит перегрызть. На это у меня не было сил. Ночами меня терзала тоска разрыва. Всем телом я чувствовала боль, которая пронзит меня, когда я оторвусь от Мити. Время между звонками текло беззвучно, словно я действительно становилась пустой куклой, висящей на крюке.

Однажды Митя рассказал мне о фильме, который видел много лет назад, когда работал за границей. Как-то раз, не пожалев рупий, он отправился в кино, но что-то там перепутал и вместо чаемого — эротического — попал на фильм об инопланетянах, который показался ему забавным, по крайней мере, запомнился. Дело происходило в Америке. Пришельцы внедрялись в человечество, подкарауливая одиноких путников. Набрасывались и проникали в тело каким-то замысловато-зверским образом, чтобы, проникнув, принять чужое обличие. Процесс, руководимый из межпланетного центра, развивался в геометрической прогрессии: очень скоро злодеи обработали целый поселок. Теперь под личиной некогда невинных обывателей крылись пришельцы. Все двигалось к катастрофе, если бы не нашелся смельчак, объявивший им тотальную войну. «Выиграл?» — я спросила. Митя развел руками. В других обстоятельствах я забыла бы мгновенно, но назавтра, придя на кафедру и оглянувшись, вдруг почувствовала какую-то зыбкость, словно почва ушла из-под ног. Зыбкость раздвоенной жизни настигла меня: на одной стороне, пустые и бессмысленные, стояли настоящие кафедральные сотрудники; на другой — воображаемые, почти что литературные персонажи, которых я выдумала для Мити и в жизни которых принимала участие. Мгновенно и безвозвратно, оглядев и тех и других, я поняла, что зашла в тупик. Два года, прошедшие с первой — *договорной* — встречи, заканчивались, оставляя по себе пустоту.

Все чаще, словно усталость, наполнившая меня, дошла до кромки, я чувствовала единственное желание — уснуть. Сонливость постепенно брала власть: то в автобусе, когда я, цепляясь за высокий поручень, держала тяжкую голову, то в аудитории, когда, неожиданно замирая, я с трудом вспоминала — что дальше, то дома, когда я извинялась перед отцом Глебом и отправлялась спать. Теперь, будто речь шла не обо мне, я с трудом представляла, как когда-то, в студенческие времена, находила силы, проговорив ночь, утром отправиться в институт и худо-бедно высидеть три пары. Отец Глеб взглядывал удивленно, кажется, относя мои уходы на собственный счет. Муж пожимал плечами. Однажды я сказала, что в последнее время как-то быстро утомляюсь, стоит подняться — и снова тянет на боковую. Муж предположил, что это — сезонное и, кстати, рассказал смешной анекдот о черепахе, у которой пришли *вековые*. «Пройдет зима, наступит лето... — он начал детский стишок, но, посерьезнев, закончил как-то неправильно: — Даст Бог, отойдет!» Медленные жернова повернулись в моей голове, и, задумавшись, я поняла, что никак не могу вспомнить: «Подожди, подожди, как это там было?.. Наступит лето?..» — «Спасибо партии за это!» Отец Глеб, слушавший с интересом, засмеялся. Словно издалека, я смотрела на них обоих, чувствуя одно отчуждение.

Теперь отец Глеб отправлялся домой сразу же, как только я уходила к себе, но добравшись, неизменно набирал телефонный номер — муж уже ждал звонка, и они, удобно устроившись каждый в своем кресле, разговаривали часами. Можно было выйти хоть в три, хоть в четыре и услышать оживленный голос мужа, вступавший через паузы. Однажды, проснувшись среди ночи, я вышла в гостиную. Прислушиваясь к репликам, — увидев меня в дверях, муж покивал и вернулся к разговору — я удивлялась. Казалось, болтали два старшеклассника: «Ну, а он? Да-а... А этот?..» Речь шла о какой-то опасной истории, которая разрешилась с помощью взятки: вроде бы митрополит сунул *в лапу* уполномоченному. Они хохотали, обсуждая психологические подробности. Послушав с полчаса, я не смогла скрыть раздражения. Дождавшись, когда голубки́, наконец, распрощаются, я поинтересовалась, неужели отец Глеб не найдет другого занятия, кроме как болтать ночами напролет. Видит Бог, я ничего не имела в виду, но муж, развернувшись и смерив меня взглядом, пришел в ярость.

Шагая по комнате, он говорил и говорил, словно только и ждал моего вопроса — дать отпор. «Ты сама... своими руками... как пожелала, так и сделала, но ежели ты думаешь, что я позволю тебе еще и насмехаться... — он остановился, задыхаясь. — Я — не совхозный мальчик, времена прошли... Взялась лепить образ, что ж — цель дерзновенная, и уж я, по крайней мере, мешать не намерен: можешь быть уверена, поддержу всячески... Тебе половинок мало! *А нам подавай корыто, и встанем во всей красе, не тайно, не шито-крыто, а чтоб любовались все!* — он пропел, кривляясь. — Пусть все любуются на твою *никем* не достижимую и бескомпромиссную безгрешность...» Он устал и сник. Кажется, шагая все медленнее, он и сам жалел о вспышке. Я сидела, не отвечая: в сумрачной голове стояло одно только слово — *корыто*, которое я, как в рыбьей сказке, видела разбитым.

Утром, дождавшись, когда я проснусь, муж попросил прощения за ночную выходку: «Не знаю, что на меня нашло, кажется, я тоже устал, считай, что и у меня — *вековые*...» — он пошутил грустно. Я улыбнулась шутке, а про себя подумала: от своего решения не отступлюсь. Уходя, я обернулась от двери: муж стоял в проеме. Делая вид, что ищет книгу, он оглядывал стеллажи.

Борясь с тяжелой головой, я размышляла о последовательности шагов, которые — один за другим — следовало предпринять. Сначала — Митя. Весь день я нетерпеливо ждала звонка, чтобы, договорившись о встрече, поставить перед фактом. Без объяснений.

Меня вызвали с занятий: голова секретарши сунулась в дверь. Подкрепляя извинения вьющимися руками, она звала меня — выйти. Я извинилась перед студентами и подошла. «Вам *звонят*, — она нажала на слово, — просят передать срочно, командировка, дневной поезд — шестнадцать сорок, вагон... — она шептала, сверяясь с бумажкой, — просили, чтобы вы подошли...»

«Брат уезжает в Москву, я должна передать... Но не успеваю», — я думала: все — к лучшему. Это — отсрочка. Для тягостного разговора я найду правильные слова. «Нет, нет, — секретарша заторопилась. — Это тот голос, что обычно... вежливый... — она покраснела. — А хотите, — голос за-

пнулся и замер, — я сама, вместо вас, если передать...»
Я смотрела недоумевая. Младше — лет на пять... В сравнении с ней... Странная мысль о том, что мое время проходит,
коснулась сердца.

Выйдя из института — на уличных часах стрелка подходила к пяти, — я пошла по набережной, оглядываясь по сторонам. Чувство утекающего времени, рожденное чужой навяз-
чивой робостью, не оставляло меня. «И равнодушная природа, и равнодушная природа...» Я думала о том, что не
помню, как дальше. Фасады, облитые последним светом,
темнели по-зимнему. В этот час идущего на убыль дня набережная пустовала. Людские пути лежали в стороне — у метро. Не кусты и деревья, а эти высокие городские дома, об-
ступавшие мою жизнь с рождения, были моей равнодушной
природой. С рождения и до смерти. Смерть стала близкой —
подать рукой. Изменившимся взглядом, словно меня уже не
было, я смотрела на изгиб канала: кованые сочленения мно-
жились, сколько хватало глаз.

На том берегу, огороженный оштукатуренным забором,
виднелся Львиный садик — так его называла бабушка.
Сквозь каменные фигуры, сидевшие по местам, я смотрела:
от дома, в котором я родилась, сюда было близко — минут
десять — старыми и малыми ногами. Подложив лапы под
груди, львы сидели как ни в чем не бывало, но сквозь них,
словно мост был какой-то невидимой гранью, проникало
прошедшее время...

На набережную мы вышли через двор, и, идя рядом с бабушкой, я поправляла и поправляла шелковый шарфик, который она, собирая меня в дорогу, повязала бантом — вокруг
шеи. С другого берега, словно бы и вправду умерла, я видела
себя идущей. Мой шарфик прошедшего времени был новым
и чистым: кусочек цвета радуги, подрубленный с четырех
сторон. Я видела аккуратные стежки, вышедшие из-под бабушкиных рук: на этом шарфике, усадив рядом, она учила

меня подрубать. Машинально я провела рукой по шее, словно теперь, по прошествии лет, могла нащупать стежки.

Закрыв глаза, я попыталась вспомнить, о чем думала тогда, расправляя. Я должна была думать о чем-то важном, чтобы потом, через годы — как находят обратную дорогу по зарубке на дереве — вспомнить, испугавшись уходящего времени, и превозмочь. Держа руку на горле, я пыталась снова и снова, но память, опороченная взрослыми грехами, не слушалась меня. Я чувствовала ее, как наболевшую часть испорченного тела, в котором детская ангельская память не находит себе места. С опаской, будто проходила *насквозь*, я ступила на доски Львиного мостика. По четырем сторонам, подрубая пространство, сидели каменные фигуры. Осторожно миновав, я пошла по направлению к своему прежнему дому. Митин поезд ушел. Под стук колес, отдававшийся в сердце, я приближалась к арке, за которой, сбереженный взрослой памятью на этот случай, открывался высокий двор: возвращаясь с прогулки, мы с бабушкой поднимались по черной лестнице.

Черная лестница была узкой и крутой. По углам пролетов стояли помойные ведра — для отходов. Раньше их выносили ежедневно. Вьющиеся картофельные кожурки норовили упасть мимо. Сквозь пыльные лестничные окна открывался вид на канал, и, остановившись на третьем этаже, я поняла, что *мое* — чистое окно рядом. Стена нашей комнаты граничила с лестницей. Приложив руку, я прислушалась, словно звуки, жившие в комнате, могли пройти *насквозь*. Все было тихо. По другую сторону стены — я видела ясно — стояла девочка, повязанная радужным шарфом, а рядом, разложив на коленях шитье, сидела моя бабушка. С небес, откуда я была изгнана, глядел мой детский ангел. Приняв взрослое крещение, я отказалась от него.

Подыскивая слова, словно и впрямь готовилась к тягостному разговору, я ссылалась на то, что никогда его не знала, откуда я могла узнать? У меня было совсем другое детство... Мне хотелось признаться ему, сказать, что это — моя вина: мне не внятны слова смирения, которыми Он, вырвавший жало смерти, собирает тоскующие души. *Смерть, где твое жало?* Оно метило в мое сердце. *Ад, где твоя победа?* Она ступала за мной по пятам...

Девочка подошла к стене и приложила пальцы. С моей стороны стенная грань была прозрачной, с ее — сплошной, я подумала: как в кино, когда свидетели опознают преступников. Нет, в кино — все наоборот. В жизни, в которой она должна была опознать меня, преступницей была я. Ни о чем не подозревая, она стояла у окна и смотрела выше канала. Мои мысли и слова иссякли: своими слабыми силами я никого не сумела убедить.

Я думала о том, что мне нечего сказать своему детскому ангелу, знать не знающему никаких разделений. Некрещеная девочка, к которой он все равно прислушивался, умела разговаривать с ним без слов. Ее жизнь была простой и радостной, и радость, которую она знала, оставалась бесплотной: в ней не было тела и крови. Низа и земли. Ее душе, не связанной с землей, не требовалось никаких усилий, чтобы смотреть вверх. Вытирая слезы, застившие глаза, я думала о том, что если бы вступила на этот путь раньше, я успела бы научиться соединять в себе верх и землю прежде, чем в моем теле раздался бы зов крови... Взрослой рукой, изрезанной голубоватыми венами, я вытерла щеки. Видение исчезло. Ушло обратно — за грань.

* * *

В ближайшие дни Митя не позвонил. Видимо, он действительно уехал — на этот раз в его словах не было уловки. К концу недели муж заговорил о Прощеном воскресенье, настаивая, чтобы я, в согласии с академической традицией, сопровождала его. К последнему воскресенью перед Великим постом в Академии готовились заранее, муж сказал, будет служить сам владыка Никодим. Я спросила про Никольский. Там — *никого особенного*, муж сказал, весь *бомонд* у нас, и, узнав об этом, я решилась — туда.

Накануне я видела сон. Во сне открылась широкая лесная поляна. По всему пространству, как грибы, стояли беловатые шляпки, в которых, присмотревшись, я узнала просфорки. Я шла от края к середине, а с другого края, медленно приближаясь, двигался Митя. Он глядел в землю и загребал ногами, словно ворошил сухие листья. Подойдя ближе я увидела: как грибники — поганки, он сбивал сапогами просфоры...

Теперь, стоило мужу напомнить о воскресной службе, я опускала голову, отмалчиваясь. В четверг за ужином я попросила рассказать подробнее. В день, завершающий мясопустную седмицу, люди просят друг у друга прощения — за все обиды, вольные и невольные. Муж рассказывал с энтузиазмом. Кордонов не ставят: об этом дне мало кто знает, по крайней мере, власти не ожидают особого наплыва, но если вдуматься — великий день. Храм, полный людей, каждый находит знакомых, просит простить Христа ради и получает прощение. У незнакомых — тоже. «Омытая, — муж говорил о душе. — Будто выходит вон, взлетает, нет никакой тяжести, словно в детстве — невесомость».

Служили в верхнем храме. Поднимаясь по узкой лестнице, начинавшейся от бокового придела, я ужасалась своей решимости. Войдя, я огляделась. На этот раз толпа показалась мне однородной: я не различала отдельных лиц. Свечи, поставленные под иконы, сочились, похрустывая. Далеко впереди, размытые в полумраке, двигались священники. Ступая из боковых врат, они расходились беловатым полукругом: выдаваясь вперед, вставали на встречу. Тихие голоса поднялись справа и слева, и, прислушавшись, а еще верне, догадавшись, я поняла, что выходят на встречу владыки Никодима, митрополита Ленинградского и Новгородского. Стремительная мысль, что все перепуталось, никто не ожидал, ждут в Академии, весь *бомонд* — там, метнулась и замерла. Владыка Никодим переиграл. Теперь он входил в храм: широкая темная фигура, несущая посох, проступала из полутьмы. Борода, опущенная на грудь, придавала ему вид старца. Он ступал, тяжело перемогая. Тяжелая походка выдавала болезни: от мужа я знала, что владыка перенес два обширных инфаркта, однако от кардинального вмешательства отказывался, полагаясь на Божью волю. Муж говорил: видно, боится лечь к *ним* на стол, но третьего инфаркта ему не пережить.

Издалека я не могла видеть его глаз. Полуприкрытые тяжелыми набрякшими веками, они едва открывались предстоявшим, словно тяжесть, лежавшая на сердце, силой пригибала веки к земле. Он служил собранно, но сумрачно: в жестах, обращенных к клиру, не было следа энергической организованности, свойственной владыке Николаю, его любимому ученику.

Мало-помалу добрались до середины службы: теперь они возвращались в алтарь. Последний беловатый подол мелькнул в проеме, и, оглянувшись, я вознамерилась уходить. Сонная тяжесть одолевала меня. Невидимый хор ветвился зеленоватым распевом; тонкими струйками журчали ближние голоса. Те, кто стояли рядом, что-то обсуждали вполголоса — я не различала слов. Подняв глаза, я увидела, как они выходят обратно — в черном. Сделав усилие, я вспомнила: муж говорил, что на Прощеное меняют цвет. Вглядываясь в темные фигуры, я слушала хор, дрожавший под сводами собора: его распев неуловимо изменился. Теперь он тянулся густыми струями, словно голоса облачились во мрак.

До самой проповеди, пока владыка не вышел один, я вспоминала слово: *необоримый* — вспомнила и закрыла глаза. Владыка возвысил голос. Мягкое, лежащее на веках, приподнялось, как ткань: я слушала, не вникая в слова. Он начал тихо и прикровенно, из глубины, где на больном, разорванном сердце лежал *его* грех. Он начал с Праздника, как обыкновенно начинал отец Глеб, но, миновав, заговорил о другом. Не нарушая правил — на его языке не было ни *я*, ни *вы*, — он говорил — *мы*, но я поняла. Он ступал по земле, как птица, — медленно и сковано и говорил о невосполнимом расхождении. Расхождение касалось двух миров: тот, на который он опирался, в его устах звучал обыденно. Об этом мире он говорил как о хозяйстве, нуждающемся в порядке. Ближние, которых грешно обижать, дальние, о ком надобно молиться, взаимный долг детей и родителей, старцев и юнцов, жен и мужей. Мир, оставленный неприбранным, горек и холоден, в нем копятся взаимные обиды, отягчающие землю.

Я слушала, внутренне соглашаясь, однако мое согласие было вежливым и пустым. То, о чем он говорил, лежало далеко от моего моста, по четырем сторонам которого, как стежки на подрубленных гранях, лежали вечные львы. Слушая нетронутым сердцем, я думала о владыке, подрубленном сердечными шрамами: слушала и жалела. Моя жалость была тихой и обыденной: под стать его речам. *Так* я могла пожалеть больного. Однако к жалости — это я чувствовала холодно и ясно — примешивалось раздражение. В мире, который был для него обыденным, я уже знала многое, о чем, страдая и сокрушаясь, он должен был заговорить по-другому. Если бы не церковь, я вышла бы к нему, как к любому *учащему*, и подняла руку: «Вот, вы стоите перед нами и учите благим намерениям, вот, представьте, мы пойдем, наученные, но эта вымощенная дорога, не приведет ли она прямиком в ваше сердце, в котором?..»

«В наших сердцах — ад», — я не заметила, как случилось, но стоявший на амвоне отвечал мне одной, словно на безвидной земле, во благо которой он не очень-то верил, не было толпы, окружавшей нас. Одна — напротив, я стояла в пустынном храме, и голос, разрывающий птичьи путы, говорил мне о том, что смерть существует единственно для того, чтобы воскреснуть. Он говорил о смерти, будто она сама была живой и здоровой и умела навести порядок в земном хозяйстве. Он говорил о ней торжественно и одобрительно, сравнивал с предстоявшими семью неделями Великого поста, в течение которых она выходит на волю и становится полноправной хозяйкой. Готовясь к Воскресению, мы входим в ее тщательно прибранный дом. Семь недель торжествующей смерти — срок, ничтожный даже по земным меркам, ее недолгая победа перед последним и окончательным посрамлением. В темном, свивающемся времени мы стоим перед ней, полные страха и почтения, но в мыслях своих, обращенных к иному миру, смотрим поверх ее головы: соперничаем с нею в нашей — покаянной и несуетной, новой и изначальной — сердечной чистоте.

Сумрачная тишина стояла в храме. Не напрягая голоса, владыка говорил о том, как в первый день Воскресения, до которого каждый из нас в свой черед доберется, мы встанем как ангелы, имеющие не плоть, но память, и эта память не будет короткой — изъеденной земной порчей. Я слышала: новая память, дарованная Воскресением, омоет опороченную земную, но каждая вспышка боли, когда-то брызнувшей из сердца, прошьет ее стежком — подрубит, как полотно. Эта новая память будет остра, как жизнь, прошивающая сердца подобно железу, но ее осколки вонзятся для того, чтобы воскресить. На новой памяти, как на дрожжах, поднимется тесто Святого Воскресения.

Не слова, что-то другое, глядящее поверх голов, сошлось, как шифр, совпало с моим: я помнила его с самого начала — помнила, но не умела сказать. Я знала его тогда, когда стояла у окна, выходившего на канал, и радужный шарф настоящего времени лежал на моей груди. «...словом, делом, помышлением и всеми чувствами...» — владыка кланялся до земли. «Изгнан бысть Адам», — они пели и просили прощения. Другим — прежним сердцем, на котором, повязанный бабушкиной легкой рукой, лежал мой радужный шарф, я внимала тяжелому голосу.

Достояв до конца, я вышла из храма и вопреки обыкновению свернула налево. Мне снова хотелось пройти по каналу — мимо дома, из которого когда-то была изгнана. Широкий мост, откуда начинались Подьяческие улицы, оставался по правую руку. Я шла и вспоминала, как в завершение проповеди владыка приложил руку. Снова и снова, как будто крутили пленку, я видела: свидетельствуя, он коснулся своего больного сердца. Вспоминая о стене, ставшей прозрачной, я думала о том, что у владыки — свое *опознание*, и, возвращаясь к началу службы, ловила мелькнувшую было мысль. Мысль вилась, ускользая. Я начала сначала, с того, как он вошел. Тогда я думала о болезнях, отражавшихся на его походке, о том, как он нес посох, переставляя его с трудом.

Наученная Митиной испепеляющей ненавистью, я свалила вину на *власти*, перед которыми, теперь я понимала это ясно, владыка стоит день за днем, как перед лицом своей скорой смерти. Я вспомнила радость мужа, которой он делился с отцом Глебом: уполномоченный Совета по делам религий крестится в алтаре. «Как бы не так!» Если это и правда, она достигается ценою смерти владыки. Этой ценой он растапливает уполномоченные сердца. Радость и умиление исчезли: холодная ярость перехватила горло.

Ясно, словно действие разворачивалось на сценической площадке, у подножия которой я стояла, я видела уполномоченного, входящего в митрополичьи покои и складывавшего руки. От двери, склоняя голову, он подходил под благословение. Из-за стола владыка выходил навстречу, поднимал сложенные пальцы над чужой, почтительно склоненной головой. Теперь они садились за поперечный столик — друг напротив друга. Я видела их лица, на которых было написано доброжелательство, но видела и другое: их доброжелательство поднималось на разных дрожжах. Сердце уполномоченного распухало ядом. Он говорил вполголоса, тихо и вежливо; я не разбирала слов. Владыка слушал, прикрывая веки. Со стороны могло показаться, что дело, с которым пришли, касается обыденного, но стоя под сценой, я знала: речь идет о третьем железном осколке, метящем в сердце владыки...

«Господи, зачем я каркаю!» Я вдруг подумала, что видела эту сцену так ясно, что — не будь она моей выдумкой — *они, бессонные сторожа разделений*, могли бы счесть меня единственным, а значит, единственно опасным свидетелем.

Я остановилась, озираясь. Набережная была пуста. Холодный воздух, завивавшийся струями, поднимал бурунчики снега. Над грязноватой ледяной поверхностью дрожали столбики воздуха, стоящего над каждой полыньей. Искрошенные края ближайшей полыньи широким веером захватывали лед. Шаткий свет фонаря дрожал, отражаясь в черном, вползал на ледяной покров короткими желтоватыми змейками. Змейки вились и вились, словно полынья, откуда они вылезали, была котлом, в котором — на невидимом с берега огне — варилось что-то зловещее. Я смотрела, не отрывая глаз.

За спиной раздался хруст снега, похожий на скрип. «Пойдешь со мной», — взявшись рукой за мое плечо, он развернул и приказал коротко. Остановившимися глазами я смотрела в его — не моргавшие. Глаза, глядящие в мои, были белыми и пустыми. Короткие, словно обожженные ресницы, наконец, моргнули. «Пошел вон!» — я отрезала, очнувшись. «Так и так пойдешь, не захочешь сама — приведут», — он говорил уверенно и беззлобно, как будто видел перед собой слабое, ничтожное существо. Его слова были такими неправдоподобными, что странная, шальная мысль поразила меня: мне вдруг почудилось, что этот человек, поймавший меня на набережной, и есть аспирант, разыгранный Митей. «Ты — аспирант?» — я спросила с разбегу. «Аспирант, аспирант, ты тоже скоро станешь...» — он закивал, повторяя слово. Все сходилось. Совершенно спокойно, словно персонаж, пришедший из вымышленного мира, не представлял никакой опасности, я смотрела в пустые глаза, обведенные обожженным контуром, и думала о том, что главное — не выказать страха: *этот* не дождется моих содроганий.

«Ты не боишься меня?» — он почуял и спросил подозрительно и раздраженно. «А что ты можешь?.. Ну, давай, кайся, в чем ты там?.. Ты ведь — *ихний*?..» — я дернула плечом, освобождаясь из пальцев. Склонив голову, он смотрел, удивляясь: «Ихний?» — моргнул и повторил нараспев. Глупое слово доставило ему удовольствие. Последний страх ушел. Митины слова: с *этими* — только холодом — показались мне чрезмерными: существо, стоявшее передо мною, понимало нормальную человеческую речь. «Отвали». Я не успела сделать и двух шагов. За спиной раздался хруст. Цепкая рука легла на мое плечо и развернула рывком.

Как в замедленном кино, я видела обручальное кольцо, загоравшееся на его кулаке. Обожженные глаза пылали ненавистью: «Ка-аяться? — он пропел, выворачивая шею. — Я-то пока-аюсь... А вот ты — пропадешь пропадом!.. Пра-па-дешь!» Удар ужасной силы, от которого искрами брызнули мозги, разорвал мой лоб. Я шатнулась назад и, оскользая по наледи, канула навзничь — затылком в чугунный край. Торжествующий голос, зовущий меня по имени, покатился и замер...

Открыв глаза, я повела рукой: лицо было мокрым и липким. Слыша тяжелый затылок, я поднялась, оглядываясь. Перед глазами плыло золото чужого обручального кольца. Вокруг никого не было. Если бы не кровь, заливавшая веки, я могла бы подумать — примстилось.

Подцепив горсть, я обтерлась снегом. Страшная злоба гнала меня вперед. Я шла и шла, не чуя ног. В шумевшую память вступал холодный окликающий голос. Мысль дрожала и пульсировала короткими искрами. Я возвращалась и возвращалась к началу, словно сцена в митрополичьих покоях, увиденная или разыгранная мною, могла дать ключ. Последнее, о чем думала тогда: я — единственный свидетель. Боль в затылке мешала рассуждать здраво.

Оглядевшись, я вдруг поняла, что выхожу к площади Льва Толстого — станция метро «Петроградская». Путь, который прошла, выпал из памяти. Мысль о метро напугала меня. С таким-то лицом... Я подумала, первый же милиционер... Нет, надо в маршрутку. Остановка за Дворцом Ленсовета. В полумраке маршрутки мое лицо никто не заметит.

Я протиснулась на заднее сиденье и вдруг подумала, что *должна* рассказать обо всем Мите, потому что с ними, моими домашними, не могу об этом говорить. Я представила себе их лица, лица тех, *кто знает, как надо*, и поняла, что разговаривать мне, в сущности, не с кем, потому что Мити в городе нет. Он уехал в Москву, и я сама, по своей воле, отреклась от него — не пришла проводить.

«Значит, — я обращалась к своим домашним, — говорите, просто так никогда и ничего не бывает? Сейчас, вот сейчас мы это и проверим...»

Маршрутное такси въезжало на Кронверкский мост. От моста оно всегда следовало прямо. Ничто на свете не могло изменить его маршрут. Приложив руку к рассеченному лбу, я забормотала глухо, с трудом подбирая слова: «Господи, Ты сам видел то, что было на набережной. Если *это* действительно важно, значит, я должна рассказать об этом, но рассказывать некому, кроме Мити. Если же это — морок, глупость, пустое, тогда пускай она едет прямо, а значит, никогда я больше не увижу Митю...»

Постовой милиционер, выросший за мостом, поднимал жезл. Короткими отмашками он направлял поток в сторону — в объезд. С той стороны моста — поперек обычного маршрута — чернела разрытая яма. Огромный котел стоял на треноге, под которой, бросая отсветы на лица рабочих, пылал огонь. Красноватые змейки вились над котлом. «Асфальт, варят асфальт», — зазвучали голоса.

У темного дома, нависшего над Невкой, я попросила остановить. Один сильный, один слабый: постучалась, прислушиваясь. Поднялись осторожные шаги. Прикрывая рассеченный лоб, я смотрела, как Митя, открывший двери, встает на пороге. Я отвела руку и услышала короткий стон: всплеснув руками, он сделал шаг и обхватил меня. «Ничего, ничего, уже ничего... Я — рассказать, странная история, послушай...» Я высвободилась и вошла. Свет потолочной лампочки заливал мастерскую. Под этим светом, прямо на топчане, белели разложенные листы. Митя выскочил в прихожую и мгновенно вернулся — с зеркалом в руках: «Посмотри, надо что-то, умыться... или врача, зашить...» Рассеченный лоб саднило. Лицо, глядевшее из зеркальной рамы, было страшным: рана, вспухавшая по краю, сочилась сукровицей. Круглые синеватые тени, похожие на пятаки, лежали на глазах. Продольные разводы грязи резали щеки морщинами: «Фу, старуха!» — изо всех сил я оттолкнула зеркало.

Митя выслушал, не перебивая. Рассказ начался сумбурно: с пятого на десятое, путаясь в деталях — свидетель, дающий противоречивые показания, — я строила цепочку, начиная с Праздника. Нарушая все правила, я говорила — *я, они, он*, и ни разу — *мы*. Я рассказала о митрополите Никодиме, приехавшем в Никольский нежданно, о проповеди,

181

Елена Чижова

к которой я на первых порах оставалась безучастной. Нарочно опуская умиленную радость — *это* могло вызвать Митино раздражение, — я перескочила на уполномоченного, приплела гордый рассказ мужа и подробно описала увиденную своими глазами сцену в покоях; рассказала о двух инфарктах и подступающем третьем и, не обращая внимания на Митино недоверчивое, но внимательное удивление, перешла к сцене на набережной. Ее я описала кратко — передала диалог, завершенный ударом кулака. Увязав появление обожженноглазого с разговором в митрополичьих покоях, я замолчала. Теперь, рассказав и посмотрев на дело со стороны, я удивилась нелепости своих выводов. По-моему выходило так, словно человек с обожженными ресницами был подослан: явился расправиться со мной.

Митя молчал. Поднявшись с места, он заходил взад-вперед. Сейчас он повернется ко мне и, покрутив пальцем у виска, осмеет все эти несусветные глупости, однако, не поворачиваясь, он ходил и ходил, словно рассказ, который я сплела, включил скрытый, но готовый к действию механизм. «Так и сказала — *ихний?*» — Митя спросил восхищенно и недоверчиво. Я кивнула.

«Как бы то ни было, но в *таких* делах я в случайности не верю! — он сказал с железным напором. — Случайно только кошки плодятся! Ты не заметила, откуда он шел?» Я покачала головой растерянно и, встав с места, пошла к рукомойнику — смыть кровь. Рассказав, я должна была почувствовать облегчение, однако Митина серьезность поразила меня. В ней крылось что-то пугающее: никакой водой не отмыться.

Я думала, этого не может быть, владыка справится. Своими ушами я слышала ночной телефонный разговор — о какой-то взятке. Черпая воду горстью, я вдруг вспомнила: голос звал меня по имени, когда я лежала навзничь. «Ты правда думаешь?.. — я замолчала, опасаясь выговорить. — Это — за мной, приходили с того света?..»

Митя смотрел ошарашенно. Белая ярость закипала в глазах. Яростным пальцем он тыкал в листы бумаги, разложенные на топчане: «Какой тот свет! Здесь, на этом, почитай, почитай! — ухватив за шею, словно мы вдвоем оказались на пустой набережной, он силой клонил меня к листам. — Митрополит, уполномоченный... Ненавижу! Твои попики благолепные, рука об руку с ГеПеУ!» — неудержимая судорога комкала его рот. Вырываясь из пальцев, я цеплялась за белое, как будто вокруг, за краем бумажного листа, щерилась полынья. В нее он сталкивал меня: подлый помет, кошку, родившуюся *случайно*.

Наверное, я закричала, потому что пальцы, сведенные на шее, ослабли. Справившись с собою, Митя заговорил тихо. Он говорил о том, что ему страшно — в этой страшной стране, где ничего не бывает случайно, и в то же время — случайно все: рождение и смерть, подлость и праведность, слово и дело. Он говорил о том, что здесь не отвечают за себя, обстоятельства выше сил, человек — тряпичная кукла. Склоняясь в мои колени, словно я стала пропастью, над которой он нагибался, он бормотал о том, что надо бежать, если *это* началось, добром не кончится, от них не спастись, *они* умеют добиться и добить. Странная мысль шевельнулась на самом дне: то, о чем говорит Митя, *эти*, которых он ненавидит, — они приходят с того света, рано или поздно являются за нами. Повинуясь мысли, я подняла руку и, сложив пальцы, положила крест на Митину склоненную голову — так, как сделал владыка над уполномоченным.

Живая церковь

Мужу я сказала: поскользнулась на набережной. Искренне посочувствовав, он особо не расспрашивал — обижался на мое отступничество. По этой же причине ни он, ни отец Глеб не рассказывали о воскресной службе в Академии: ограничились просьбой о прощении. Я ответила ритуальным: Бог простит, простите и вы меня.

Рана зажила на удивление быстро, через несколько дней не осталось и следа: ни ссадины, ни шрама. Старушечье лицо, смотревшее на меня из зеркала, приходило во снах, склонялось над пропастью — опознать. На дне лежало мое тело, сброшенное с крутизны. Время от времени, задумавшись наяву, я видела золотой ободок, горевший на чужом безымянном пальце. Митина версия о посланце КГБ представлялась все более туманной. Теперь, вспоминая обожженноглазого, я бормотала: «Имя им легион». Однажды я спросила мужа: в каких обстоятельствах употребляют это выражение? Приведя евангельский источник, он посетовал, что в современном русском так говорят, когда хотят сказать — много. «Много кого?» — я поинтересовалась ехидно. Он пожал плечами.

Белые листы, за которые я, соскользая в полынью, цеплялась, лежали в надежном месте: Митя дал мне с собой, объяснив, что привез из Москвы, надо прочитать скорее, дали до следующей командировки. Командировка ожидалась недели через три — время было. Мне не хотелось начинать при муже. Распакуй я сверток, он бы непременно заинтересовался. Митина ярость, обличавшая попиков, говорила о том, что написанное в книге — не для церковных глаз.

На третьей неделе поста, когда муж в составе академической делегации отправился в поездку по монастырям, я развернула с опаской. Судя по Митиной яростной вспышке, на листах содержалось свидетельство, похожее на показания: обещал предоставить доказательства и теперь держит слово. Как заправский криминалист я осмотрела пачку: титульного листа не было, отсутствовали и последующие три. Нумерация начиналась с пятого.

То, что теперь лежало на моих руках, по внешнему виду разительно отличалось от бахромчатых книг. Те, убранные в толстые шероховатые обложки, выглядели благородно. И нарушенные моим ножом, их листы сохраняли особую изысканность шрифта, принятого в европейских типографиях. Вычитанные опытным корректором, их слова радовали глаз. Подслеповатая машинописная копия, разложенная передо мною, в сравнении с ними гляделась сомнительно. Края листов, захватанные многими руками, были измяты и неровны. Возня в мастерской перемешала страницы, так что, прежде чем начать, я долго перекладывала — по порядку. Первых так и не нашлось. Расстроившись, я подумала, что безымянный владелец, доверившийся Мите, обвинит его в нерадивости. Перебирая листы, я выяснила, что отсутствует не только начало. То там, то здесь обнаруживались лакуны: где десять, где пятнадцать страниц. Разложив, как сумела, я подумала, что отсутствующие страницы похожи на вырванные клочки, а значит, вряд ли такие доказательства будут полными.

Странная и соблазнительная картина развертывалась перед моими глазами по мере того, как, забывая о времени, я углублялась в истоки явления, которое на страницах этой живой и страстной книги называлось церковным расколом. Страница за страницей я открывала для себя неведомый, канувший мир: моя жизнь, по случайному стечению обстоятельств легшая рядом, становилась его мелководьем. Я видела море, высокие волны, ходившие от края до края, мертвую зыбь, подбивающую берег, и след моей ноги, в котором, как бывает на песчаной отмели после отлива, стояла не успевшая уйти морская вода. «Не пей из копытца, козленочком станешь», — детская пугающая приговорка звучала в моей голове, когда, глотая лист за листом, я узнавала имена, некогда обожаемые или хулимые. Авторы, очевидцы событий, — постепенно, по отдельным ссылкам и сноскам, я поняла, что авторство принадлежит двум людям, — старались сохранять строгую объективность, несколько раз они оговаривали это особо, однако решающая роль отводилась не им. Главные участники событий сходили со страниц, как с полотен, чтобы, вмешиваясь в рассказ, не дать ему превратиться в сухое историческое повествование.

Едва обращая внимание на пишущих, словно те, взявшие на себя труд, были обыкновенными секретарями-келейниками, участники событий отвечали друг другу через голову смерти, уже недостижимые для ее загребущих рук. Я подумала, так бывает в театре, когда автор, сделавший свое дело, остается за кулисами — умирает, чтобы возродиться в актерах. Вслушиваясь в голоса, звучавшие со сцены, я все больше увлекалась поворотами сюжета, но в то же время, не в силах принять чью бы то ни было сторону, проникалась странным, до поры преждевременным и недоказуемым убеждением, что эта история, описанная обыденными словами, решалась в ином мире, где главенствует Рок.

Ни раньше ни позже — даже читая страшные свидетельства трагедии уничтоженных поколений, я не переживала испепеляющую близость Рока с такой силой, с какой мне довелось пережить ее тогда, когда, склоняясь над захватанными страницами, я чувствовала за плечом присутствие силы, которую греки, исполненные ужаса и почтения, называли неизбежностью — Ананке. Однако в отличие от греческой здесь главенствовала другая неизбежность. Она ложилась иным, невиданным контуром, линия которого, впрочем, нигде не вычерченная явственно, проступала красным поверх написанных строк. Эта неизбежность, которую я назвала *нашей*, не заслуживала почтения: чем дальше, тем яснее я узнавала ее *низкие* черты.

Шаг за шагом я проникалась стойким убеждением: несколько лет церковной смуты, границы которой определялись, с одной стороны, Поместным собором 1917—1918 годов, а с другой — смертью патриарха Тихона, не сводятся к логической последовательности событий, пусть противоречивых и трагических, но ограниченных временем. В отличие от болезни владыки, свидетельствующей о прошлом и настоящем церкви больше, чем о ее будущем, эти события действовали как раз наоборот. Они говорили о будущем, поскольку прошлое, в котором они разворачивались, не оправдало ничьих надежд. Я видела их не распутанным, но грубо разрубленным узлом, в который — накануне революции — сплелись все главные течения русской церковной и культурно-исторической мысли. Эти течения — в согласии со своей давней фантазией я называла их холодными стержнями — несли в себе биографические и внешние черты главных действующих лиц.

Словно узнавая прежде виденное, я вглядывалась в псевдоиудейский нервный лик А.И. Введенского (ни имени, ни отчества — перед фамилией стояли одни инициалы), вдохновителя и светильника обновленческого раскола, частого гостя салона Мережковских. Исследователь причин неверия русской интеллигенции (из книги я узнала, что в 1911 году им была написана и опубликована в журнале «Странник» обширная статья, основанная на анализе тысяч заполненных и присланных в редакцию анкет), он определил две главные тенденции преодоления безверия — этого невыносимого его сердцу общественного состояния — апологетику (примирение религии и науки) и реформаторство (обновление церкви).

Рядом вставал его друг, кряжистый и широкоплечий А.И. Боярский, народник, человек практической сметки и убежденный сторонник ориентации церкви на рабочий класс. В посрамление верующих интеллигентов, опасавшихся рабочих и называвших их богохульниками, он стал священником при Ижорском заводе, вел популярные среди молодых рабочих тематические беседы, больше похожие на занятия народного университета.

Богатырская фигура православного иеромонаха Антонина Грановского (на два вершка превосходил по росту Петра Первого), пророка и ученого, русского Лютера, вставала в один ряд с теми, против кого двести лет свирепело официальное православие и рубило руки, сложенные двоеперстием. Этот митрополит, шокировавший и веселивший современников простонародной грубостью выражений, был единственным из всех, церковных и нецерковных, кто задолго до революции, выступая в комиссии по выработке законов о печати, высказался за полную, ничем не ограниченную свободу слова с совершенным уничтожением всякой цензуры. Страстный правдоискатель и недостижимо образованный человек, он поразил меня тем, что в работе над магистерской диссертацией «Книга пророка Варуха» использовал для воспроизведения утерянного еврейского оригинала тексты на греческом, арабском, коптском, эфиопском, армянском, грузинском и некоторых других древних языках, самые названия которых я узнавала впервые.

Против этих троих, не желая мириться с их взглядами на церковное будущее, выступал митрополит Вениамин, бесспорный в страдании и величии, любимец рабочих, совсем не похожий на гордого «князя церкви», однако взявший на себя перед лицом безбожной власти всю полноту ответственности за невыполнение распоряжения пролетарского государства об изъятии церковных ценностей, за что и был расстрелян. За ним стояла загадочная фигура патриарха Тихона, самую загадочность которой придавали тридцать восемь дней, проведенные в застенках НКВД: по выходе владыка — *искренне и в согласии со своей совестью* — покаялся перед советской властью, признав себя виновным за ее неприятие и публичное поношение.

Углубляясь в перипетии церковного раскола, по одну сторону которого стояла «Живая церковь», поддержавшая советскую власть и ею поддержанная и, как выяснилось позже, презираемая представителями этой власти, по другую — «тихоновщина», движение, названное по имени возглавляющего ее иерарха, я приходила в тяжкое уныние: мысленно представляя себе разговор с Митей и предвосхищая его безапелляционные предпочтения — «Все кто угодно, кроме выкормышей Советов», — опускала глаза. Не было моих сил назвать их — худшими. Многие из них, стоявших и по ту и по другую сторону, казались мне именно той земной солью, чья духовная и интеллектуальная деятельность влияет на будущее страны. Они принадлежали тончайшему слою людей, которым знаком вкус свободы.

Именно это вставало за страницами, терзало мою душу, не позволяя занять определенную и непримиримую позицию: программа «Живой церкви», или *живцов*, — кличка, пущенная «тихоновцами», — тех церковных деятелей, которые в отличие от своих противников не по принуждению сотрудничали с безбожной властью, — эта программа вызывала мое сочувствие. Она явилась развитием дореволюционных реформаторских идей (до 1917 года их разделяли многие миряне и иереи), и, читая, я задавалась вопросом: сколько нынешних служителей церкви, положа руку на сердце, нашли бы в себе мужество под ней подписаться? Снова и снова перечитывая пункт за пунктом, я не могла прийти в себя от растерянности: церковные сторонники безбожной коммунистической власти стояли за возвращение церковной жизни к первохристианскому свободному духу и обычаю. Я вспомнила свою крестильную рубаху. Отец Петр говорил: *такие* у первых христиан...

Муж возвратился через неделю: нынешняя поездка оказалась сравнительно короткой. Обыкновенно поездки по монастырям длились недели две. Он снова навез подарков.

Выкладывая, шутил над их вечным однообразием: часы «Салют» в разноцветных пластмассовых коробочках (в нашем доме их уже накопилось штук пять-шесть), изделия народных промыслов, соответствующие монастырской местности. «Отцы-экономы закупают, как по разнарядке», — он выкладывал берестяные коробочки, расписные яйца на подставках, украинские деревянные ложки.

«А помнишь, в Киевской лавре, митрополит Владимир... Когда большевики его расстреливали, никто из монахов не вступился...» — я начала враждебно. «Помню, да, расстреляли, он, кажется, из обновленцев», — муж ответил рассеянно. Белые лаврские стены, которых я никогда не видела, поднялись в моих глазах.

Он выходил в облачении, как если бы они взяли его в алтаре, оборачивался на царские врата. За разверстыми створками притаилось великое множество глаз. Может быть, он думал о том, что сейчас его куда-нибудь повезут, но они вывели его во двор. Красное брызнуло на облачение, каплями пало на красное: пасхальный цвет. Замытые винные пятна остались на белых монастырских стенах, как на скатерти, которую уже никогда не отстирать...

«Священникам, членам делегации, дарят другое: кому камилавку, кому поручи. Например, отцу Глебу преподнесли новый подрясник», — муж говорил о своих подарках, которые я, по давнему обыкновению, выставляла на кухонной полке. «Музей подарков любимому вождю», — он смотрел усмехаясь.

Вечером за чаем муж принялся рассказывать о монастырском житье-бытье, в особенности его умиляла протяженность великопостных служб: «Служат честно, ничего не упуская, по пять-шесть часов, ты бы не выстояла. Мне они разрешили попеть в хоре». Радостная гордость, пробившаяся в голосе, отозвалась во мне: я думала, если бы победили обновленцы, никто не посмел бы его унижать. Муж рассказывал о наместниках, давая пространные и точные характеристики. Я слушала вполуха, думая о том, что обновленцы выступали за священническое второбрачие: именно отношение к браку решительным и роковым образом развело враждующих по сторонам. Неужели *здесь* главная причина раскола?.. Нет, я подумала, быть не может. Горькая, унизительная фраза: «Мне они разрешили...» — никак не уходила. «А кому же еще, при твоем-то голосе? Должны почитать за честь», — сказала и пожалела о сказанном: в его глазах метнулась боль. «Если бы обновленцы победили, тебе не пришлось бы страдать», — я произнесла тихо, почти про себя. Он молчал.

«Странно, — я говорила, помня о выставленных подарках, — неужели это действительно *так уж* важно? — впервые за последние годы я заговорила в открытую. — Неужели второй брак — что-то до такой степени постыдное, непреодолимое? Почему *они* так легко жертвуют такими, как ты? Тебе не кажется, что жертва — чрезмерна? Тем более есть и другие, которых...» — мой голос сорвался. Сорванным, в котором дрожала обида, похожая на неподаренные поручи и камилавки, я заговорила о том, что сама по себе проблема не стоит и выеденного яйца, но они... Не удержавшись, я говорила о стремлении обновленцев ввести в канонические рамки женатый епископат; традиционная церковь противостояла со страстью. «Тоже мне, поле битвы!» — кулаком я стукнула по столу. Золотой обручальный ободок, горевший на моем безымянном, вспыхнул и погас. «Хорошо, — я сказала, — в конце концов обновленцы — не на пустом месте, они ссылались на первоапостольские времена, для большинства из них невозможность жить в браке — непомерная жертва мертвой традиции. Ну ладно, может быть, не для большинства, для большинства-то как раз наоборот, да и русская литература относилась к этому с опаской: то *Прекрасная дама*, в утешение, то *Крейцеро-*

ва соната, но поносить женатых епископов, как митрополит Антонин, с церковной кафедры браниться шлюхами и продажными девками...»

Муж слушал растерянно. То, что именно из-за этого Антонин навсегда разошелся с живоцерковниками, казалось мне оскорбительным и ничтожным. «Владыка Николай обещал, но это — серьезный вопрос», — он ответил и опустил глаза. «Нельзя же так — до конца жизни, в конце концов, если нужна жертва, я готова пожертвовать, церковные прецеденты были. Мы — разводимся, я подписываю бумагу, или как там у вас, документ, отречение, век вековать, не вступать в новый брак, на что он мне сдался, раз уж в твоем случае — безвыходно... Камилавки...» — голос отказал. Я поднялась. «Нет, этого не надо», — он ответил мне в спину.

Снова, как в прошлый, памятный раз, я уходила в свою комнату, к стеллажу, где ровным рядом стояли мои бахромчатые книги. Вслед поднялись шаги. «В этом вопросе церковь совершенно права, — войдя за мной, он говорил с покорным отчаянием, — это не простая традиция, тут — многовековой опыт. Брачные обеты...» Я не позволила закончить: «А ты? Брачные обеты... Или забыл, что мы-то с тобой — невенчаны. Вот именно таких, как ты, живущих гражданским браком, они и поносили шлюхами и продажными девками...» — «Это неправда. Наш — не гражданский». — «Может, повенчаемся? — я обратилась холодно. — Или тогда прости-прощай светлые мечты о священстве?» — «Я не понимаю...» — муж отвечал растерянно. «Что ж непонятного? Пока невенчаны, можно сделать вид, что никакого брака нет, так — тайный грешок. На это вы надеетесь с Николаем?» Я ждала ответа, но он молчал. Разве я могла знать тогда, *почему* он не может мне ответить?

«Господи, — так и не дождавшись, я вспомнила, — это же Ленин поносил своих политических противников продажными девками и шлюхами... Неужели и *здесь,* среди вас — одно политическое?» Я отвернулась к окну. «Среди нас — другое», — он ответил и вышел из комнаты. Нет, я говорила себе, больше ничего политического не будет, хватит с меня *их* истории КПСС. Мысль о Ленине застала врасплох. Что-то странное вилось вокруг. Я достала торопливо и принялась листать: вот теперь, наконец, нашла.

Ровно по пять суток — и в том и в другом случае — к двум гробам, выставленным в Колонном зале Дома союзов и Донском монастыре, шел народ. Растерзанная книга свидетельствовала: очередь к Колонному залу тянулась от Охотного Ряда к Страстной площади, очередь к Донскому — до Калужской заставы. Я не знала плана Москвы, но понимала — их собралось десятки тысяч: двумя золотыми кольцами они замыкали город. В обоих случаях каждый желающий проститься должен был выстоять пять-шесть часов. В январе 1924-го и в апреле 1925-го люди проводили в очереди бессонные ночи. Но главное, не веря глазам, я читала заново: социальный состав *обоих* потоков был почти одинаков. *Одни и те же люди* истово прощались с телами Ленина и патриарха Тихона... «Господи», — обессилев, я отложила книгу. Этого я не могла осмыслить.

Я думала о том, что аморфное множество живущих, которое я по недомыслию собиралась делить на гонимых и гонителей, на самом деле оказалось лавой, застывшей у подножия некогда извергнувшегося вулкана. С одинаковой страстью они прощались с гонимым и гонителем. То, что я принимала за сероватый песок — строила табличные замки, — оказалось раскрошенным пеплом давно отпылавших костров. Во мне подымалось отвращение к любому множеству, бессмысленному в поглощающей его страсти. Снова я думала о том, что бахромчатые книги — здоровые дети. Они рождались и росли в другом мире, знать не знающем о наших — горящих и застывающих — лавах. Они росли в тишине, похожей на монастырскую. «Дети монахов — самые здоровые», — вспомнив где-то прочитанное, я улыбнулась.

Улыбаясь, я сказала себе: «Господи, вот я — простая деревенская девка, и весь мой грех в том, что я живу у монастырских стен, а они, живущие за стенами, приходят ко мне. Это — мой брак и мое безбрачие. Мне нет никакого дела до их венчаний». Осторожно я стянула с пальца свое золотое кольцо. Лежащее на столе, оно выглядело жалко. Теперь я думала о том, что эмиграция, о которой мне известно ничтожно мало, действительно похожа на монастырь. Бахромчатые книги написаны монахами, одетыми в черные *недареные* подрясники, живут за каменными стенами границы СССР. Склоняясь над рукописными фолиантами, монахи подворачивают свои длинные рукава. Другие, все оставшиеся *по эту* сторону, — никакие не монахи: где бы и сколько они ни *выстояли*, независимо от их брачного состояния. Всё, на что они способны, — это дарить ненужные часы, которые никогда *не пойдут*, не сдвинутся с места. На эту кухонную полку мне больше не хотелось смотреть.

Старые мехи

Я заметила сразу: Митя насторожился. Разворачивая сверток, я обратила внимание — его взгляд цепляет пустой безымянный палец, на котором остался беловатый след. След выглядел припухшим. Мне хотелось подуть на него, как на ожог. «Мылила, стирала, сорвалось с пальца?» — отводя глаза, он нанизывал слова. «Вроде того», — я ответила, подбивая страницы рукописи. «Значит — случайность?» Я молчала. «Если случайности кончатся, мы могли бы уехать», — Митя усмехнулся. «А если нет?» — «В *таком случае* я уеду один». — «Если для тебя это просто *случай*, стоит ли вообще на него полагаться?» — «А я и не полагаюсь», — на моих глазах он веселел.

Я думала о том, что сегодня он впервые заговорил о будущем, как будто сделал попытку освободиться от давнего заклятья, заставляющего смотреть исключительно в прошлое.

«Ну как отцы-богоносцы?» — конечно, он спрашивал о книге, хотел узнать мое мнение, но голос звучал напряженно, как будто мнение, которое я должна была высказать, имело отношение к нашей собственной жизни. Глядя на аккуратно сложенные страницы, я понимала ясно и отчетливо: если сейчас признаюсь в том, что нет у меня сил осудить *живоцерковников*, этого он мне никогда не простит.

«Каков Красницкий? — не дождавшись, Митя заговорил сам. В голосе пело злое восхищение. — Диктатор! Священник-доносчик, благонадежнейший из благонадежных, да что там, отец русского политического доноса», — Митя выругался. «Они же разошлись», — я возразила робко, имея в виду, что в конце концов обновленцы раскусили и обличили Красницкого. «Расходятся с друзьями или... — он покосился на припухший след. — Да разве дело в том, чтобы разойтись? Как можно было *сходиться*, когда он, задолго до всей истории, выступая печатно, говорил, что евреи *используют* христианскую кровь? А потом, *когда* разошлись? Ведь не до, а после процесса!» — скорыми нервными шагами он заходил взад и вперед. То, о чем говорил Митя, я помнила и сама. Страшные свидетельства священника-обновленца Красницкого на процессе митрополита Вениамина, устроенном большевиками. Каждое его показание — удавка на шеи обреченных. Я слушала подавленно.

Митя обличал церковников в том, что они, не умея встать выше текущего внутрицерковного раскола, свидетельствовали друг на друга — под хищные оскалы большевиков. Он говорил правду, ничего, кроме правды, но что-то мешало мне откликнуться. «Антонин *отложился* от Красницко-

195

го», — я сказала тихо, как мне тогда казалось, ради более важной правды. «Неужели? — Митя вскинулся. — Ах да, как же, помню, говорит, нет Христа между нами, так? Вот именно это и есть обрядоверие. *Над овечкой поп кадил, умерла овечка*», — он запел, кривляясь.

«Это теперь, когда тебе все ясно. Ясно, к чему пришло... Да и то... Но тогда... Разойтись не так уж и просто. Так же, как и соединиться», — я сказала, глядя мимо вспухшего ободка. «Соединение, — он поймал мой криво брошенный взгляд, как ловят стрелу, пущенную мимо, — это, вообще, вопрос целесообразности. В политике (а в России все, как известно, политика) надо *уметь* выбирать попутчиков. В конце концов, именно это умение и приводит, читай Владимира Ульянова (Ленина), к полной и окончательной победе. Что касается меня, если б захотел, я бы сделал это. Но я хочу одного: уехать. Все, что здесь, я ненавижу!» — пойманная стрела дрожала в его руке. «И меня?» — я спросила, слушая ноющее оперение. «Если защищаешь их, значит, и тебя. И тебя», — он повторил больным эхом.

Теперь он заговорил мрачно, сбивчиво и смутно, но это смутное обличало меня. По-митиному выходило, что именно я воплощаю черты, которые он, прирожденный западник, ненавидит в русском народе: во мне нет стойкого героизма, но есть идея жертвы, меня не мучают чувства социальной неправды, но влекут странные мистические иллюзии, за которыми я не вижу леса, у меня нет навыков систематического мышления, но есть мышление катастрофическое, он сказал, свойственное любой тоталитарной системе. «Ты вбила себе в голову, что можно обрести внутреннюю свободу — в этой полицейской стране. И когда я думаю об этом, я понимаю: мы — чужие. Если бы не это...» — взяв мою пустую руку, он приблизил к глазам. Рука вывернулась и раскрылась. Он вчитывался в ладонь цыганским глазом. *Как сладостно отчизну ненавидеть и жадно ждать ее уничтоженья,* — прочитал и выпустил, так и не разобрав линий.

Беловатый оставленный след наливался красным, словно Митя, играя острыми словами, изрезал. Пустой ободок был уязвим, как улитка, с которой сорвали раковину. С отвращением я думала о собственной трусости: если б знать заранее, я призналась бы, что стою за «Живую церковь». Митины обличающие слова саднили. Я не могла припомнить источник, но была уверена: слова, направленные против меня, взяты из бахромчатых книг. Эти книги я сама вкладывала ему в руки. С тоской я подумала о временах, когда он, забывая обо мне, листал разрезанные страницы. В те времена я убеждала себя в том, что *отчим* — неподходящее слово. Теперь он *настраивал* детей против меня.

«Это странно, но чем дальше, тем сильнее я чувствую себя не то чтобы лишним — *другим. Лишние,* — он усмехнулся, — это раньше, в прошлом веке: Онегин, Печорин... Темы сочинений, вечные детские глупости — на советский аттестат зрелости. Слава богу, созрел». Я молчала. «В конце концов, мой отъезд — благо, и в первую очередь даже не для меня. Если этот народ желает вылечиться, от таких, как я, ему до́лжно избавляться». — «Если все мы, — я думала о том, что Онегин и Печорин остались в моей прежней, неопороченной жизни, — уедем, что же останется здесь?..» — «Именно то, к чему они все, — широко и размашисто он обвел рукой, — собственно, и стремятся: единение и единообразие. Ради этой благостыни принесены такие неимоверные жертвы, что, откажись я уехать, это само по себе грех». — «Пусть лучше уедут... они», — я боялась заплакать. «Как ты себе представляешь? — Митя поднял бровь. — Массовый исход, наподобие саранчи? Когда-нибудь, возможно, и случится. Обглодают здесь — поворотят туда: рыдать на реках вавилонских. Надеюсь не дожить. Кстати, на твоем месте я не стал бы особенно обольщаться. Сама не заметишь, как превратишься в прожорливое насекомое: крепкие челюсти, выпученные глаза, ты и сейчас любишь выпучивать».

Мягкими шагами подходила тоска. Я обернулась к окну, за створками которого притаилось великое множество глядящих, но не заступившихся. «И за меня — некому», — я сказала тихо, самым тихим голосом. Время подходило к концу.

Они уже стучали. Не тихо — костяшками пальцев, а сильно и грубо — пудовым кулаком. Забыв обо мне, Митя двинулся к двери, ступая осторожно. Взявшись за косяк, он прильнул ухом. Из-за двери неслись голоса. Женский, визгливый, главенствовал: давно уж примечаю... Дверь-то вроде и заколочена, а по вечерам кто-то шастает, да и в окне свет... Заглянуть, да окно больно высокое, и на цыпочках не глянешь, наделают пожара, все взлетим в воздух, потом ищи-свищи, а кто отвечать?.. Другой, мужской, бубнил гулко: ну чего ты?.. чего ты?.. нет никого, — но визгливый, переходя на свистящий шепот, возражал: чую — кто-то есть.

За дверью стихло. Митя обернулся: «Дворничиха. Черт! Выследила, когда входили...» — «Плохо, но не смертельно», — я вспомнила его любимого Оруэлла. «Конечно, нет, — мне показалось, он стыдится своего явного испуга. — Неудобно перед Серегой, дал ключ, просил соблюдать, а тут, видишь... — Митя замер. — А представь, если бы у них ключи — заходят, а здесь... — глазами он указал на сложенную рукопись. — И ничего не докажешь — отпечатки пальцев». — «Ага, а у них с собой передвижная лаборатория, здесь бы и сняли». — «У них везде передвижная, — он отозвался высокомерно. — Им и двигаться не надо, все движутся сами, но всегда в их сторону...» — распахнув сумку, он заталкивал объемистый пакет. «Не советую, — я сказала медленно, словно обдумывая. — Выносить лучше мне. Во-первых, я — женщина, на меня вряд ли подумают, а во-вторых, уж если... тема церковная, скажу — жена священника, книжка — по специальности», — я вспомнила таможенные ухищрения. Митя обернулся тревожно: «А тебе... не страшно?» Усмехаясь, я протянула пустую руку: «Мне все равно».

«Судя по всему, *здесь* нам больше не видеться, — он сказал тихо и отрешенно, словно принимал как должное чужое решение. «Здесь, это где: на свободе, в этой стране, на этом свете?» — я не могла остановиться. Он вслушивался, не понимая: «Господи, да здесь, в мастерской», — свободной рукой он обвел стены. Солнце, уходящее за Неву, залило их последним светом. Темная картина, висевшая в дальнем углу, вспыхнула. В первый раз я обратила на нее внимание: на самом деле это была *не картина*. На жестком листе картона топорщился выеденный остов омара — красноватый и огромный. «Ты замечал раньше?» — «Конечно, — Митя ответил недоуменно, — сразу, а...»

«Если за ней *телекран*, — я повторила слово его любимого Оруэлла — и за нами наблюдают... — В этот миг я готова была пожертвовать всем, чтобы выдуманная история, которую он из года в год разыгрывал на своих подмостках и которой приносил меня в жертву, наконец воплотилась, — сейчас она должна упасть». Мне действительно этого хотелось: сделать так, чтобы за нами *пришли*.

Я смотрела пристально, не моргая, и под застывшим и собранным взглядом красный панцирь, дрожавший в воздухе, издал короткий щелчок. Он был похож на отзвук дальней петарды, и сразу же — медленно и беззвучно, как в немом кино, — жесткий картонный лист соскользнул со стены и повалился вниз. Пустой остов, похожий на рыцарские латы, изъеденные красноватой ржавчиной, ударился об пол и разлетелся на мелкие осколки. Митин взгляд уперся в пустой квадрат. Он смотрел пристально и доверчиво, словно грязная гладь стены действительно должна была вспыхнуть — *телекраном*.

«Мы — покойники», — *я шла по тексту*, наслаждаясь. Митя обернулся недоуменно: то, что произошло, не охватывалось его сознанием. Присев, я шарила по полу. Остов клешни попался сразу. Я подняла и восставила вверх, как перпендикуляр. «Обрядоверие? Вот — наглядное пособие. Двоеперстие, причина первого церковного раскола, так считают большевики, атеисты и ты — атеист и большевик. Ты — плоть от их плоти. Для тебя все ясно заранее: кто не с нами, тот против нас. Врешь ты все про объединение! Тебе ненавистно любое единство. Все живущие на свете для тебя — враги».

Страдая от его жестоких и несправедливых слов, я говорила о том, что это он не знает ни жертвы, ни милости, не разделяет ничьих страданий, потому что у него нет воображения, и все его систематическое мышление направлено только на то, чтобы в тысячный раз перемалывать одни и те же вопросы, которые не имеют окончательного решения, но самому-то ему представляются решенными — потому что такие, как он, отвергают любые другие взгляды.

«Как ты *это* сделала?» — не слушая моих слов, он всматривался в пустой квадрат. «Подпилила заранее, — я сказала, стиснув зубы. — Не бойся, чуда здесь нет. Да и откуда взяться среди нас — покойников? Нас самих впору воскрешать. Представь, воскресение нового Лазаря, выход из пещеры. Все ждут, немая сцена, и тут являемся мы — все в белом, только не в пеленах, как *тот*, а в этих захватанных страницах, испещренных черными буквами. Ты думаешь, рукописи спасают от смерти?.. Не-ет, — я не могла остановиться, — чудо — это то, что свершили большевики: создали нас по своему образу и подобию». Я замолчала. Больше мне было не о чем.

Я стояла у входа в пещеру, откуда уже не слышалось звуков. Темные валуны, завалившие вход, весили больше, чем было по силам. Из этой пещеры я могла вынести одни пустые пелены. «Давай книгу», — я протянула руку. Митя распахнул сумку и вынул пакет. «Может быть, все-таки лучше — я?» — он предложил неуверенно. «Там никого. Все разошлись, смотрят телевизор», — я смотрела в пустую стену.

«Пожалуйста, позвони мне», — он попросил словами записки, поданной в мою руку. Слова, когда-то причинявшие боль, отскочили от души, как от панциря. Я стояла, не шевелясь, словно сама была выеденным омаром, прибитым к картонному листу. Пальцы, втиснутые в клешни, сводило болью. За картонной доской, к которой меня прибили, не было никакого *телекрана*. Там зияла пустота.

«Пожалуйста, позвони мне», — он повторил тише и глуше, словно из глубины пещеры, в которой, объятые любовью, все еще лежали наши тела.

«Надо прибрать», — я вспомнила о тщательно убирающей смерти. «Да, вроде... — Митя огляделся неуверенно, — разве что с пола, — присев, он сметал в ладонь мелкие красноватые осколки. Я смотрела, как он ползает по полу, подбирая неловко. — Может, Серега склеит, — он ссыпал из горсти на подоконник и взялся за сумку. На дне что-то звякнуло. — Я же забыл... — он шарил нетерпеливой рукой. — Принес. Может быть... Хочешь вина?..»

«Даже если все по-твоему, — он оглядывался, ища штопор, — мы не покойники, а просто старые мехи. В нас нельзя влить ничего нового, то есть влить-то можно, только ничего не удержится... Жизнь... — он морщился, вырывая пробку с усилием. — А вообще, в твоих словах не то чтобы правда, но что-то... половинка», — сдвинув стаканы, он налил. «Снова придется убирать», — я протянула руку. «Нет. Выпьем и оставим. Как будто мы — здесь, — подняв стакан, он коснулся моего. Звон получился мелким, похожим на дрожь. — Когда-нибудь мы об этом вспомним, там», — он махнул рукой. «Там — это где?» — «Там — это *там*, куда мы с тобой в конце концов уедем, — Митя выпил залпом, до дна. — Там, куда мы с тобой уедем, — он говорил сбивчиво, как-то мгновенно запьянев, — я куплю тебе много платьев, целый длинный шкаф... знаешь, у них бывают такие, со створками, створки могут двигаться... целая стена... Твои платья будут висеть на отдельных вешалках, двадцать, тридцать, сорок, всякий год по роскошному платью, пока не накопится сто, а потом ты умрешь...» — «Я никуда не поеду, потому что не хочу умирать», — я сказала машинально, не боясь смерти. *«В смерти есть светлость любви, затемненной обыденной жизнью*, — он произнес с трудом. — Это из... помнишь, ты давала мне книгу?..» — «Не помню», — я отреклась.

Митя шел первым. По договоренности, я должна была переждать минут пять. Выскользнув из мастерской, я заперла дверь на ключ, но прежде, чем выйти на улицу, выглянула из подворотни. Митина фигура маячила невдалеке. Он стоял через три дома, дожидаясь. Улица была пуста. Если следят, значит, только откуда-нибудь из окон... Стараясь держаться поближе к стенам, я двинулась вперед. Рукопись, уложенная в пластиковый пакет, оттягивала руку.

Я шла быстрым шагом, не оглядываясь, стараясь не привлекать внимания. Голос, назвавший меня по имени, раздался за плечом. Машинально я обернулась. Взгляд нырнул под арку: какой-то оборванец копался в помойном бачке. Кроме него, никого не было. Оторвавшись от своего дела, он бросил на меня недовольный взгляд. «Раньше хоть пальто гороховые выдавали, а теперь — обноски какие-то», — поравнявшись с Митей, я выдохнула с облегчением.

Митин автобус подошел раньше. Стоя на задней площадке, он махал мне рукой. В изрядно поредевшей толпе пассажиров я осталась одна. Дожидаясь своего автобуса, я стояла, не глядя по сторонам. Они вышли откуда-то сбоку. Двое, одетые просто и скромно — как все.

«Зря ты, милая, с ним связалась», — тот, что постарше, заговорил со мной дружелюбно. «С кем?» — я спросила, теряясь. «С этим, — он махнул рукой вслед уходящему автобусу, как будто прощался с Митей — за меня. — Красивая русская девушка. Что у тебя может быть общего — с этим... еврейчиком?» — «Это — брат...» — липкий страх коснулся моего лба. Вот сейчас он занесет кулак и ударит с размаху. Замирая, я чувствовала едва заживший шрам. Как будто он, под их наметанными взглядами, уже сочился, открываясь... «Вот только врать нам не надо», — тот, что помладше, перебил сурово.

Мой автобус подходил к остановке. Краем глаза я видела черный номер, маячивший за лобовым стеклом. Я сделала шаг, но они заступили дорогу. Пассажиры беспокойно оглядывались. Никто из них не смел заступиться.

«Пустите, это — мой», — я заметалась между ними, спасаясь. «Твой он будет, когда ты от него родишь, но тогда... — Последний пассажир брался за поручень — ... будет поздно. От нас пощады не жди!»

«Стой!» — тот, что постарше, махнул водителю. Похохатывая и подталкивая друг друга локтями, они успели вскочить на подножку.

Схватив пригоршню снега, я приложила ко лбу. Шрам истекал сукровицей. Тихонько плача, я ощупывала лицо. Мокрое текло между пальцами, падало на воротник. Подтянув полу пальто, я утерлась. Новые пассажиры собирались на остановке — сходились под фонарем. Никто из них не застал моего позора, не видел моего сердца, на котором лежал тяжкий стыд. Они стояли, дожидаясь автобуса, и разговаривали о самых обыденных делах. Может быть, я думала, мне просто не повезло: те, кто сели в автобус, не решились за меня заступиться, но среди этих, которые пришли, мог бы найтись хотя бы один...

Стесняясь, словно лицо мое снова разбили, я зашла за фонарь — в тень.

Владыка и его иподьяконы

Вечер начался разговором о предстоящей поездке в Америку: муж уезжал через три дня. О близком отъезде он говорил, по обыкновению, раздраженно. «Самолет из Москвы. Владыка Николай уезжает раньше — какое-то совещание черт знает где».

Часов в десять раздался телефонный звонок. Оторвавшись от документов, которые спешно готовил, муж засобирался. «Надо подвезти к поезду, владыка уезжает сегодня, ночным». Я вызвалась ехать вместе.

На вокзал мы приехали рано. Поезд только что подали. Сверяясь с запиской, муж искал вагон. Мы уже поравнялись с проводником, когда вдали на еще пустой платформе показалась живописная группа. Тот, кто шел впереди, был неузнаваем. Короткая коричневая дубленка, я бы сказала, элегантная, шапка дорогого меха, высокие полуспортивные сапоги. Он шел, легко взмахивая руками — в такт шагам, а за ним, поотстав на полкорпуса, двигались иподьяконы, несущие багаж: портфель и дорожную сумку, похожую на спортивную. Скуластое лицо, заросшее окладистой бородой, выглядело молодым и румяным. Морозец, тронувший ресницы и брови, подбелил бороду, но эта белизна, вплетенная прядями, никак не походила на проседь. «Похож на олимпийца, как на сборы собрался», — я шепнула, удивляясь. «Он и есть: спортсмен, горнолыжник», — муж отозвался с гордостью.

Процедура встречи выглядела театрально. Выполняя формальности, муж подошел к руке. Иподьяконы замерли почтительно. Внешне они не отличались от молодых людей, приходящих в храмы. Я вспомнила: когда-то давно я назвала их разночинцами. Они и выглядели соответственно: тощие, простоватые и нескладные. Владыка благословил. Его брови, тронутые белым, дрогнули, а вместе с ними коротко и почти неуловимо дрогнули губы. Двойное движение выдавало легкое неудовольствие. Кажется, оно относилось к процедуре.

Теперь они разговаривали вполголоса. Фразы, долетавшие до меня, касались сроков поездки. Я стояла в тени, не решаясь себя выдать. Восхищение, полнившее мое сердце, размывалось новым обликом владыки. Кивнув мужу на прощание, он повернулся к проводнику. Иподьякон подносил билет. Он заметил меня краем глаза, уже ступая на площадку: я видела, его глаза собрались. «Здравствуйте, владыко», — я обратилась первой, поверх формальностей. «Это — моя жена», — муж вступил, заглаживая бестактность. Николай усмехнулся. «Как же, как же, узнаю, здравствуйте», — он назвал меня по имени-отчеству. Теперь он и вправду был тридцатилетним. «Желаю вам счастливого пути», — я говорила легко, не отводя глаз. Здесь, на этой платформе, никто не смел бить меня ногами, не смел мне мешать. Глаза владыки разгорались удовольствием. Он сам оделся по другим правилам, затеял игру в спортсмена, и эта игра удавалась. Коротко притопнув дорожными сапогами, Николай взглянул на часы: «До отхода еще далеко, здесь стоять холодно, не хотите ли зайти в купе, у меня есть коньяк, мы могли бы выпить понемногу», — теперь он обращался к нам обоим. В глазах мужа мелькнул ужас: что-то смещалось в его мире, теряло привычный облик, заставало врасплох. «Охотно», — я отозвалась раньше, чем он успел отказаться.

«Располагайтесь, больше никого не будет, я еду один», — владыка вошел в купе первым. Дождавшись, пока он сядет, я присела напротив. Муж остановился в дверях, которые умели двигаться, как в Митином американском шкафу. Он стоял, упираясь руками в косяки. Широкая фигура, занимавшая раздвинутое пространство, висела безвольно, словно пустое облачение — на вешалке. «Вот оно, мое платье», — я вспомнила и сжалась. Боль была такой сильной, словно ударили ногой.

«С каким удовольствием я поехала бы с вами в Америку, — я сказала не думая, одними губами, слыша только боль. Платье, висевшее в шкафу, дернулось и замерло. Николай слушал доброжелательно. Боль утекала вниз, под лавку. — Если вам понадобится уборщица, мало ли, в поездке, прибрать, принести, вспомните обо мне. Я убираю тщательно». Теперь он должен был ответить: у нас убирают монахини, и тогда я сказала бы: я — готова. Тогда он мог ответить: у нас убирает смерть, и я сказала бы...

«Я понимаю вас, посмотреть мир, — владыка отвечал, улыбаясь, — но, поверьте, эти поездки скоро надоедают, ваш супруг подтвердит. *Там* работа не из легких, — мысль о работе прорезала лоб вертикальной морщиной, — но если когда-нибудь, в штатном расписании, я вспомню о вас», — он кивал, сохраняя серьезность. В замкнутом сумраке пространства его взгляд светлел. Иподьяконов не было. Никто не догадался зажечь верхний. Распахнув дубленку, владыка устроился удобно. Он сидел, широко раздвинув колени, и ждал, когда я снова заговорю. Я молчала. То, о чем я хотела, требовало решимости. Я взглянула на мужа коротко. Он стоял, сумрачно глядя в пол.

Их лица всплывали и уходили, я примеривала одно за другим, словно владыка, легко поменявший облик, мог с той же легкостью поменять его еще раз, в согласии с давней историей. С хитростью фокусника, перенятой у Мити, я прикидывала маски, снимая их с крюка. Псевдоиудейский лик сменялся вырубленным лицом народного батюшки, на которое уже наплывала грубоватая усмешка ненавистника цензуры и знатока древнейших языков. Ни одна из масок не прирастала. Я думала о том, что это — странно. Вне сомнения, он был одним из тех, кого я, вслед за Митей, могла бы назвать *солью*, однако это была другая соль. Лицо владыки отличалось от тех, прошлых, какой-то непостижимой противоречивостью: открытость соединялась в нем с чем-то, похожим на хитрость. Большевики, создавшие нас по своему образу и подобию, поработали и над ним. Позже, обдумывая то купейное впечатление, я вспоминала светлые глаза, утопленные в широковатых скулах, ловкую и широкопалую руку, привыкшую к поцелуям, и говорила себе: есть и отличие, и сходство, все-таки он — *другого помета*.

«Может быть, мы все-таки понемногу...» — владыка достал плоскую флягу не то военного, не то спортивного образца. Нет, все-таки спортивного, я подумала, такие берут альпинисты — на восхождение. Муж отказался сдержанно. Я видела, отказ стоил ему усилий. Владыка взглянул, удивляясь.

«Мне работать ночью», — муж объяснил непочтительность. Владыка Николай смотрел озабоченно: «Нет стаканов, у меня нет стаканов... — он вертел в руке полную флягу. Я подумала, без иподьяконов — беспомощный. Привык кем-нибудь повелевать: — А давайте так, — веселые глаза нашли выход, — вы будете из пробки, а я — прямо из... мехов», — он предлагал залихватски. Я засмеялась и махнула рукой. Мы выпили по полному глотку. Темноватая мягкая ткань обволакивала голову. Жидкость показалась густой и острой — согревающей. Он обошелся без помощи иподьяконов, и это показалось мне важным.

«Нет, если уж выбирать, мне кажется, — лежащее на уме лезло на язык, — вы больше похожи на Александра

Ивановича Введенского». — «Чем же?» В его вопросе я не услышала удивления. Точнее, тень проскользнувшего удивления была короткой: не длиннее полуденной. Казалось, наш разговор начался давно, и я, сидевшая напротив, успела выложить все, что примеривала. «Вы тоже *ставите* на университетских», — темная жидкость, гулявшая в крови, мешала выразить яснее. Муж вышел из дверей и сел рядом. Я чувствовала, как напряглась его икра — пихнуть. Владыка поднял бровь: я видела, тень его удивления становилась длинной — вечерней. В нем сверкнуло удовольствие, вязавшееся с новым спортивным обликом. Теперь он понял.

«А почему вы считаете, что я — *из них*?» Я видела, мы говорим об одном и том же, и оба — без отвращения. «Нет, — я ответила, — нет, так я совсем не считаю, я думаю, что вы все-таки — *из нас*. Если — из них, получились бы старые мехи, в которые нельзя...» Плоское лицо проводницы сунулось в дверь: «Так, что тут у нас? Попрошу, попрошу провожающих...» Темная шинелька разночинца, отороченная потертым мехом, выросла за ее спиной. Мы с мужем поднялись. Владыка оглядел весело. Муж вышел первым. Я ступила за ним, но оглянулась. Николай стоял в дверях, вежливо провожая. Дубленка, распахнутая дорогим мехом, придала мне смелости. Будь он в облачении, я бы не посмела.

Стараясь не шевелить губами, я заговорила торопливо и тихо: «Конечно, я не знаю наверное, но что-то плохое... Уполномоченный, против владыки Никодима, они замышляют...» Он слушал недоуменно. Меня полоснуло холодом, словно в его глазах — я прочла ясно — отразился вопрос: неужели и эта — из *них*?

«Нет, — я качнула головой, — нет», — для верности я повторила вслух. Холодные глаза отходили. Бросив взгляд на мужа, свернувшего в тамбур, владыка кивнул. Если бы не новая, распахнутая мехом дубленка, я склонилась бы под благословение.

Провожающие расходились. Переминаясь с ноги на ногу, иподьяконы грели пальцы в рукавах. Замерзшие пальто поводили ватными плечами. Проводница заглядывала вперед, в голову состава, ожидая команды. Невнятный женский голос плыл под козырьком перрона. Свысока, сменяя его, вступили первые такты «Гимна великому городу». Окно купе оставалось задернутым. Мужчина, обживавшийся в соседнем, объяснялся знаками. Приложив ладонь к уху, он накручивал невидимый телефонный диск.

«Позвоню, позвоню», — девушка, стоявшая рядом со мной, кивала согласно. Она отвечала тихо и глухо, словно из глубины пещеры, в которой, объятые любовью, лежали их тела. Состав дрогнул и замер, как мое сердце. Желтый жезл проводницы восстал к небесам. Темное плыло в моих глазах, видевших другое прощание, похожее на смерть, убирающую навсегда. «Нет, — я думала, — для нас больше нет надежды, хорошо, что успела предупредить».

Завеса окна раздернулась: лицо владыки медленно проплывало мимо. Поравнявшись, он взмахнул рукой. Повинуясь мгновенному порыву, я сложила ладони: правую на левую. Поднятая рука, не отошедшая от прощания, сложила благословляющие персты. Вслед уходящему поезду я склонилась в поклоне.

Мы пошли назад по платформе. Ватные пальто, опередившие нас, маячили у выхода в вокзал. Они думали, никто не обращает внимания, никто не смотрит. Остановившись, я смотрела, как иподьяконы-разночинцы, забывшие благообразие, тузят друг друга, похохатывают, пихаются локтями. Наверное, им было просто холодно и весело, но я, смотревшая пристально видела: эти, тузящие друг друга, похожи на помощников землемера, которого вызвали в Замок, скрытый в темноте и тумане.

* * *

Муж молчал: мой поклон смешал его планы. Безобразное купейное поведение перекрывалось благословением владыки. Сняв пальто, он вышел на кухню и сел за пустой стол. «Где это ты про Введенского начиталась? — он поинтересовался ворчливо. Отвернувшись к раковине, я наливала чайник. — Ты бы еще карловчан приплела, показать эрудицию, — он не скрывал раздражения. — Пойми, владыка — мой начальник, надо соблюдать такт...» — «При чем здесь эрудиция?» — я возражала уныло.

Постукивая о стол пустым подстаканником, муж говорил: «И Карловацкая, и *живцы* — одного поля ягоды, и те и другие *отложились* от церкви, нет между ними разницы». — «Разница есть и — огромная. Карловчане ненавидели большевиков, обновленцы сотрудничали... — я говорила машинально, лишь бы возразить. В памяти стоял разговор с владыкой: теперь я терзалась вопросом: поверил? — ...сотрудничали и признавали контроль безбожного государства, обер-прокурора из ГПУ, как его?» — «Тучков, — муж подсказал тихо. — Это все равно, — он говорил угрюмо, зажимая в кулак серебряную ручку, — и те и другие занялись политикой. Он смотрел непреклонно, в сторону, мимо меня. — Величайшая, роковая ошибка. Нельзя подменять церковную свободу свободой социальной, это — разное, разные вещества, ну не знаю, химические», — отставив подстаканник, он поднялся и встал в дверях.

Я видела: разговор поглощает его. Взявшись руками за косяк, словно искал опоры, он говорил о том, что церковная свобода определяется не внешними условиями существования, а самим строем священных канонов. Свободная церковная жизнедеятельность не подлежит человеческому усмотрению, ее нельзя сочинить заново, как нельзя изменить предание, восходящее к апостольским временам. «Так было и будет, — голос уходил вверх, как если бы он пел "Разбойника". — Без этого нет великой вселенской церкви, единой в веках!» — «Единой? А ее и нет, — я обернулась от стола и отставила чайник, обваренный кипятком. — Старообрядцы, карловчане, обновленцы, ловко это у вас получается: что ни раскол — заблудшие, — струей крутого кипятка я заливала заварку. Веточки листового чая набухали, всплывая. Покачивая горячим чайником, я говорила о том, что церковь замалчивает разделения, делает вид, что расколы — случайность. — Так проще: вообще не упоминать. Молчать и думать, что враги — это те, кто не с нами... Большевизм, ты не находишь?» — «Каждый раскол питается нездоровыми силами внутри церкви. Это — политика, к ней церковь не имеет отношения», — он повторил тихо и упрямо, опуская взгляд. «А Афганистан? Когда вы там, с владыкой, отвечаете на *сложные* вопросы, разве это — не политика?» — «Это — тяжкая необходимость», — он ответил спокойно, и я замолчала.

Отвернувшись к плите, я снова шла по платформе и видела молодых иподьяконов, тузящих друг друга локтями. Я думала о том, что сами по себе они не стоят особых размышлений, но тем не менее что-то возвращало меня к последней вокзальной сцене. Молодые, одетые в старомодные ватные пальто, были каждодневным окружением владыки, что никак не вязалось с его способностью принимать современный, изысканно-спортивный вид. Их глупая потасовка, затеянная на вокзальном перроне, представлялась мне запоздалой и неуместной детскостью, для которой подходит более жесткое слово. В ватном облике хранилось что-то жестокосердное, перешедшее из прошлого века, я вдруг подумала: от социалистов. Но самое главное — и эта странная мысль удручала меня — жестокосердые не бывают *солью*, на них не может стоять земля.

Я вспомнила, так говорил Митя: об этом жестокосердии. Однажды, в который раз рассуждая о моей аморальности, он обронил фразу о том, что, родись я в прошлом веке, стать бы мне *бомбисткой*. Он сказал, *те* знать не знали нравственного чувства, подчиняя жизнь единственно борьбе. «Ты — из их теста». Я помнила его взгляд — короткий, уверенный и осуждающий. «В тебе есть что-то детское, этакая прямолинейная жестокость, умеющая дать оправдание безнравственному, но, вообще говоря, это свойственно вашему поколению. Дай вам волю...» Обвинение было обидным и нелепым: растерявшись, я не сумела возразить достойно. Я только спросила: «А вам?..» — «Мы, — Митя отрезал, — другие. Как бы сказать, более сложные. По крайней мере, многие из нас имеют понятие о свободе». Без видимого перехода он заговорил о том, что в двух последних веках — прошлом и нынешнем — есть какое-то соответствие, можно проследить по десятилетиям. Он рассуждал, приводя исторические примеры, но тогда я не придала значения. Мне казалось, я совсем забыла об этом, но теперь, вспоминая тузящие друг друга фигуры, ни одну из которых никак не могла заподозрить в склонности к бомбометанию, я не могла отделаться от мысли, что Митя говорил о важном.

Ночью, проснувшись, я вдруг подумала, что иподьяконы, подталкивающие друг друга локтями, похожи на тех, *других*, заставивших меня отречься от Мити: испугавшись их наметанных глаз, я назвала его своим братом.

Бессонное колесо

Мы встретились на улице Рубинштейна. Так предложил Митя: объяснил, что должен получить справку в паспортном столе, какую, я не спросила.

У дверей конторы вился народ. Люди входили и выходили. Выходящие держали бумажные листы, в которые вчитывались внимательно, словно черпали важные сведения. Похоже, эти сведения все-таки были промежуточными. Не выпуская из рук, они переходили дорогу и углублялись в ближайшую подворотню, чтобы вскорости выйти обратно и возвратиться в контору. Замкнутый путь, вытоптанный людскими ногами, походил на муравьиную тропу. Митя вышел одним из них и, потоптавшись, отправился по нахоженной. Из подворотни он явился минут через десять и, ненадолго нырнув в контору, освободился окончательно. Теперь он стоял, озираясь. Я подошла ближе. Во взгляде мелькнуло смутное удивление, словно Митя, занятый важным делом, не ожидал увидеть меня.

Складывая лист, полученный на муравьиной тропе, он заговорил о том, что вынужден был рассказать обо всем Сергею — выследили, то ли дворничиха, то ли управдом, приходили, орали под дверью, ну надо же было предупредить, все-таки владелец. В общем, Сергей попросил возвратить ключ, сказал, что ненадолго, пока не уляжется, но, судя по всему, — Митя развел руками — наступает время бездомности.

Идя по кромке тротуара, я не подымала глаз. В сравнении с прежней нынешняя бездомность выглядела надуманной: никто не лишал меня крова, под который, ежевечерне минуя вечную лужу, я имела право возвращаться. С другой стороны, эта надуманная, почти что игрушечная бездомность таила в себе неясную угрозу: я не могла уловить. Взгляд цеплялся за выбоины, скользил по краю тротуара, обходя чужие окна, в этот час загоравшиеся тихим вечерним светом. Я заговорила о справке: поинтересовалась, зачем она понадобилась. Поморщившись, Митя ответил: потребовали в отделе кадров, позвонили, попросили зайти и занести. Я не придала значения. Я думала о том, что все это — глупости, фантомная боль. Обжегшись на молоке, дую на воду: город большой, что-нибудь обязательно найдется, на мастерской свет клином не сошелся. «Что-нибудь да найдется», — словно прочитав мои мысли, Митя заговорил о том, что уже предпринял некоторые шаги. Один из его приятелей поселился у жены, комната в коммуналке пустует, обещает поговорить с соседкой. Я спросила о матери, и, помрачнев, Митя ответил, что на самом деле ничего хорошего: определили рассеянный склероз, нельзя оставлять надолго.

Мы свернули в переулок, тихий и безлюдный. Поток машин обходил его стороной. Разлившаяся темнота отпугивала редких прохожих. Низкие комнаты, выходящие в переулок, открывались чужому взгляду: никто из обитателей не спешил задернуть. Я подумала о том, что им не от кого таиться: сидят за раздернутыми окнами, обсуждают свои домашние дела...

Легковая машина, поводя огнями, как усиками, медленно въезжала в переулок. Она двигалась осторожно, будто нащупывая путь. Водитель замедлял ход. Не доезжая до Рубинштейна, машина встала. Колеса буксовали на рытвине, которую чуткие усики умудрились проглядеть. Рев, рвавшийся из-под капота, отдался эхом. Усики опали мгновенно. Не включая фар, водитель дал задний ход и двинулся к Владимирскому. Надсадно рыча, машина разворачивалась на узкой улице. Теперь, снова выпустив усики, она пережидала сплошной поток.

Тихий звук подымался в сердце, дрожал, как голос на оконном стекле. Откуда-то из глубины проступало слово *соответствие*, то, которое, оглядываясь назад, можно проследить по десятилетиям. В этом Митином слове таилась мучительная безнадежность — правило замкнутого круга, из которого никто не может выбраться. Я думала о том, что все начинается сначала, так, как уже было прежде, когда, скитаясь с квартиры на квартиру, мы с мужем дожидались жилья. Рано или поздно, договорившись с приятелем, Митя снимет комнату, в которой закончится наша, на этот раз игрушечная бездомность. «Все уже было», — я сказала тихо, про себя. За преодоленной бездомностью, как пустырь, застроенный гигантским перевернутым небоскребом, с неизбежностью открывалось время убывающей любви. Призрак мертвого дома шел за мной по пятам — по мусору, по пустырю, поросшему вечнозеленым будыльем...

Глядя вслед выбравшейся из тупика машине, я думала о том, что вступаю на прежнюю колею. «Вот, — я показывала на окна, за которыми, положив локти на стол, сидели тихие люди. Им не было дела до нашего, опороченного, времени. Оно катилось выше из голов, как высокая морская волна. — Зачем? Зачем мы должны начинать заново? Разве ты *никогда* не задумывался о том, что можно жить тихой обыкновенной жизнью — вот как они, как все нормальные люди? Я не могу больше скитаться. Твой отъезд — пустая, бессмысленная выдумка. Ты говоришь себе — *там* все будет по-настоящему, но этого не бывает. Ты просто не умеешь жить, как люди, потому что и сам — ненастоящий. То, что ты ненавидишь, я ненавижу не меньше, но я не могу уехать отсюда. Даже с тобой».

Словно Митин аспирант, поймавший кого-то на набережной, я каялась в том, что все это — выдумки: нет ни партийной дамы, ни ловеласа, они — мертвые куски мяса, которые я, измученный и бессонный сторож, бросала в его клетку.

«Подлый помет? Для тебя все — подлый! Владыка Никодим — ты не стоишь его пальца, а он — он сын секретаря обкома. Ты — прорва, тебя не насытить, ты ненавидишь всех, даже тех, которые, как я, и душой и телом служат твоей ненависти». Марионеткой, сорвавшейся с крюка, я неслась и неслась вперед, не срываясь со спирали, на каждом витке которой никак не кончалась моя бессмысленно разыгранная жизнь. Она была бесконечной, дурной и мучитель ной. Я знала одно: чего бы это ни стоило, надо остановить вращение, вырвать огромную винтовую воронку, в которую кто-то чужой и полный ненависти втягивает и прошлое, и настоящее, и будущее. В приливе яростных сил я желала распрямить время, изогнутое в спираль: сразиться и победить. Или *оно*, или я.

Небо, укрытое облаками, отбрасывало городское сияние, возвращало его земле. Росчерки фар, ощупывая пространство, не достигали облаков. Они ползли по земле, обходя вырытые ямы, потому что верили, что там, выше желтого электрического зарева, расплывается жуткая пустота. Их пространство мерилось годами, десятилетиями, столетиями, ходило замкнутым ведьминым кругом — здесь, на Земле. Земное время, ползущее столетиями, походило на огромную гусеницу, состоящую из движущихся фаланг: они поднимались одна за одной, выгибались десятилетиями, и за каждой фалангой уже вставала другая, готовая изогнуться на новом витке. Закрыв глаза, я следила за тем, как огромное членистое тело, утыканное короткими волосяными отростками, движется, подминая все под себя...

«Если бы ты любил меня, тебе было бы все равно: здесь или там, лишь бы со мною. Жить нормальной человеческой жизнью. Но ты...» — «Ты — истеричка», — белые глаза обливали меня ненавистью. О, эта ненависть была настоящей! Сильной, как вера, сдвигающая горы. Заступив мне дорогу, как те — *автобусные*, Митя говорил о смерти, которая дожидается меня. Сгустки слов рвали его легкие, клокотали в горле, чернели на губах. «При чем здесь любовь? Неужели ты не можешь понять: нельзя, невозможно жить нормальной жизнью, потому что здесь, где мы с тобой родились, ничего не осталось *нормального*. Ни жизни, ни смерти».

Отстранив его, заступившего дорогу, я пошла вперед. Сворачивая на Владимирский, я все-таки обернулась украдкой: Митя не двинулся с места.

Четыре льва, караулящие подрубленное пространство, лежали вдоль моей дороги. Мир, разрушенный моими руками, остался прибранным: ненависть, не меньше смерти нуждающаяся в порядке, опустошила все закрома. «Если бы ты встретил такую на улице, у тебя не было бы сомнений — таких женщин надо лечить...» Острый обломок давнего разговора царапнул заживший лоб. Мне казалось, что я схожу с ума. «Этого только не хватало, осталось нацепить розу и вуаль...»

«Роза и вуаль, роза и вуаль», — я шла к метро, повторяя про себя, и эти слова, поставленные рядом, звучали для меня странно. «Да нет же... Там по-другому, — я вспомнила. — Роза и крест».

Взмахом остановив машину, я забралась на заднее сиденье — у меня не было сил идти пешком. «Направо, налево, снова направо», — от края Комендантского аэродрома я помогала водителю, указывала повороты. Он сворачивал послушно. Проскочив лужу, мы встали у парадной. Выходя, я оглядела поваленный фасад: кухонное окно горело вполнакала.

Лифт сложил крылья, надеясь вздремнуть до следующего жильца. Торопясь, я вынимала ключи. Из-за двери донесся визгливый женский голос. Машинально я взглянула на номер квартиры — лифт мог завезти меня на другой этаж. Женщина смеялась. Голос мужа плыл мимо, теряясь в гостиной. Я стояла, замерев. Осторожно, как будто была взломщиком, я вытянула ключ из скважины. Мне требовалось время — обдумать.

Зайдя за угол, я замерла, пережидая. «Слава богу, слава богу...» Если бы не смех, если бы я повернула ключ... Лицом к лицу я оказалась бы с *другой* женщиной. Замирая сердцем, я терзалась за нас обеих.

Вздрагивая время от времени, лифт мотался по этажам. Я прислушивалась к его тихому вою и думала: вот сейчас он остановится на моем этаже, и кто-нибудь из соседей, знающих меня в лицо, спросит: что случилось? *Другая* не выходила. Я села на ступеньку.

«Как-нибудь вызвать его, выманить из квартиры, поговорить, не врываясь». Время шло. Обдумав, я поняла: делать нечего, надо уезжать. Подкравшись к лифту, я нажала на кнопку. Красный огонек вспыхнул сердито. Торопя мешкающую кабину, я поглядывала на дверь. Под щитком, в углублении стены, висели электрические счетчики. Лифт раздвинул створки. Мгновенно, словно он подсказал единственно правильный выход, я пихнула сумку в щель между створками и шагнула к своей двери. За окошками счетчиков — по числу квартир на площадке — вращались мерные колесики. Под каждым — маленький рубильник. Встав на цыпочки, я заглянула в свое окошко: четырехзначная цифра — 1978 — дрожала, готовясь соскользнуть. Сверху на нее уже наплывала девятка. Десятичный столбец качнулся: восьмерка, идущая на смену, выступала медленно.

Косясь на сумку, держащую лифт, я взялась за рубильник. Пальцы набирались храбрости, словно под моей рукой дрожал не электрический счетчик, а какой-то часовой механизм, соединяющий взрывные проводки. Резким движением я повернула, отрубая. Бессонное колесико замерло. Я захлопнула щиток, я кинулась к лифту: подхватив сумку, верного стража, скрылась за створками, как кукушка, отбившая свой последний час. Тревожные голоса поднялись за дверью. Я слышала, как распахнулась дверь, и голос мужа произнес недоуменно: «Да нет, на лестнице свет есть». — «Надо звонить в аварийную, скорее всего, перебило провод», — голос отца Глеба встал рядом. «Схожу — проверю. Как там у меня?.. Ладно, пока... спасибо за компанию», — женский голос выплывал на площадку. «Проверила, — женщина крикнула снизу, — у меня в порядке, свет есть». Только теперь я, наконец, узнала: соседка. С пятого этажа.

«Чертова пьянчужка!» Вся лестница знала ее как облупленную: ходит по квартирам, у кого сахару, у кого — соли... Все гоняли, мой муж жалел. Говорил: на грани, стоит шагнуть — обратно не выберется. Бывшая спортсменка, она раздражала меня хрипловатым голосом, размашистыми ухватками и бесконечными рассказами о финских мужиках. Все они делали предложения руки и сердца. Единственная задача — выбрать достойнейшего. Во всяком случае, по ее словам.

Последний раз заявилась недели две назад, меня не было дома. Позвонила и ринулась в туалет — с порога. Муж рассказывал, смеясь. Выйдя, поблагодарила церемонно: «Простите, у меня гость из Финляндии — при нем как-то неудобно ссать». На этом месте отец Глеб расхохотался. Посмеиваясь, они принялись рассуждать о том, что разговоры о финских женихах — оправданная конспирация. Мадам боится соседей, прознают о незаконном промысле — донесут. «Не понимаю, что здесь смешного? Опять за ней мыть». — «Да ладно тебе! Бедная несчастная баба», — муж махнул рукой...

На площадке никого не было. Приблизившись бесшумно, я раскрыла щиток. «Свечку, свечку зажечь», — из-за двери, голосом отца Глеба. Я усмехнулась: здесь, в этой квартире, мрак и свет зависели от меня. Тихим щемящим воем отдалось в ближних проводах. Мертвое колесико взялось с места.

Они стояли в прихожей, счастливо улыбаясь: у каждого по зажженной свече. Не задувая, объясняли наперебой: отрубился, собрались звонить в аварийку, слава богу, только что дали — за минуту до тебя. «Эта, как ее, приходила. Сидела часа два, не выгонишь», — муж махнул рукой за стену. «Еще раз придет, сама на нее донесу — не дожидаясь соседей», — я пригрозила, отходя.

Бездомный ужас отпускал. Я обошла комнаты, оглядываясь: мой дом был тихим и светлым. Под обоями, разглаженными моими руками, крылись другие — строительные, но о них, укрывавших бетонные стены, не было сил думать.

Они сидели за кухонным столом и, посмеиваясь, обсуждали соседку, сбежавшую, едва отключили свет. Это обстоятельство их особенно веселило. «Представь, болтала, как сорока, трижды сходила в ванную», — муж загибал пальцы. «Рассказала все, — отец Глеб подхватывал, — что было, что будет, чем сердце успокоится, говорит, боюсь темноты — живая девка», — он причмокнул восхищенно.

Я ушла к себе и встала у окна. «Роза и крест, роза и крест... — я повторяла про себя, думая о Мите. — Бедная баба, живая девка, — голос дрожал на оконном стекле. — Бертран, Бертран, рыцарь-несчастье... Изора, супруга ваша, несколько помутилась рассудком... Ее болезнь называется меланхолией. Там, где избыток меланхолии, тело и разум затрагивает порча... А вы знаете, что романы сочиняют враги святой церкви?..»

Чувствуя лбом холодноватую поверхность стекла, я думала о себе, как о черной розе, которую Митя, сорвав с куста, прикалывал к своему пиджаку. Не рыцарь — жалкий рыбак из чужой и дикой Бретани, сложивший непонятную песню, от которой сжимается моя грудь. Лепестки сохли и ежились. Я думала о том, что устала быть сорванной розой: песни — пустые выдумки, суррогат непрожитой жизни. Настоящая, она бездарна и отвратительна, как ремесло чертовой соседки: чья тут вина, если девке не достает смелости назвать его правильным словом?..

Мрак, окружавший меня, стал безмолвным и беспросветным, как будто чья-то рука, коротко повернув рубильник, выбила нас из бессонного круга. Время замерло, как мерное колесо, отрезанное от электрического проводка. В помертвевшем окошке счетчика стояли вечные цифры: 1978. Я думала: так и до́лжно, когда останавливается время. На этот мрак еще не отлито свечи.

Крупяные зерна

Я проснулась с чугунной головой. Сознание всплывало из мрака, я собирала обрывки. Вчерашнее, нанизываясь на холодный стержень, терзало скудеющую память. «Лучше бы мне не просыпаться...»

Одна в пустой квартире я обдумывала дневные дела. Обычные не годились. Скользящим взглядом я повела по клетчатым занавесям — стирать. Торопясь, взобралась на стул и принялась срывать с крюков накинутые петли. Собрав, кинула комком на пол. Разоблаченное окно гляделось сиротски.

Бродя по комнатам, я раздергивала шторы. Свет врывался сквозь оконные переплеты, пронизывал пространство — до стен. Распахнув платяной шкаф, я встала напротив: вещи, привыкшие жить в клетке, не шелохнулись. Хватая охапками, я швыряла их на пол. По старым тряпкам, погружаясь по щиколотки, я бродила по комнате: моя комната стала подтаявшей лужей, размытой в крошево. Запуская пальцы, я цепляла что ни попадя: старые брюки, осужденные суровой школьной директрисой, широкую черную юбку с запáхом, похожую на обрезанный до колен подрясник, драную шерстяную кофту, которую вязала, собираясь замуж. Встряхнув, я раскладывала на кучки: выбросить или стирать. Первая росла на глазах. Обхватив, я вышвырнула в прихожую и, торопливо накинув пальто, распахнула входную дверь.

Груда, наброшенная на край помойного бака, выглядела внушительно. Я шла обратно, и странное чувство беспокоило меня. Стараясь не дать ему волю, я жалела о своих вещах, словно они, вынесенные из дома, были домашними животными: вымещая боль, я выставила их на мороз. Если бы не вчерашнее, лежать бы им в тепле и покое... Тряпки ежились, согревая друг друга.

Жалея, я смотрела на них из окна. Трое подходили к помойным бакам. Они шли осторожно и торопливо, будто таясь от чужих глаз. Подойдя, взялись за груду и стянули вниз. Внимательно, как выбирают магазинное, они разглядывали вещи. Женщина прикладывала их к груди и, отступив на шаг, словно стояла у высокого зеркала, в котором отражалась с ног до головы, что-то говорила торопливо, как будто просила совета. Мужчины кивали, роясь. Кофта, рваная на локтях, пришлась ей по душе: с нежностью она гладила вязаные узоры. Пристроив свое пальто на край бачка, она примеряла черную юбку, прилаживаясь к пуговицам запа́ха. Неловкие пальцы ловили ускользающую петлю. Груда вещей таяла на глазах. Испитые лица светились бессмысленной радостью, словно помоечная находка меняла их жизни к лучшему, открывала новые горизонты. Красуясь друг перед другом, они вышагивали взад-вперед среди бачков.

Замерев у голого окна, я смотрела на женщину. В моей одежде, пришедшейся впору, она была похожа на меня, ту, которую я оставила в прошлом: вещи — обрывки моей выдуманной жизни. Уходя, я оставила их по себе. Словно отлетевшая душа, неразличимая с земли, я смотрела на женщину, принявшую мой облик, напялив на себя мою ветошь. Одетая в мое прошлое, она уходила со двора. Двое спутников, отстав на полшага, шли за нею следом. Дойдя до угла, она обернулась. Я подумала: хочет запомнить место.

Я работала истово. Скатанные ковры лежали неподъемными бревнами; комки штор, сорванных со всех окон, мокли в ванной. Скрючившись в три погибели, я домывала пол. Вещи, брошенные на открытых поверхностях, придавали комнатам новый вид, словно я, отмывавшая грязь, только что въехала в чужую старую квартиру, доставшуюся мне по наследству от прежних жильцов. Они не были моими родственниками. К их прошлому я была безучастна. Его выдавали захватанные стенные выключатели, ссохшиеся тряпки, брезгливо извлекаемые из-под ванны, книги и забытые фотографии.

Вечером позвонил муж, предупредил, что заночует в Академии: поздняя вечерняя служба, завтра — к ранней. Я сказала: делаю большую уборку, разворошила весь дом. Он понял по-своему: убираюсь к Пасхе.

Я закончила затемно и, вдыхая запах свежего пола, прошлась по комнатам. В голых окнах стояла мебель. Желтые пятна отраженных светильников гляделись из заоконной глубины. Я села в кресло и сложила руки. Пальцы подрагивали едва заметно, словно остатки жизни уходили из них с дрожью, похожей на последний вдох. «Ну вот, — я выдохнула, — теперь пожалуйста, теперь я готова».

Утопая в глубоком кресле, я думала о смерти, радуясь, говорила себе: сама, не дожидаясь *ее* уборки, я успела прибрать за собой. В чистоте, окружавшей меня, приближалась радость. Радость, ожидающая меня после смерти, подступала тихими стопами, обволакивала голову. Еще немного, и больше никогда я не вспомню о времени, от которого *отложилась*.

Тихий звук сочился откуда-то сверху, дрожал в зеркалах. Собираясь на него, спускались обрывки слов, белые и парящие, как стайка подманенных голубей. Я повторяла их вслух: пробовала на вкус, как на голос. Кресло, в котором я тонула, становилось податливым — принимало форму моего тела, и, упираясь в подлокотники, я бормотала слова, торопя приближение радости, над которой не склоняются убеленные ненавистью глаза. Радость, приходящая со смертью, начиналась со слов...

В дверь звонили долго и настойчиво, словно те, кто стоял за дверью, чувствовали себя в своем праве. Резкий, отличный от дневного, таящий в себе опасность... Я обернулась к раздернутому окну. Взгляд увязал в кромешной тьме. Из

Елена Чижова

тьмы проступали знакомые контуры: комната, в которой меня застигли, двоилась за оконным стеклом, подступала вплотную из темного зазеркалья, смотрелась сама в себя — окно в окно.

Звонили грубо. Оторвавшись от тьмы, я поднялась и двинулась к двери, ступая неслышно. Дойдя, приникла ухом: на площадке стояла тишина.

«Откройте», — мужской голос ударил в наружную обивку, и в тот же миг, словно душа сорвалась с крюка, на котором держалась чудом, я узнала его: это *пришли* за мной. Я видела ясно, как будто дверь стала односторонне прозрачной — как в кино, когда опознают: стоящий за дверью, был одет *в кожу*. Я задохнулась. Подлое время, от которого я *отложилась*, отбросило меня в прошлое — как щепку.

Цепляясь за притолоку коснеющими пальцами, я думала собранно и коротко: старое пальто, теплая кофта, что-нибудь меховое — я успела выбросить все. «Ну что ж...» Я знала, как должна вести себя в прошлом: только не показать, только — достойно. Твердым голосом я осведомилась: кто?

«Простите меня, пожалуйста! Это сосед, мои окна — напротив, в другом крыле, пожалуйста, откройте». Я слушала, не понимая. Веселый, почтительный голос извинялся из-за двери. Шальная мысль: «Вы не туда попали, если вам...» — я назвала имя *живой девки*, предположив, что полуночник — к ней. «Нет, нет, я не путаю, — он отрицал радостно. — Дело в том, что ваши окна выходят во двор. Я сидел на кухне, смотрел, и вдруг, это как чудо, все гасло, понимаете, весь огромный дом, и только мое и ваше горят, и я вдруг подумал: как будто — никого, не знаю, как будто бы все умерли, и только мы с вами — на всей земле... Я просто сидел и писал, а потом вдруг подумал: я *должен* увидеть вас. Это — правда, вы можете убедиться. Посмотрите в окно». — «Вы сошли с ума, — я сказала, сохраняя твердость. — Сейчас же убирайтесь вон, вы же — пьяный!»

224

«Ну не скажите... Пьяный — это уж слишком! — он возмутился, не обижаясь. — Если бы вы сказали — выпил, да, в этом есть доля правды». — «У меня болен ребенок, я разбужу мужа, он позвонит в милицию», — я говорила быстро, уже не справляясь с дрожью. Последняя угроза подействовала. Шаги направились к лифту. Тихий стон взявшей с места кабины поднимался из глубины. Створки раздвинулись и закрылись. Переждав, я кинулась в комнату: на фасаде дома, прямо напротив, горело одно-единственное окно. Одинокая фигура пересекала заснеженный двор. Огибая помойные баки, он ступал нетвердо. Неверные ноги вывели к вечной луже, и, взмахивая руками, чтобы удержать равновесие, он заскользил по льду...

Остаток ночи я просидела в глубоком кресле. «Прекрати, — я говорила себе, — самый обыкновенный пьяница, допился до чертиков, подняла нелегкая, какое мне до него дело?..» Так я уговаривала себя, но мысль возвращалась к двери, за которой, цепляясь за притолоку неверными пальцами, я видела черную кожу, в которую был облачен тот, кто приходил за мною. Кожа была новой и хрусткой.

Стараясь избавиться от наваждения, я думала о том, что нашу семью это не коснулось, обошло стороной. Никто из моих родных не слышал этого звона. Откуда же я узнала, что это — *они*? Весь долгий день я выбрасывала свое прошлое, чтобы освободиться от памяти, но *оно* — подлое время, от которого я отложилась, — играло в свою игру. Эта игра не зависела от моей воли. Разве я могла знать заранее, что именно так, выбрасывая земные остатки, расчищают заваленный путь? По нему, как по ржавым рельсам, надвигается *чужое прошлое*, лежащее пластом под затронутой порчей личной памятью...

За окнами стояла мгла. В ней, как в чернёном зеркале, отражались спинки кресел, зажженная люстра, книги и письменный стол. Все окружавшее меня двоилось, повторяясь во тьме. Комната, раздвоенная ночным кошмаром, сходилась на оконном стекле. Я сидела в кресле и чувствовала себя какой-то *мертвой точкой*, из которой в обе стороны — в прошлое и в будущее — устремляются две оси. По собственной воле отложившись от настоящего, я отреклась и от будущего: и ось, качнувшись в мертвой точке, отбросила меня назад.

Едва дождавшись утра, я оделась и вышла из квартиры. Машинально, как делала каждый день, потянулась к потухшей кнопке, но сдержала руку. Стон лифта мог разбудить чужих. Ступая тихо, я шла вниз по лестнице, проходя на цыпочках мимо спавших дверей.

Все было скрыто под снегом. Белый покров лежал на кустах, на крышах гаражей, на козырьках подъездов. Оглядываясь на спящие окна, я пошла к бакам: меня влекло странное и необоримое желание, которому не было сил противиться. Подойдя, я заглянула внутрь. На дне, под рваным куском целлофана, лежала меховая варежка. Я смотрела в бак, как в колодец: слишком глубоко, рукой не достать... Подтянув какой-то деревянный ящик, я встала ногами, перегнувшись, ухватила за угол и дернула на себя. Кусок целлофана был чистым. Подложив под грудь, я легла на него всем телом и, стараясь не вдыхать смрадные испарения, дотянулась рукой. Вторая варежка лежала рядом. Торопливо шагая к парадной, я думала: если и видели, мало ли... Растяпа, выбросила по ошибке... деньги или золотое кольцо...

Изнутри их не затронуло. Обмыв верхний кожаный слой, я вытерла насухо. Кожа припахивала порошком и помойкой. Я достала холщовый мешочек и спрятала в него варежки. К ним, взвесив на руке, добавила упаковку сахара-рафинада и, словно вспомнив, пачку английского чая *Earl Grey*. Чай привез муж, купил в tax-free в аэропорту, и эта

226

мелькнувшая мысль отрезвила меня. Сев на табуретку, я оглядывала кухонные полки. Холщовый мешочек лежал передо мной на столе. Я смотрела на него с ужасом, словно кто-то *другой,* знавший тверже и лучше меня, заставил сложить: приготовить. Этот кто-то, не имеющий понятия о счастливых магазинах, в которых не платят пошлин, умел обдумывать загодя, не полагаясь на последний — кожаный — миг.

«Господи, — я думала, — что же это такое со мною? *Изора, супруга ваша, несколько помутилась рассудком...*» Мотнув головой, я пихнула его в зазор между холодильником и стеной.

Веселые голоса разбудили меня. Муж заглядывал в комнату: «Спи-ишь?» — он спрашивал удивленно. «Сейчас встану», — я поднялась и вышла в прихожую. Отец Глеб улыбался мне навстречу. «Чистота-то какая! — муж входил в кухню, радостно озираясь. — Ну что? — потирая руки, он обернулся к кухонному шкафу, — чайку, а? Где у нас тут — *хороший?* — Сдвигая банки, он гонял их с места на место. — Где же... тут же было...» — спрашивал недоуменно. Я подошла к холодильнику, заслонила собой. Отец Глеб смотрел внимательно. *Другой,* сидевший смирно, кивал, не подымая глаз. «Я убирала... Там — жучки... Все в жучках и личинках, пришлось выбросить и чай, и сахар, и крупы». Господи, я сообразила, как же это я? Надо было еще крупы...

«Этого не может быть! Я же — только что, и магазин-то не наш, хороший, у меня и чек...» — он и вправду расстроился. «Ты хотел, чтобы я оставила с жучками? Ты мне не веришь?» — не отступая от холодильника, я говорила высоким, сварливым голосом. «Нет, конечно, нет», — он бормотал растерянно. «Какая беда? Нет заварки, попьем *ти-питочку*, как говаривала моя бабушка, царствие ей небесное», — отец Глеб вступил примиряюще. «Что ты говоришь! И моя!» — муж воскликнул радостно, словно, посчитавшись мертвыми, они нашли *своих*. «Видишь, значит, у нас с тобой была общая бабушка, — отец Глеб засмеялся и взглянул на меня. Что-то вспыхнуло в его взгляде, напряглось, стало твердым. — Общая бабушка... — он повторил одними губами.

Запасная пачка нашлась за мучной коробкой. Напившись чаю, муж предложил ложиться: после службы он выглядел усталым. «Посижу, замучился, нет сил подняться», — отец Глеб не спешил вылезать из своего угла.

Дождавшись, когда муж уйдет, я села за стол. Палец скользил по клеенчатым узорам, очерчивая вензеля. «Странная история», — я сказала тихо, с оглядкой на *другого*. Палец двигался, выписывая замкнутые окружности: отец Глеб следил. Я рассказывала о дурацком ночном происшествии, о том, каким глупым разговором все обернулось. Ни словом я не обмолвилась об ужасе, из которого, как росток на заброшенном пепелище, выбилась чужая, общая память. Отец Глеб слушал, улыбаясь: его позабавил мой рассказ.

«Да... Жизнь у вас насыщенная, не дом, а вавилонское столпотворение: то соседка с финскими женихами, то сами женихи — российские. Кстати, ты знаешь, мы тут подали объявление с женой, две комнаты на квартиру с доплатой. Как ты думаешь, откуда позвонили в первую очередь? — Я смотрела недогадливо. — Отсюда, отсюда — из этого дома», — он взял занавеску двумя пальцами, как будто подхватывал подол. «Ну и?..» — «Сорвалось, я уж и сам думал, но — слишком большая доплата. — Он разжал пальцы с сожалением. — А здорово ты отмыла!» — оглядевшись, отец Глеб восхитился, словно заметил только теперь. «Много выбросила. Всякое шмотье. Взяла и вынесла на помойку», — я признавалась легко, словно из этого ровно ничего не следовало. «А я, — он засмеялся, — жуткий скопидом. *Скопи домок, разори семейку*. Страсть не люблю ничего выкидывать. Коплю и коплю, мало ли, думаю, пригодится». — «Кое-кому уже пригодилось», — стараясь держаться легкого тона, я рассказала о помоечной троице. «И что, неужели все забрали? Прямо с жуками и мошками?» — «С какими... мошками?» — я спросила с разбегу. Отец Глеб поднял бровь. Я видела: теперь он стал похож на собаку, поднимающую ухо. Ухо вздрагивало, прислушиваясь к моим словам. Волна стыда ударила в щеки: «Нет... Это — не то... Это для *другого*», — палец засуетился, сбиваясь с узора, путаясь в узорных кренделях. «Для *другого*», — он повторил за мной утвердительно, с нажимом, как заговорщик, опознавший пароль, его вторую половину — верный отзыв.

«Нет, нет, — я заторопилась, понимая, к чему клонится тайное обвинение. — Ночью, когда раздался звонок...» Я хотела рассказать о своем кожаном госте, но тень *другого* выступила из-за холодильника и замерла под полкой, на которой, расставленные моими руками, стояли дары отцов-экономов. Рукой, похожей на Митину, он касался бледных губ. Черты лица, готовые отступить во мрак, зыбились слабым контуром...

Отец Глеб ждал. Он сидел, вглядываясь наметанным глазом, словно заступал мне дорогу, как те — *автобусные*. Тех было двое. Одного — я могла обойти его стороной. Стоит только рассказать о ночном кошмаре, расписать живописными деталями... Значит, я думала, предать. Однажды я уже сделала это: отреклась от Мити, назвав его братом... Тень, стоящая у стены, качнулась назад. Загораживая ее словами правды — единственным, чем могла защитить, — я сказала: «Да, у меня есть *другой*, другой мужчина, которого...» — и замерла.

Отец Глеб смотрел на меня испуганно. Как бы то ни было, но он был другом мужа. Его лицо заострилось. Мешки, лежащие под глазами, подернулись синевой. Тяжело, будто взял не по силам, он выдохнул душный воздух, качнул рукой и поднес ее к груди, словно брался за епитрахиль.

Мы сидели за кухонным столом, стараясь не смотреть друг на друга (мои глаза ходили по узорам, глаза отца Глеба упирались в стол), и тягостный разговор, срываясь в исповедь, ветвился и прорастал вглубь.

Отец Глеб слушал, не прерывая. Покусывая губу, он следил за моим голосом, путающим узоры. То, что я рассказывала, не получалось связным. С пятого на десятое я то начинала с первой встречи, то выкладывала подробности последнего разговора — в темном переулке. Подробности путали время, относя события то к прошлому, то к настоящему, но все равно оставались живыми, трепетали в моем горле, не желали умирать. Моя память становилась мелким ситом, умеющим уловить самые незначащие детали, но и, произнесенные вслух, они не только не исчезали безвозвратно, а как будто прибавляли в весе. То возвращаясь к Митиным разыгранным персонажам, то мучаясь его страхами, я рассказывала о наших филологических разборах, о выверенной — по Оруэллу — жизни, о любви к бахромчатым книгам, близость к которым он использовал против меня.

Отец Глеб не задавал наводящих вопросов. Опыт духовника, полученный в Академии, научил его терпению. Сидя напротив, он терпеливо ожидал, когда на доске выступит самое главное — глубинный слой, записанный настоящим временем, его живыми подробностями — позднейшей и неумелой кистью. Прикладывая пропитанную тряпочку, я открывала квадрат за квадратом, все еще надеясь добраться до чистой доски. Он смотрел на меня тяжелеющим взглядом, потому что все знал заранее: доска окажется простой и грубой, вырубленной топором.

К исходу ночи его глаза покраснели. На меня наваливалась необоримая усталость: верхний слой, недавно казавшийся живым и ярким, тускнел, теряя очертания. *Если те-*

бе придет в голову каяться, обойди мое имя стороной.
Я вспомнила Митины слова и увидела его лицо: черты дрожали и зыбились, готовясь уйти во мрак. Больше не чуя своего тела, ставшего почти невесомым, я свернула тряпочки и пихнула вниз, за плиту. Отец Глеб улыбнулся. Улыбка вышла стеснительной: «Ничего, — он утешал меня, — ничего... Все образуется. Как-нибудь, Бог даст». Он говорил хрипловато, как будто, промолчав ночь, пробовал голос.

«Не знаю, что и сказать... Кто может знать, чем все это закончится? Все очень трудно. Может быть, когда-нибудь... Но все намного труднее, чем я предполагал. Единственное, что я могу, — отец Глеб кивнул на дверь, за которой спал муж, — он тоже страдает... Но это...» — «Закончится? — я перебила, не дослушав. — Оно уже закончилось». — «Нет, — он ответил горестно, собирая рот складками, — еще не закончилось. *Так* не кончается». — «Вы хотите сказать, — волна радости поднялась во мне и плеснула через край. — Значит, мы с Митей еще встретимся, еще будем вместе?.. Помните, откуда это? Эти строки: *но все же чтут Евангелье они и рыцарей чужих не убивают...*»

«Конечно, встретитесь, — он покачал головой и распустил складчатый рот. — Но из этого ничего не выйдет, не может выйти, ни у кого не выходит, и — не должно. Бог не дает». Сосредоточенный взгляд затвердел. Я видела, он говорит правду, настоящую правду. *Такую* говорят о себе.

Долгая ночь истощила последние силы, и все-таки я засыпала с надеждой. Это — никакая не исповедь. То, что он говорил, основывалось исключительно на личном опыте: его личному опыту я имела право не верить.

То прислушиваясь к надежде, то проваливаясь в дрему, я видела двор, истоптанный чужими следами: от парадной до поребрика, опоясывающего широкий газон. Теплые трубы отопления, проложенные под газоном, грели землю. Следы таяли, становясь невидимыми. Я говорила себе: *так* не кончается, так *никогда* не кончается, но зябкость, похожая на тревогу, дрожала во мне, как вода. Я поднялась и вышла на кухню. Плохо завернутый кран отбивал секунды. «Из этого ничего не выйдет, не может выйти, ни у кого не выходит» — твердые слова звучали громче надежды.

Зазор был пуст. *Этого не может быть... Магазин же не наш, хороший...* Я сунула руку: холщовый мешочек исчез. Я села и сцепила руки. *Качнувшись вправо, качнется влево...* На левую кладут прошлое, на правую — будущее. Эти весы состоят из одинаковых чашек. Сколько положено на левую — столько же ляжет на правую. Так уравновешивается время.

Прошлый раз, когда я была *мертвой точкой*, отказавшейся от будущего, правая чашка прыгнула кверху. Левая опустилась в прошлое, поэтому *он* и явился, встал у моей стены. И все-таки я предала его, положившись на обещание отца Глеба, посмела понадеяться на будущее, и весы, качнувшись вправо, больше не качнутся влево. *Из этого ничего не выйдет, не может выйти, ни у кого не выходит,* — я слышала голос отца Глеба, заступающий дорогу. Уронив голову на руки, я думала о том, что ось, проходящая сквозь меня, стала перекушенным проводом. Сидя напротив, он сделал самое страшное: кусачками, умеющими резать время, перекусил его с обеих сторон. Этот нерв уже никогда не срастется, а значит, мне, запертой в безысходном настоящем, нет пути ни вперед, ни назад...

Поднявшись, я пошла к кухонному шкафу и распахнула створки. Осторожно, боясь просыпать, вынимала бумажные пакеты, наполненные крупой. Они вставали друг подле друга — по всей поверхности стола.

«Мертвые... Все — мертвые». Осторожно поднимая пакет за пакетом, я примеривалась и бросала их в форточку.

Ударяясь о землю, они взрывались, как пущенные снаряды. Снег усеивался мертвыми крупяными зернами.

«Господи, — я шептала, — Господи, разве можно жить в перекушенном времени? Если ты есть, Господи, ты сумеешь, ты сделаешь, чтобы — и мертвые — они все равно проросли...»

Исповедь

К вечеру следующего дня я приняла решение. Не сказавшись мужу, отдыхавшему после долгих служб, собралась и вышла. Спускаясь по лестнице, я поглядывала в окна. Над плоской крышей, покрывавшей поваленный дом, вились беловатые столбики, словно хозяйки, копошившиеся за цветными занавесами, успели разжечь очаги. Выходя из парадной, я думала: и столбики-то одинаковые, как в сказке про свинопаса, — пахнут жареной картошкой.

Двор, занесенный снегом, выглядел пустовато. Детей, в дневное время гуляющих под окнами, успели разобрать. В окнах суетились женщины, накрывавшие к ужину: ждали своих мужей. По газону, подклевывая остатки подмокшей крупы, бродили жирные голуби. Их было множество — густая серая стая. Сыто уркая зобами, самцы подзывали самок. Подманенные самки подбирались бочком, опасаясь подвоха. Газон покрывали мелкие тройчатые следы.

На остановке я прождала долго. К противоположной, по другую сторону дороги, один за одним подходили автобусы. До кольца оставался единственный прогон, однако, свернув, автобусы исчезали бесследно. Пьяненький мужичонка, подпиравший фонарный столб, крыл водителей последними словами: «Черти полосатые! Знаю я их, в домино режутся — на кольце!» Подслеповатый львовский автобус подошел минут через сорок. Вползая с передней площадки, мужичонка ругался на чем свет. Усталый водитель вяло отругивался в микрофон. В метро, сверившись с часами, я поняла, что опаздываю безнадежно. В вестибюле станции «Александра Невского» гомонили иностранные туристы, вставшие в очередь к турникету. Бросая жетоны, они проходили с опаской.

Миновав деревянный мостик, я вошла в лаврский сад. По левую руку, выше приземистых зданий, занятых научными институтами, восходили Троицкие купола. Свет фонарей остался на площади. Слабая подсветка очерчивала их контур. Между темных стволов, подпертых сугробами, ходили длинные тени: мели нетронутый снег. Он лежал тяжело и плотно — как в лесу. Обойдя высокий забор, укрывающий здание Академии, я вышла к крыльцу. У самых ступеней, слегка припорошенных снегом, стояла черная «Волга». Бессонные дворники ходили по стеклам взад-вперед.

Тенью скользнув в вестибюль, я остановилась, прислушиваясь. Из каморки дежурного долетали приглушенные голоса. Больше никого не было. Горящие лампадки дрожали у икон, закрывающих лифтовую шахту. Писанные в рост, они стояли на страже. Мне надо было подняться по лестнице, но, миновав их на цыпочках, я зачем-то свернула направо.

Коридор, ведущий в покои ректора, был пуст. Сверху, сочась сквозь потолочные перекрытия, спускались тихие звуки хора, допевающего службу: *Господи, прежде даже до конца не погибну, спаси-и мя...* Пережидая, я смиряла дыхание. Дальняя дверь, примыкающая к покоям ректора, подалась неслышно. Издалека, еще не различая лица, я видела темную фигуру, ступающую на пурпур ковра. Вжавшись в стенную нишу, я смотрела, как владыка Никодим, одетый в широкое пальто, кроем напоминающее рясу, выходит из ректорских покоев. Лишенный подобающей свиты, он выглядел старым и больным, измученным смертельной болезнью. Мимо моего простенка, не подымая глаз, он шел один, не охраняемый иподьяконами.

Быстрая мысль пронзила меня. Я думала: вот единственный случай — предупредить. Он остановился. Веки поднимались медленно. Какая-то тревога мелькнула в его глазах, словно не я, *другая*, проросшая из глубин нашей *общей* памяти, встала перед ним. Быстрым взглядом, похожим на ангельский, он пронзил мою сумку, зажатую под локтем. Я узнала этот взгляд, словно и вправду когда-то была *бомбисткой* — по Митиному несправедливому слову. Лицом к лицу я смотрела, не опуская глаз, и под моими глазами взгляд владыки собирался в два сияющих луча. Отступив на полшага, я уронила сумочку и заплакала безгласно.

Боль поднялась в его глазах, брызнула из сердца, прошитого осколками памяти. «Что ты, что ты... Не надо, *так* не надо, все прошло, а ты — ты надорвешь себе душу», — тихой рукой, исцелованной разночинными иподьяконами, он коснулся моего лица. Пальцы сложились, благословляя, и, зажав рот обеими руками, я ткнулась лицом в жесткий угол стены.

Когда я справилась, коридор был пуст. Пурпурная дорожка лежала как ни в чем не бывало. Высоким ворсом она привыкла глушить шаги. Подобрав упавшую сумочку, я вышла в вестибюль. Лестница кренилась, норовя выбиться из-под ног. Я закашлялась, но зажала рот руками: в тишине я боялась выдать себя.

Двери академического храма были раскрыты. Войдя, я остановилась у стены. Служба давно закончилась. Черная фигура свечницы маячила у кануна — ловкими пальцами она вынимала чужие огарки и, подув для верности, складывала в коробку. Прогоревшие огарки копились на дне. Вдохнув, я почувствовала теплый запах ладана и талого воска. В свете пригашенных паникадил, не достигавшем двери, мне открылась странная сцена, развернутая у правого клироса. Спиной ко мне, опершись руками о кафедру, стоял отец Глеб. Немного в стороне вилась очередь из семинаристов.

Отделяясь по одному, семинаристы подходили к кафедре и, склонившись, бормотали вполголоса. Отец Глеб слушал, не перебивая. Дослушав, он брался за епитрахиль и, возложив, читал разрешительную молитву. Духовный сын отходил с поклоном. На его место вставал следующий. Черные женщины, занятые свечами, ходили у алтаря. Семинаристы стояли смирно, не оглядываясь.

Очередь двигалась быстро. Я подошла поближе и заняла крайней. Готовясь, я собирала слова. Обрывки не складывались в связное. То думая о своем, то вспоминая сияющие глаза владыки Никодима, я прижимала к себе сумочку и оглядывалась на окна, уходившие под потолок. Темные витражи, едва различимые в иссякающем свете, ловили блики последних свечей. Свечница прошла мимо, держа наполненную с верхом коробку. Надежда и страх, вложенные в свечи, прогорели до огарков.

Стоявший передо мной справился быстро. Его грехов хватило минут на пять. Накрыв епитрахилью, отец Глеб бормотал приглушенно. Я пригладила волосы, стянутые в хвост, и провела пальцами по вискам. Немевшую спину свело короткой судорогой, и, дернув плечом — одно чуть выше другого, — я сделала шаг. Отец Глеб обернулся. Его рука, державшая кафедру, взлетела, защищаясь. Он смотрел на меня так, будто не я, из года в год сидевшая напротив, а что-то страшное приближалось к нему в моем обличье. Мгновенно справившись, он потер лоб и заговорил сбивчивым голосом: «Прости, я... не знаю, просто, я подумал, подумал о тебе, за секунду, прежде чем...» — «Я пришла...» Но отец Глеб махнул рукой и перебил: «Пойдем, пойдем — не здесь». Отступив, я не дерзнула перечить.

По узкой лестнице, открывавшейся за лифтовой шахтой, мы прошли переходом, соединяющим корпуса, и вошли в маленькую комнатку. Крышка пианино была откинута. Подойдя, я закрыла осторожно. Отец Глеб расшнуровывал поручи. Подворачивая длинные рукава рясы, он смотрел весело — по-домашнему. Чужие грехи прошли сквозь его тело, не отложившись.

«А где же?.. Что-то я не заметил на службе», — он справлялся о муже, полагая, что мы — вместе. «Его нет. Я одна», — спокойным и твердым голосом я заговорила о том, что пришла исповедаться, просила принять исповедь — по всем правилам. Его взгляд тускнел. «Ну что ж, раз решила, я... — он отворачивал закатанные рукава, словно рубаха, лезшая из-под подвернутых раструбов, была немыслимым и нетерпимым нарушением. «Да, я решила сама — вы обязаны».

«Обязан», — он подтвердил упавшим голосом. Готовясь выслушать, отец Глеб шнуровал заново. Растопленный домашний взгляд твердел на глазах. То опуская глаза, то берясь за наперсный крест, он собирался, как будто готовился петь. *Се, Аз возгнещу в тебе огнь, и пожжет в тебе всяко древо зеленое и всяко древо сухое.* Перекрестившись, я поднялась. Отец Глеб встал рядом и, не возвышая голоса, звучавшего скверно, начал с молитвы, как подобает: *Се, чадо, Христос, невидимо стоит...*

Я слушала внимательно, косясь на зашнурованные наглухо поручи. Совершив молитву, он поднял глаза и царапнул мое лицо косящим глазом. На лице, ставшем собранным, выступило вдохновение. Темное тяжелое пламя, лежавшее под спудом, занималось в его зрачках, когда, склоняя голову, он готовился слушать грехи, которые знал начерно — со вчерашней ночи. Неожиданно коротко и деловито, положившись на черновое знание, он перечислил то, в чем ожидал от меня покаяния. Рассеянное зерно, расклеванное голубями, прорастало в моем сердце, но, покоряясь правилу, я начала с Мити. С покаянной страстью я заговорила о ненависти, соединяющей намертво, о том, что нет в моем сердце любви, способной соединить. То кивая, то ко-

Елена Чижова

ся глазом, он всматривался в меня, словно видел перед собой *другую*, о которой прежде не имел понятия. Рассказав, я остановилась. Теперь, выполнив все по его заданному правилу, я готовилась рассказать о *другом*. О том, что я не в силах жить в перекушенном времени, которое замерло в мертвой точке. Я хотела признаться в том, что у меня осталась последняя надежда: *другая* ось, которая перекрещивает горизонт времени, устремляясь в небеса. Я хотела объяснить ему то, что собралось в моем сердце, но отец Глеб уже взялся за епитрахиль.

«Это все?» — он спросил устало. Я хотела признаться в том, что случилось с моим временем, но зачем-то сказала о кукле, которой стала моя душа: она похожа на пустую тряпичную куклу, срывающуюся с чужих крюков. «Я не понимаю... Ты хочешь сказать... Пустую тряпичную... С каких крюков?.. Ты... делала аборты?» — «Аборты?» — замерев, я повторила, не веря своим ушам. «Аборты?» — он спросил еще раз, глуховатым и скверным эхом. Что-то прервалось во мне, как будто голос, спросивший о детской смерти, перекрыл горло. «Нет, нет», — я мотала головой, отступая. «Слава Богу», — он выдохнул коротко. Склонив голову под епитрахиль, я слушала разрешительную молитву, которую он, облеченный властью, читал надо мной. Умелая кисть поднялась в благословляющем жесте, и, шевельнув губами, я коснулась. Отец Глеб смотрел радостно, словно освободив от прошлого, выводил меня на новый путь.

Из Академии мы вышли вдвоем. Лаврский сад был темен. Сугробы, едва различимые во мраке, наваливались на стволы. Я ступала осторожно, боясь попасть на накатанное: не хватает еще свалиться, — и думала о том, что метро, конечно, закрыто. Придется брать такси. Отец Глеб шел рядом, опережая на полшага, словно торопился уйти из лавры. Нога поехала неожиданно: по краю дорожки, изъезженный ногами семинаристов, тянулся ледяной язычок. Взмахнув руками, я вцепилась в своего спутника, и ноги, не находя твердой почвы, побежали на месте, оскользая. Потеряв равновесие, я упала ему под ноги. Высоко и хрипловато отец Глеб рассмеялся.

Водитель, подкативший к остановке, взял нас безропотно. Следя за дорогой, он фыркал и крутил головой: «Нагородили, черти! Ни пройти ни проехать», — круто забирая на повороте, он объезжал какой-то забор. Путаным маршрутом — мимо метро «Чернышевская», в объезд к Преображенскому собору, и снова по набережной — мы двигались к Кировскому мосту. Перемахнув через Неву, машина неслась вперед. У основания поперечного проспекта, на котором, видный издалека, стоял наш с Митей покинутый дом, висел знак объезда. В который раз чертыхнувшись, водитель завертел головой.

Фигуры, отбрасывающие длинные тени, стояли над ямой, вырытой поперек. Костер, разложенный на дне, плясал языками пламени. На расставленной треноге висел огромный котел. Белый пар клубился, подымаясь от варева. Дорожные рабочие, встав у огня, шевелили в котле баграми. Вынимая концы багров, они стряхивали распущенную смолу, пробуя на вязкость. Опять здесь чинили какие-то подземные трубы. Сладковатый запах проникал сквозь глухие стекла машины. Вдыхая сладкое, я вспомнила: в детстве, играя во дворе, мы жевали вар. Быстрая судорога прошла по деснам, словно я тянула зубы из вязкого. «Помните?» — сглотнув смоляную слюну, я обернулась к отцу Глебу.

«Вот *оно*, — его рот дернулся, — так и мы с тобой, так и *над нами*...» Красноватые огненные тени скользили по его лицу. «Со мной? Что — со мной?» — я переспросила, не понимая. «Видишь, как оно выходит, Бог указует», — под тяжестью неведомых грехов он вжимался в сиденье. Зубы, застрявшие в сладкой смоле, разомкнулись с трудом. Выбрав новый маршрут, водитель забирал влево. Опустив глаза, я ехала мимо дома, в котором, невидная из машины, пустовала никуда не исчезнувшая мастерская. «Нет, — я ответила, — нет, *надо мной* — другое». Отец Глеб усмехнулся и махнул рукой.

Муж уже спал. Измученный постовыми службами, он застонал, когда я заглянула, и, забормотав неразборчиво, ткнулся лицом в подушку. «Ну что ж, чайку?» — входя в привычную роль хозяйки, я приглашала гостя на кухню. За чаем мы разговаривали легко и свободно, словно новые роли, опробованные в маленькой комнате, несмотря ни на что, сблизили нас.

Сейчас я уже не вспомню, с чего *повернулся* разговор. Может быть, перебирая сегодняшний маршрут, я упомянула о мостах, по которым мы проезжали, но, скорее всего, никакого повода и не было, однако отец Глеб, внезапно ставший серьезным, заговорил о странности, которая, если и не бросается в глаза, то, во всяком случае, открывается внимательному взгляду. «Ты заметила, — он начал доверительным тоном, — большевики, менявшие старые названия, кое-что все же не тронули: Тучков мост, Апраксин двор... Когда-то давно, когда примеривался писать, я собирал материалы, у меня до сих пор — картотека, карточки, десятки ящиков по различным вопросам, все рассортировано по темам, хоть завтра — за диссертацию». Он говорил, все больше воодушевляясь, словно теперь, связанная исповедью, я стала для него *своей*.

Ссылаясь на материалы, накопленные в ящичках, он рассказывал о тайных ложах, о мировом заговоре, оказавшемся сильнее, долговечнее и выносливее всех кровавых катаклизмов. По его словам выходило так, будто революционные события явились следствием успешной и тайной деятельности всесильной организации, берущей начало в прошлом веке, подмятой и оседланной большевиками, но успешно мимикрировавшей в советские годы. Больше того, добившись частичного успеха — отец Глеб назвал его успехом на одной шестой части суши, — эта всесильная организация положила глаз на весь мир. «Коммунистическая партия?» — я спросила, недоумевая: с некоторой натяжкой деятельность КПСС прослеживалась от разночинцев. Отец Глеб покачал головой.

Бегло перечисляя дореволюционные названия, он продолжил свою мысль, вылавливая из множества улиц и мостов те, что остались непереименованными, и приводил им в соответствие фамилии виднейших закулисных деятелей, казалось бы, не имевших прямого отношения к большевикам. «Все это — хитрость и одна только видимость. На самом деле и *эти*, и большевики — заодно. Точнее говоря — *одно*». Произнеся название тайной организации, он покосился на дверь.

«О Господи», — я растерялась. За видимым миром вставал новый мираж — какая-то другая реальность, скрытая от посторонних глаз. Эту реальность мне предлагалось *различить*. Я молчала, собираясь с мыслями. Подслеповатая машинописная копия, чьи страницы разительно отличались от бахромчатых, встала перед глазами. Листая мысленно, я думала: там, внутри, присутствуя неявно, тоже крылось что-то такое, о чем говорит отец Глеб, как будто авторы, рассуждая вскользь и от противного, знали его доводы и, отвергая их, пытались предупредить меня. Я вспоминала медленно: да, все дело в подробностях, которых они старались избежать.

Эти подробности относились к дореволюционным временам. Оговорив заранее, они ограничивали свое повествование рамками *советского* века, и эта оговорка не была случайной. Сцепив кисти, я торопила медленную память. Если бы могла, я бы вышла в соседнюю комнату и принесла разложенные по порядку листы. Копии в доме не было: она вернулась в Митины руки. Торопливо, как перед экзаменом, я листала страницы, но на память приходили отдельные абзацы, как будто память становилась рассыпанной рукописью. «Как вы сказали? Тучков? — я пыталась восстановить пробелы. — И что, он — тоже? — Я помнила «обер-прокурора» ГПУ, безбожного большевистского куратора церкви. — Но он же...?» — «Нет, это — не тот, а впрочем, не знаю... Возможно, и из той же семьи, а может, из их крепостных. Так бывало. Они брали фамилии своих прежних помещиков. Наверняка не знает никто». По правде говоря, я удивилась: *собирающий ящиками*, уж он-то должен бы знать.

Снова я вспоминала деятелей церковного обновления, искала кем-то из них произнесенную фразу — в моих руках она могла стать соломинкой. Как в детской игре — холодно-горячо, — я приближалась к ней, уже понимая, что эта фраза содержится не в основном тексте — во вступлении. «Вы хотите сказать, что деятели церковного обновления, примыкавшие к радикалам, входили в *эту* тайную организацию?» — что-то мешало назвать ее прямо. «Всего вероятнее, — он откликнулся охотно. — Достаточно сравнить лозунги после 1905 года. У обновленцев они совершенно большевистские: масонские и революционные! Такие же, как у нынешних их последователей — церковных радикалов». — «Нынешних?» — я переспросила машинально, почему-то вспомнив ватных иподьяконов. «Конечно, — он подтвердил, — все эти якунины, львы регельсоны, — он называл их во множественном числе и с маленькой буквы, — нынешние обновленцы. Бунтари против церковной иерархии». — «Ах да!» — я засмеялась, потому что, наконец, вспомнила: *обновление — стачка попов, бунтующих против начальства.* Эту фразу произнес Антонин Грановский.

«Есть одна книга. Я читала давно, не помню ни авторов, ни названия, потому что мне она досталась в рукописи, без титульного листа...»

Он слушал заинтересованно и внимательно, словно рукопись, о которой я упомянула, могла стать еще одним свидетельством — ему в ящик. Складывая картотеку, он готовил себя к интеллектуальной деятельности, которая — я помнила слова Мити — становится таковой в единственном случае: если может повлиять на духовное будущее страны. «Там есть одна странность, я не могла уловить тогда, то есть чувствовала, но не могла объяснить. В этой книге *подробно* опровергаются слухи о том, что *ваш* патриарх Тихон был черносотенцем».

Вспоминая на ходу, я говорила о том, что, по свидетельству авторов, патриарх лишь *числился* почетным членом *Союза русского народа*, в каком-то отделении, кажется, в Вильно, но членство его, что подчеркивается особо, было формальным. «Мне еще тогда показалось странным, к чему такой напор? Ну числился и числился, мало ли кто и где числился, — я говорила легко и весело, словно шла по тающему следу, под которым, невидные под снегом, лежали трубы отопления. — Если же принять вашу логику, правда заключается в том, что в России нельзя *числиться* — только *принадлежать*. Либо к тем, либо к другим. Это значит, что анонимные авторы лукавят: в этом — *непоправимом* — разделении не существует невинных и незначащих формальностей. А главное, авторы отлично знают о своем лукавстве, а потому сильно пережимают в оправданиях».

Отец Глеб слушал внимательно, не перебивая. Высказав, я замолчала. Беспокойная мысль о каком-то противоречии, в которое я впадаю, шевельнулась в душе, и, сосредоточившись, я поняла: дело в таблице. В ней, в качестве допущения, содержалось аморфное множество живущих — уравновешивало значение основных граф. Теперь, говоря о невозможности числиться, я опровергала самое свойство аморфности, отказывала ему в существовании. Усмехнувшись, я поняла, что таблица распадается окончательно. Есть только две графы: гонимые и гонители. И это — единственно возможное разделение: полное, исчерпывающее и самодостаточное.

Теперь я видела то, о чем авторы упомянули вскользь, почти умолчали. *Большинство архиереев числились почетными членами Союза русского народа.* Я вспомнила и повторила дословно, как будто прочитала с листа. Лицо отца Глеба заострилось. «Вот оно — главное, понимаете, *не числились почетными, а были и остаются действительными*, потому что в союзах подобного рода нельзя, невозможно числиться».

«Ну и что? — он заговорил снова, как ни в чем не бывало. — Кто-то должен противостоять. Церковь — единственная сила, способная противостоять масонскому большевизму. Никто, кроме церкви, не обладает столь же развитой иерархической структурой, имеющей силы посрамить принципы *их* безбожного коммунистического централизма. Но человек слаб. Он не может пребывать в одиночестве, и именно церковь связывает людей в единое целое, захватывает глубинные пласты, до которых принцип партийного централизма не способен добраться по самой своей двуличной природе». Он говорил о том, что церковная вера формирует цельное сознание, борясь с бесовской раздвоенностью, закономерно поражающей атеистов, рожденных и воспитанных в преступной — точнее, управляемой преступной *кликой* — стране. Я слушала слова, которые он в отличие от меня легко сплетал в связное, они казались мне знакомыми: что-то похожее я уже слышала от Мити. Однако в устах отца Глеба они обретали иную природу. Его слова росли из чужого корня: именно из него — из века в век — рождались люди другого, чуждого мне помета.

«Большевики — преступники, но то, что вы говорите про эту вашу организацию, сомкнувшуюся с большевиками, — я начала медленно и твердо, — это — мракобесие, такое же гнусное, как действительное членство в *Союзе русского народа*, — я сказала главное и перевела дыхание. — Из этого членства может вырасти только мракобесие...» — сжатым кулаком я ударила по столу. Отец Глеб усмехнулся. «Мракобесие — это революционеры, атеисты и коммунисты: все и всяческие радикалы, кстати, и новые, нынешние: тот же Глеб Якунин. Они — носители раздвоенного сознания, и эта *раздвоенность* рождает единственно ненависть именно потому, что она противна христианской душе. Раздвоенный человек — человек больной и погибший».

Он сидел передо мною и говорил о боли, рвавшей меня изнутри. Холодно и отстраненно указывал путь к спасению — от имени церкви. На этом пути дозволялось забыть обо всех грехах: избавиться от них, как от болезней, отторгнуть от души. Однако не о милости Божьей, не о ежедневной молитве: сурово и прямо отец Глеб говорил о цене, которую требовалось заплатить за внутреннюю цельность. Ценой была жертва, и в эту жертву приносилось мое — раздвоенное — сознание. Именно таким, свободным от *всех*, даже нераскаянных грехов, он, готовясь к *интеллектуальной* деятельности, видел наше общее будущее.

У меня не было сил возразить. День, до краев наполненный исповедью, отнял последние силы. Отложившись от Мити, я пребывала в одиночестве, в котором слабый человек не может пребывать безнаказанно. Моим наказанием стала изменяющая память, иначе я бы вспомнила Митины слова: с такими, как он, надо расходиться *до процесса*.

«Теперь, после исповеди, ты должна причаститься», — словно расслышав, отец Глеб приказал твердым голосом, как будто речь шла о том, чтобы куда-то *вступить*. «Да», — я ответила тихо. Помимо воли мои губы сложились в покаянную гримаску. Обернувшись от двери, как оборачивалась Лилька, я обещала прийти к причастию завтра же — в храм. Обещала, зная, что не исполню.

Утром отец Глеб ушел первым. Муж проснулся поздно — я дождалась. Не упомянув об исповеди, я передала ночной разговор — во всех подробностях. Не особенно выбирая слова, я высказалась в том смысле, что отец Глеб — сущий мракобес, то, о чем он говорил, — ни в какие ворота, какая-то тайная организация: «Неужто всерьез? Это же — стыд. С такими взглядами нужно сидеть в берлоге и не высовываться, а может быть, он действительно в *Союзе русского народа*, и не он один, тогда вообще при чем здесь экуменизм?»

«Экуменизм действительно ни при чем, где Ерема, где Фома, — он поморщился заметно. — И вообще, какое тебе дело до его *личных* взглядов? Священник — не комиссар. Что бы он ни высказывал лично, главное — на нем благодать». Мучаясь и дергая щекой, муж говорил о том, что частные представления отца Глеба — это еще не точка зрения церкви, не хватало рядить в ризы *Союза* всех священников; сняв облачение, на кухне, каждый из них — частное лицо, вполне может заблуждаться и разделять самые дурацкие предубеждения.

«Даже антисемитские? Как ты думаешь, — я вспомнила о развенчанной таблице, — *эти предубеждения* среди вас разделяют многие?» Спрашивая, я думала о рядовых священниках, к которым, случись что, пойдут случайные люди. Уходя от прямого ответа, муж сказал, что общую политику церкви определяют иерархи. Конечно, здесь тоже идет своя борьба, но пока решающие посты занимают такие люди, как Никодим и Николай, экуменическому движению и диалогу церквей, в сущности, ничего не грозит. «Значит, если их отстранят?..» — «Перестань! Кто их отстранит? Да и вообще не все так гладко, как представляет себе *твой* Глеб, черт бы его побрал!»

Не скрывая раздражения, муж сослался на давнюю историю с иеромонахом Илиодором. Этот знаменитый в дореволюционное время иеромонах-черносотенец, антисемит и видный деятель *Союза русского народа*, особо приближенный к Распутину, ухитрился — уже после революции — стать ярым революционером и обновленцем. «Представь, явился в Царицын и объявил себя патриархом всея Руси и главой новой церкви, возносил славословия "красным славным орлам, выклевавшим глаза самодержавию", — муж засмеялся, — в общем, если следовать твоему отцу Глебу, стал форменным членом этой, как ее, всесильной и тайной организации». — «Ну и что?» — я спросила, не улавливая связи. «А то, что церковь от него отложилась и квалифицировала его деятельность как "илиодоровщину" и "царицынский раскол"». — «Значит, пока он дурил с Распутиным, антисемитствовал и членствовал в *Союзе*, это вроде бы еще и нормально... Но стоило ему...» — «Да ладно тебе! Ты всегда все вывернешь... Речь не об этом». Окончательно расстроенный, муж отправился в ванную.

Выйдя и успокоившись, он принялся рассуждать о том, что, в сущности, во взглядах отца Глеба нет ничего особенного. Если не впадать в крайности, в каком-то смысле у него много достойных предшественников, вот, например, Василий Розанов. Стесняясь, словно повторял чужие слова, муж рассуждал о традиционном противостоянии славянофилов и западников. «Кстати, в реальной истории между этими двумя направлениями не существовало непроницаемой стены. Тот же Розанов... А впрочем, — он засмеялся, возвращая себе свободу, — о чем я говорю! Действительно, дурит Глеб».

К причастию я не пошла. Вечером они вернулись вдвоем, и, обсуждая текущие академическое дела, отец Глеб не напоминал о моем вчерашнем обещании, видимо, признавал исповедь и причастие моим частным делом, в котором он, исполненный таинственной благодати, был избранным, но ничтожным, почти что безгласным посредником. Они говорили о близящейся Пасхе, о том, что владыка Николай задумал неслыханное: на Великий четверг совершить омовение ног — всем сослужащим. Заметив мое удивление, муж пояснил, что обычно этого не делают, но владыка, вообще склонный к некоторым нововведениям, собирается повелеть в алтарь тазик, воду и полотенце и, рассадив сослужащих в рядок, натурально обмыть им ноги — в память о том, как Христос, собравший учеников на Тайную вечерю, омыл им ноги, кстати, в согласии с давней иудейской традицией. Об этой традиции, которую ранние христиане переняли у евреев, муж сообщил с нажимом.

«Представляю, — не заметив нажима, отец Глеб крутил головой, — как они, сердешные, готовятся, запасаются цельными носками, без дыр. А этот-то, этот, — хохоча и не называя по имени, отец Глеб описал в воздухе дугу, изображающую раздутое брюхо, — небось уже портянки стирает!» Муж подхватил. Они смеялись, изобретая все новые подробности. Отсмеявшись, муж заговорил о том, что в Академию присылают нового студента. Американец, выходец из русской эмигрантской семьи, знать не знающий по-русски, хотя вроде бы именно в России этот Джозеф готовится принять монашество, но окончательно ничего не решено. Если решат, постригаться будет здесь, а потом вернется назад, в Америку. «Вот плоды экуменической деятельности владыки Никодима», — муж посмотрел на меня многозначительно. Я кивнула. Послушник-иностранец был и вправду делом неслыханным.

«Хорошо бы в монастыре, — муж протянул мечтательно, — глядишь, послали бы меня переводчиком, никогда не видел *настоящего* монастырского пострига». — «Может, еще и увидишь», — я сказала машинально, ничего не имея в виду, и в этот миг увидела его глаза. Они вспыхнули болью, словно, сболтнув лишнее, я нанесла удар. Тонкий огонек занялся в глазах отца Глеба. Он опустил их быстро — по-ангельски.

Экуменические ростки

Американец по-русски говорил. Он приехал недели через две и поразил всех невиданно длинными волосами, которые затягивал в пучок черной универсамовской резинкой. Позже, когда он зачастил к нам в гости (владыка ректор прикрепил к нему мужа), я о резинке спросила. Замявшись, Джозеф ответил, что с самого начала решил одеваться по-русски: «Так, как тут — у вас». Присмотревшись к хвостатым девицам, он приспособил черную, с картофельного пакета, и для пущего сходства с местными жителями приобрел сероватую кроличью шапку и зимнее пальто, отороченное коричневой цигейкой. Ловко подкручивая хвост совершенно девическим движением, он подсовывал длинные волосы под шапку и, туго перетянувшись пояском, подтягивал рясу так, чтобы длинные полы не торчали из-под пальто — тоже очень по-девичьи. Пальто он купил не по росту: длинные рукава свисали ниже кистей. Стесняясь, он пояснил, что выбрал такое специально, чтобы готовиться к монастырской жизни. Подготовка заключалась в том, чтобы скромно прятать кисти, рукав в рукав — на манер муфты. Скромный образ венчала крысиная походка: мелкими, скорыми шажками.

Псевдорусским камуфляжем он добился разве что повышенного внимания милиции: ошарашенные милиционеры приставали к нему на каждом шагу. В таких случаях он разыгрывал замысловатую сценку, прикидываясь то ли немым, то ли глухим, долго мычал и, дождавшись момента, когда стражи порядка окончательно теряли терпение, запускал руку в глубины зимнего пальто и победно извлекал американский паспорт. Дальше, по его словам, события развивались на диво однообразно: завидев шикарные корочки, милиционеры порскали в стороны, как тараканы. Особенное удовольствие ему доставляли посещения «Березки», в которой он исправно отоваривался.

«Там, во входе, всегда такой один человек... — Джозеф делал многозначительное лицо и косился на телефон. — Я пришел, вынимал валюта, покупил все покушать, еще книжки, подарки, — тут он скромно косился на принесенное, — и когда было время выходить, этот человек пойдет за мной и скажет *Ваши документы*, потому что я очень похож на русского, но я ему показал свой паспорт, и он исчез, яко тает воск от лице огня», — тут он счастливо смеялся. Сценка в дверях «Березки» повторялась регулярно, пока все, сменявшиеся на этом посту, не изучили Джозефа как облупленного.

В общем, образ русского монаха удался Джозефу на славу, однако, не останавливаясь на достигнутом, он решил взять себе и истинно русское имя. Довольно скоро все как один уже называли его отцом Иосифом. Сердобольные бабки, почитавшие его за страдальца, лишенного родины и семьи, а потому, понятно, голодающего, приносили ему из дому что Бог послал, особенно напирая на варенье. Для этого рода подношений Иосиф выработал особый ритуал: приняв пол-литровую баночку, он ловко втягивал ее в широкий рукав рясы, свободной рукой подхватывал у живота и маскировал в глубоких складках. Так, держась за живот, он и следовал в свою комнатку, где пристраивал очередную баночку в особый, замыкавшийся на ключ шкафчик. Эта стеснительность веселила семинаристов, в особенности выходцев из Западной Украины, получавших увесистые посылки с домашней колбасой. Духовитая колбаска становилась хорошим подспорьем в постные дни, когда в столовой подавали рыбное. Чесночный запах стлался по коридорам, выдавая меню плотных ночных трапез. С хлопцами не мог сладить никто. Все попытки классных воспитателей пресечь потребление скоромного встречали молчаливое, но стойкое сопротивление.

Одновременно с Иосифом, загодя готовившимся к постригу, в Академии появился отец Бернар — француз и иезуит.

Этот говорил по-русски безо всякого акцента, равно как и на дюжине других языков, включая мертвые, однако выглядел весьма живо и по-европейски изысканно. В Академии он читал курс истории европейских церквей и, по отзывам, блестяще. Однако, воспитанный в закрытом иезуитском колледже и приученный сызмальства, соблюдал осторожность, не поддерживал *лишних* разговоров, в беседах не повышал голоса, внимательно выслушивал собеседника, вежливо и полно отвечал на вопросы, но, отвечая, неизменно прикрывал рот ладонью: видимо, опасался сторонних слушателей, обученных — как в многосерийном фильме о советском разведчике — читать по губам.

Разница заключалась и в том, что, будучи сыном американской автокефальной церкви, Иосиф на службах присутствовал, отец же Бернар — никогда. Поговаривали, что время от времени он скрытно стоит в алтаре, но своими глазами этого никто не видел. Бабки отца Бернара не жалели, и варенья ему не перепадало. В общем, между иностранцами не прослеживалось ничего общего, кроме *главного*: муж говорил, что *такой* экуменической политикой владыки Никодима в Москве недовольны. Понимая по-своему, я не переспрашивала — кто. Значительно больше меня заинтересовала привычка Иосифа благочестиво крестить рот после зевка. Зевал он довольно часто, видимо, не высыпаясь, зевки получались широкими и сладкими, и каждый из них неизменно покрывался мелким, но истовым крестиком. Однажды муж, не удержавшись, поморщился. Заметив, Иосиф принялся горячо оправдываться, дескать, так он защищает себя от чертей, норовящих проскользнуть в душу через разинутый рот. На этом он стоял прочно, и никакие увещевания мужа — мол, суеверия и предубеждения — не могли его поколебать.

По правде говоря, Иосиф чувствовал себя одиноко. Его представления об СССР черпались из бабушкиных рассказов, относящихся к ее дореволюционному детству. Живой бабушкин опыт не вполне совпадал с поздними семидесятыми. Стараясь отгородиться от неприятного, привнесенного безбожной системой, он искал остатки прошлой России, восхищаясь духовностью и долготерпением русских старушек, отстаивавших длинные службы. Русскую же православную церковь считал чем-то вроде государства в государстве, не то чтобы совершенно независимого, но сохранившего основы духовной самостоятельности. Боюсь, что отец Бернар категорически не разделял этих представлений. Впрочем, ни с тем ни с другим мне не довелось поговорить откровенно, однако по разным причинам. Иезуит не допустил бы подобного разговора, что касается Иосифа, впоследствии принявшего постриг под именем отца Иова — на этом имени он настоял сам, — я бы и не стала, сочтя беседу бессмысленной. Однако и безо всяких откровенных разговоров, а лишь основываясь на коротких и веселых замечаниях мужа и отца Глеба, которыми они время от времени перебрасывались, и собственных наблюдениях, я составила представление об обоих *экуменических* иностранцах. Отец Иов представлялся мне живым, хоть и несколько утрированным образом навсегда ушедшего в прошлое русского монаха; отец же Бернар — хитрой иезуитской бестией, себе на уме, что, как ни странно, вызывало у меня теплые, почти что родственные чувства.

Однажды, когда речь снова зашла о его преувеличенной осторожности, я, неожиданно для себя, вдруг посетовала, что в Русской православной церкви — за всю ее долгую историю — не нашлось никого, кто создал бы такую секту, основанную на выпестованной с детства изощренной, стойкой и почти профессиональной двуличности: таким, как отец Бернар, было бы куда как легче противостоять безбожному государству, выходя из этого противостояния почти что без душевных потерь. Говоря так, я имела в виду нелепую —

в отношениях с *этим* государством — доверчивость обновленцев, по крайней мере лучших из них, слепо положившихся на обещание большевиков размежевать церковную и светскую власти. В этой доверчивости я видела одну из причин трагедии обновленческого раскола, приведшего в конечном счете к полному подавлению церкви. Впрочем, о подавлении я не посмела сказать прямо, отчасти потому, что, наблюдая за крепнущей деятельностью Никодима, искренне надеялась на то, что в скором времени все изменится.

Мысленно полистав распадающиеся книжные страницы, я, в известной степени полемизируя с отцом Глебом (его откровения о масонствующих радикалах не давали мне покоя), сказала: «Обновленцы поверили, потому что издавна привыкли верить царю: да-да, нет-нет... За отделение от государства церковь боролась давно, задолго до обновленцев, есть документы Предсоборного совещания; большевики взяли готовый лозунг: простейший и беспроигрышный — как *земля и воля*. Кстати, тогда, в начале двадцатых, им поверили не только обновленцы, многие, сам патриарх Тихон...» В глазах собеседников я увидела враждебность, словно, упомянув о первом канонически избранном патриархе, я перешла грань вежливости. Пожав плечами, я не стала развивать мысль, коротко закончив тем, что уж иезуиты-то... «У большевиков и козы бы такой не нашлось, чтобы их объехать!»

Теперь же я заговорила о том, что экуменическая деятельность владыки, судя по первым двум росткам (я имела в виду Иосифа и Бернара), кажется мне не вполне определившейся, сыроватой. «Совершенно разные, ничего общего, сплошное и окончательное разделение. Как можно полагаться и на того и на другого — одновременно? Вот уж воистину сидеть на двух стульях!» Наверное, я высказалась слишком резко. «Не знаю, — муж ответил задумчиво, — Никодиму виднее». — «Рано или поздно, — я перебила нетерпеливо, словно торопя приближение *экуменических* времен, — все равно выбирать придется. И это — важный выбор». Подперев кулаком щеку, я думала о том, что Иосиф, будь он выбран, привнесет плоховатый язык, суеверия и необоримую любовь к сладкому. Нет, еще кое-что: я вспомнила о простодушных удовольствиях, которые обеспечивает *неприкосновенный* паспорт, если сунуть его под нос глуповатому и трусливому *топтуну*. «С таким приданым далеко не уедешь», — я подвела итог про себя. Отец Бернар — хитрый, умный, осторожный — мог стать союзником владыки Никодима в таких предприятиях, какие Иосифу и не снились.

«Если бы выбирать мне, — отец Глеб прервал мои мысли, — я — за Иосифа». — «Почему?» Мне показалось, муж удивился. «Не люблю иезуитов, больно уж хитрые, — отец Глеб отрезал коротко, — а этот вообще шпион...» — он засмеялся. Муж пожал плечами. Шутка мне не понравилась.

Тем не менее Иосифа я опекала — принимала у себя и изредка навещала в Академии. После Пасхи, занятая институтскими делами, я как-то отдалилась от отца Глеба — мне казалось, к его немалому облегчению.

Безразмерные платья

Между тем институтские дела шли своим чередом: сдав экзамены, я поступила в очную аспирантуру. Этот шаг открывал новые перспективы: после защиты диссертации я надеялась получить ставку старшего преподавателя и упрочить свои позиции на кафедре. С каждым годом мне все больше нравилась преподавательская работа.

Аспирантура сблизила меня с Верочкой Елисеевой. Она приехала с Урала по целевой разнарядке, но, как выяснилось, с двоякой целью: во-первых, защититься, а во-вторых, выйти замуж за ленинградца и тем самым избежать возвращения в родной город. В этом направлении Верочка работала активно, частенько обращаясь ко мне за советами, видимо, как к особе замужней. Будучи порядочной провинциальной девицей, она никогда не знакомилась на улице. Наслушавшись *рассказов*, боялась попасть в дурную историю.

Однажды, еще зимой, как-то пришлось к слову, и я упомянула о том, где работает мой муж. Порасспросив, Вера вознамерилась попытать счастья. Ее первый пыл я охладила: большинство семинаристов — тоже приезжие, однако есть и ленинградцы — особенно в Академии.

«Учти, перед рукоположением будущий священник *обязан* жениться. Но все не так просто: выбрав невесту, он должен получить благословение ректора. И тут уж как ректор посмотрит — может и не дать». — «А по чему он судит?» Я ответила, что по общему благолепному облику и девической скромности. «Да ладно, не бойся, мужья получаются верные — не хуже военных. Во всяком случае, никаких разводов».

Об армейском постоянстве она была наслышана, а потому решительно распространила матримониальные помыслы на семинаристов. С этого все и началось, однако, мало-помалу прислушиваясь к духовным советам моего мужа (к нам в гости она приходила довольно часто), Верочка вознамерилась всерьез приобщиться к церковной жизни. Упорства и ответственности ей было не занимать. С тем же упорством, с каким просиживала над книгами, добиваясь целевой аспирантуры, она отстаивала службы, выбрав, по совету моего мужа, достойного духовника. Им стал отец Глеб. Новой духовной дочерью он мог гордиться. Не прошло и месяца, как она исповедалась и причастилась и уже поглядывала на меня осуждающе: как-то раз я проговорилась, что к причастию не хожу.

Я помню тот день. Накануне муж уехал в Ватикан с делегацией Отдела внешних церковных сношений — готовили будущую встречу владыки Никодима с Иоанном Павлом I. На этот раз предстояли предварительные собеседования, в которых муж должен был принять участие в качестве члена делегации и переводчика с православной стороны. Предстоящей встрече он особенно радовался: «Замеча-ательно! Уж бу-удет о чем поговорить! Поговоря-ят со знанием дела! — собирая чемодан, он повторял на все лады. — Свечку... свечку ГБ», — и обводил туловище широким жестом, не оставлявшим сомнений в способе использования упомянутой свечи.

Машина пришла засветло, и, проводив, я вознамерилась поспать, но часов в девять позвонил Иосиф — попросил разобрать с ним акафист: по-русски он и читал плоховато. В Академию я приехала после обеда и в вестибюле чуть не столкнулась с Верочкой: они беседовали с отцом Глебом. Поцеловав ему руку, она направилась к выходу. Заметив, отец Глеб окликнул меня.

Только теперь, встретившись с ним глазами, я вдруг пожалела, что мы давно не виделись. Он тоже смотрел на меня с радостью. Попеняв за то, что он совсем нас забыл, я, может быть, желая его порадовать, отметила, что под его благотворным влиянием Верочка стремительно воцерковляется. Легкое, почти неразличимое презрение тронуло его губы, и, опуская глаза, он ответил: «Это — простая задача». Вечером мы вышли вместе.

Кружа по улицам, мы беседовали мирно. Ни с того ни с сего отец Глеб заговорил о том, как он познакомился с женой. Знакомство нагадала цыганка: предсказала дальнюю дорогу и женитьбу, причем с подсказкой — избранницей станет воспитательница детского сада. В те годы его влекло к университетским девушкам, в общем, он не придал этому значения и совершенно забыл. По возвращении из Африки, где работал по контракту на советской биологической станции, будущий отец Глеб женился на воспитательнице средней группы. Он встретил ее в Александровском саду — в окружении детей. Странность заключалась в том, что и женясь, он ничего не вспомнил. И только тогда, когда в семейной жизни начались осложнения, о которых он упомянул туманно (то ли жена оказалась стойкой атеисткой, то ли противилась его переходу в Академию), отец Глеб вспомнил предсказание и нашел исчерпывающее объяснение. Неладно сложилось потому, что, обратившись к цыганке, он совершил непростительный грех волхвования.

«Ну, в конце концов, можно же и… разойтись», — я сказала сочувственно, словно забыв о его священстве. «Что ты, что ты, — он заговорил горячо и испуганно, как будто упомянув о недозволенном, я усугубляла его давний грех. — Священнику нет обратной дороги». Пожав плечами, я предложила монашество: «Вот как Иосиф — почетный выход и карьера». — «Монашество не для меня, слаб», — он произнес с гордостью, словно счел свою слабость украшением. Я засмеялась и предложила погреться в кафе.

«Странно… Мы с тобой гуляем — вот так», — грея руки о надколотую чашку, он глядел на меня помолодевшими глазами и, веселея, как будто жизнь становилась поправимой, рассказывал о том, что в этом преодолении есть особенная радость. Своеволие — страшный грех. «Бог сам знает, куда привести, Бог усмотрит». То прикладываясь ладонями к остывающей чашке, то делая маленький глоток, он говорил о том, что браки заключаются на небесах. «Ну разве что, — я подумала о своем, — церковные, вы ведь с Наташей венчались? А мы — нет», — сказала и подняла на него глаза. Взгляд отца Глеба метнулся, словно, упомянув о венчании, я поймала его за недозволенным. «Это — неважно, то есть важно, но — не главное», — отставляя остывшую чашку, он забормотал.

Согревшись, мы вышли на улицу. Майский вечерний холодок окружил мгновенно. Спускаясь в метро, я смотрела на пассажиров и почему-то думала о том, что каждый из них, доведись, может стать для него легкой задачей.

Мы уже подошли к платформе, когда неприглядная женщина, стоявшая рядом с нами, вдруг крикнула как-то коротко и сдавленно и упала навзничь — нам под ноги. Белая кашица, густая, как взбитое мыло, пенилась на ее губах. Плотно сжатые губы скривились в безумной улыбке, и утробный вой, вырвавшись из гортани, выгнул жесткое тело. Головой в пол, она билась и заглатывала пенные клочья, залеплявшие рот. Я смотрела, онемев. «Пошли отсюда», — тихий голос поднялся у самого уха. «Врача, — я забормотала, — надо что-то... врача...» — «Не надо, это — бесы, она встанет, это потому, что я... что мы с тобой... Вот — Бог указует», — отец Глеб смотрел сумрачно и тяжело.

Схватив за руку, он тянул меня назад, подальше от платформы. «Нам больше нельзя встречаться, — отец Глеб заговорил в пол, словно глаза еще видели воющее тело: оно глотало пенные клочья. — Нельзя встречаться, так, как сегодня, — тихо и настойчиво. Странный отблеск колебался в его зрачках. — Помнишь, тогда, когда мы ехали, тот костер поперек дороги, а теперь — это, женщина бесноватая... Ты понимаешь, что это — неслучайно?» — «Вам бы еще рот перекрестить, как Иосиф, — я откликнулась раздраженно. — Поехали. Так и будем здесь стоять?»

На платформе женщины не было. Я смотрела в черный тоннель. Оттуда, возвещая о себе широко забирающим воем, приближался сияющий поезд. Два горящих луча, выставленные как щупальцы, всплывали из глубины. «Посадки нет, просим пассажиров отойти от края платформы», — раздалось по громкой связи, и торопливая женщина, украшенная красной кокардой, побежала вдоль перрона. Добежав, она подняла знак. Так и не открыв две-

рей, поезд медленно тронулся с места. Он уходил в зияю-
щую тьму, откуда, как из-под копыт, летела горячая пыль.
Платформа наполнялась пассажирами. «Отойдем», —
отец Глеб огляделся тревожно.

Мы подошли к срединным эскалаторам и остановились
у скамеек. Я села. Оглянувшись, словно за нами могли следить, отец Глеб примостился рядом. «Понимаешь», — он начал снова, едва шевеля губами. Голос был тихим, я прислушивалась. Сквозь шорох чужих шагов, идущих своей дорогой, до меня доносились странные слова: «Мы с тобой
в разном положении, — отец Глеб замялся, сглатывая. —
Дело не в том, что, — он назвал имя мужа, — мой друг, дело
в том, что я... Я не имею права... Доверительность, которая
могла бы — между нами... Когда ты спрашиваешь, мне трудно солгать... Но мне нельзя, я — священник, для меня это —
погибель...» — «Какая доверительность? При чем здесь?..»
Отец Глеб молчал. Я думала о том, что его несусветная чушь
может означать только одно: все начинается заново. Сейчас,
как когда-то Митя, он попросит гарантий — ценой моей *вечной* гибели.

«Вы считаете, наша прогулка — грех?» — я спросила
надменно, и он сморщился. Гримаса вышла жалкой. «Нет,
конечно, нет... Но ты должна понять меня... к чему это может привести... Мне трудно лгать, потому что я... Последнее
время, ты не могла не заметить, я совсем перестал...
к вам», — он сбился и замолчал. «Ну что ж, мне понятно, —
холодная ярость поднималась в моем сердце, — *как* вы вос-
пользовались моей откровенностью. То-то, гляжу, венчаны — не венчаны... Значит, меня — в вавилонские блудни-
цы!» — я задохнулась. Теперь я понимала, к чему этот его
бегающий взгляд. «Неправда! — он перебил горестно. —
Ты — ни при чем. О тебе я не сказал ни одного дурного слова». — «Значит, дело в вас?» Он смотрел мимо меня. «Да,
дело во мне», — отец Глеб подтвердил.

«Если я правильно поняла, — я приступала нежно, — случись между нами история — это будет ваш грех? Я — не в счет: вы один попадете *в последний круг*, туда, где предатели и соблазнители?» — «Да, — он ответил горестно. — Если что-нибудь случится, этот *смертный* грех — мой». — «Вам не надо бояться, этого не будет, обещаю вам, я позабочусь». Он кивнул.

Словно уже чувствуя себя спасенным, отец Глеб заговорил о том, что, как бы то ни было, из моей жизни он не имеет права устраниться. Роль духовного отца накладывает определенные обязательства, от которых ему ни при каких обстоятельствах не пристало бежать. Если что-то и изменилось, эти изменения не касаются главного. Впредь я всегда могу на него рассчитывать.

Мы сидели на пустой скамейке. «Когда-то давно, много лет назад, — отец Глеб начал, как сказку, — у меня не было телефона, у *нее* тоже, и тогда мы оставляли записочки, прилепляли пластилином, в метро, к такой же скамейке, — он пошарил, нащупывая, как будто *она*, потерянная в прошлом, в последний миг успела налепить. — В таких углах камер нет, никто не заметит», — он объяснял воодушевленно. «Камер?» — я оглянулась, не понимая. Призрак полого омара, укрывавшего *телекран*, всплывал из глубины тоннеля. «Я обследовал внимательно, еще тогда, на разных станциях. В вестибюлях всегда камеры, записывают тех, кто вступает в контакты. Метро — объект усиленного наблюдения, скопление народа, удобно передавать и получать документы, — тихим голосом он рассказывал любовную историю, но облекал ее в безумные слова, как будто мы оба впали в детство, затевая игру в шпионов. — Я считал: на этой станции их — шесть. Но все расположены так, что угол не захватывается. Здесь — безопасно. Нас учили в университете, на военной кафедре, ГБ боится иностранных шпионов, увидят, что приклеиваем, раз-другой, и могут замести».

«Учили ловить?» — я не удержалась. Может быть, не расслышав, он пропустил вопрос мимо ушей.

«Если я тебе *понадоблюсь*, приклей сюда записку, я буду приходить иногда, раз в неделю, и проверять». Отец Глеб поднялся. Не прощаясь, он двинулся к эскалаторам, мешаясь с толпой. Я смотрела ему вслед. Мысль о том, что *нас* могут принять за иностранных шпионов, казалась смехотворной.

Теплый воздух метро шевелил мои волосы. Из глубины тянуло смолой и жженой резиной, словно там, в тоннеле, разрытом поперек, висел над распяленной треногой огромный котел. Вокруг него копошились рабочие, мешали растопленную жижу. Красные отблески пламени ходили по их черным лицам...

Следующий день прошел суматошно: две пары семинарских занятий, заседание кафедры, встреча с научным руководителем. Строго говоря, эта встреча была формальностью. Во главе нашей кафедры стоял сам ректор, однако, занятый административной работой, на кафедре он появлялся в редчайших случаях, передоверив руководство научной работой своему заместителю. По званию — к тому времени, защитившись *по совокупности*, Лавриков успел стать профессором — он обязан был иметь аспирантов. Каждый год на него записывали одного или одну с тем, чтобы фактическое руководство осуществлялось все тем же заместителем. Талантливый заместитель из года в год тянул двойную лямку, надеясь рано или поздно защититься и в свой черед получить профессорство. Этому, по понятным соображениям, Лавриков всячески противился. Ко времени моей аспирантуры Валентин Николаевич пережил две провальные защиты и готовился к третьей. Ректор снова обещал свою помощь.

В общем, один раз в году аспиранты должны были являться пред светлые очи и напоминать научному руководителю как о своем существовании, так и о теме диссертационного исследования. Справедливости ради надо признать, что мы встречали самый сердечный прием. Вышколенная секретарша, со второго раза узнававшая нас в лицо, просила подождать совсем немного, чтобы, выпустив очередного посетителя, широко распахнуть дверь и объявить на всю приемную: «Юрий Михайлович, к вам ваша аспирантка. Какой-то срочный вопрос по ее работе. Примете?» Из-за двери слышался снисходительный рокот, и влажный голос ректора, проходящий сквозь стены, приказывал немедленно впустить.

Я вошла в просторный кабинет и представилась по форме. Имя, фамилия, срок защиты, тема диссертационной работы. Ректор, сидевший за столом, поднялся мне навстречу: «Ну что, какие вопросы, сейчас все разрешим, — мимо меня он шел к широко распахнутой двери. Секретарша не спешила закрыть. — Садитесь, садитесь», — вернувшись на место, он приглашал радушно. Разложив записи, я коротко сообщила о ходе исследования, сформулировав два незначащих вопроса, на которые заранее знала ответы. Все *настоящие* мы обсуждали с Валентином Николаевичем. Задумавшись на секунду, ректор предложил мне обратить особое внимание на сбор и математическую обработку исходных данных, в процессе которой ответы на мои вопросы появятся непременно. Я поблагодарила и поднялась. Он шел за мной к двери. Распахивая и выпуская, ректор улыбался и наказывал явиться через неделю, когда необходимые данные будут собраны и обработаны. «Хорошо, Юрий Михайлович, обязательно, недели мне хватит, я вот как раз в следующую пятницу, если вы позволите», — я легко поддерживала эту взрослую игру. «Да, да, но не позже пятницы, в это же время, я буду ждать. Извините великодушно, — он обращался к ожидающим в очереди, — но аспиранты — наш почетный крест...»

По лестнице я спускалась с легким сердцем. Плановая встреча прошла без осложнений. Следующая — через год.

В гардеробе, надевая пальто, я вдруг вспомнила о Мите и, как будто взглянув на себя его глазами, ужаснулась собственной аморальности: игра, в которую я только что сыграла, не лезла ни в какие рамки. С отвращением я думала о своей будущей институтской карьере: на этом пути мне *всегда* придется играть в такие игры.

Вдоль витрин Гостиного Двора я шагала, не заглядывая. Легкость ушла из сердца, тяжелила шаги. «Как же я устала», — ежась, я думала о том, что так нельзя. Время от времени надо же и развлекаться, как все нормальные люди. Выходя из дверей универмага, они несли увесистые свертки.

В этот час очередей не было — дневной дефицит успели распродать. Сонные продавщицы стояли за прилавками. Может быть, они грезили о скорой вечерней свободе, которая наступала для них со звонком. По правую руку размещался отдел готового платья. Готовые платья я не покупала никогда. Не то чтобы заранее считала, что в этих отделах для меня нет ничего достойного. Так уж сложилось: то не было денег, то — времени стоять в очередях. В общем, если не считать заграничных подарков мужа, я носила то, что шила сама.

В отделе покупателей не было. Продавщицы, одетые в одинаковые халатики, стояли в стороне — стайкой. Платья, развешанные по размерам, жались бочком, на распялочках. Их было много — сто или двести, — во всяком случае, больше, чем сулил мне Митя по числу будущих, полных счастья, американских лет. В этом отделе счастья хватило бы на многих. Оглядевшись, я растерялась. Дело в том, что я не знала своего размера. То есть, конечно, знала, но европейский — шила по «Бурде».

«Простите, — я обратилась вежливо, — дело в том, что моя родственница из другого города, — для пущей достоверности я представила себе Верочку, — она попросила меня купить, но размера не написала, немного полнее меня...» Девушки не удивились. Оглядев, они предложили мне выбирать и мерить, потому что размеры-то проставлены, но никогда не скажешь заранее, чему они соответствуют. «Зависит от лекал», — объяснили туманно. Я удивилась. Европейские размеры ни от чего такого не зависели. Собирая мужа в дорогу, я писала на бумажке точные номера и давала описание: ткань, цвет, отделка, фасон. То, что он привозил, всегда подходило. Поблагодарив, я пошла вдоль рядов. Прикинув на глаз, вытянула из строя первое попавшееся. Загадочный номер стоял на ярлыке. Войдя в кабинку, я надела.

Странное существо глядело на меня из примерочного зеркала. Нелепый приземистый манекен, словно вырубленный топором, на котором, сморщенное кривыми складками, висело *безразмерное* платье. Девушка-продавщица заглянула, слегка отодвинув шторку. «Попробуйте поменьше и другой рост», — она посоветовала, оглядев равнодушно. Раз за разом я пробовала новые, каждый раз надеясь. Горестный манекен отступал на шаг и оглядывал с отвращением. «Ну как, не подобрали?» — продавщица обратилась устало. «Не знаю, как-то все, мне кажется, ей не понравится», — я отвечала, продолжая нелепую выдумку. «Она у вас из какого города?» Растерявшись, я назвала Верочкин. «Господи, да возьмите что попало, лишь бы не мало́, там у них... — она махнула рукой на всю огромную страну, — вы бы видели, что они здесь хватают», — продавщица говорила доверительно, осматривая мой женевский плащ. «Да, да, потом, в другой раз», — я кивнула и направилась к выходу.

Спустившись в метро, я дошла до скамейки. Развлечения не получилось. Ни с того ни с сего мне вспомнилась песенка про коричневую пуговку, которую мы распевали в детском саду: *а пуговки-то нету у левого кармана, и шиты не по-русски короткие штаны, а в глубине кармана патроны для нагана и карта укрепления советской стороны!* Злясь на себя, я думала о том, что и песенка, и Митины платья, и отец Бернар — *всё* ни при чем: из другой оперы. На этой стороне — всё не так, всё по-другому: шито по-русски. Те, кто стоит *за камерами*, совершенно правы: любой шпион, стоит ему зайти в Гостиный, легко преображается в местного. Они могут делать с ним все, что угодно, если, конечно, у него нет американского паспорта, как у Джозефа. Я вспомнила рассказы мужа о стилягах, ходивших по Невскому в узких брюках-дудочках, — их хватали прямо на улице, распарывали *западные* штаны. Демонстративно, у всех на глазах — никому не приходило в голову заступиться. Потому что прохожие не были аморфным множеством: в душе они стояли на *их* стороне.

Прежде чем занять должность ректора, Лавриков *ломал* людей. Когда-то давно муж говорил мне об этом. В те времена, когда *их* подручные распарывали штанины, мой научный руководитель работал в обкоме партии, надо полагать, курировал *одежную* борьбу. С тоской я думала о том, что на будущий год мне снова предстоит войти в высокую комнату, и он, назвавший нас своим *почетным крестом*, поднимется мне навстречу. Высокий ректорский кабинет, в который я входила бесправной аспиранткой, встал у меня перед глазами. Имя, фамилия, тема, срок защиты — снова мне придется представиться по всей форме. Я должна буду сделать это, если хочу *защититься*: у меня нет другого пути.

Я думала о том, что для них, стоящих *за камерами*, я, если дойдет до дела, стану легкой задачей. Как Верочка для отца Глеба.

Чтобы спастись, мне надо переодеться, напялить на себя *их* безразмерное платье, снести на помойку женевский плащ. Чтобы сбить их с толку, я должна стать как они, не знающие своего точного размера, потому что здесь так принято: всякий раз примерять на себя заново, надеясь, что не то, так другое придется впору.

Давние Митины слова: «Если этот народ желает излечиться, от таких, как я, он должен избавиться», — стучали в висках. Снова, как в тот памятный раз, мне хотелось зажать ладонями уши и отогнать от себя Митины слова. Никогда я больше не буду его слушать. Муж говорил: «Церковь защищает *своих*».

Распахнув сумку и оторвав клочок бумаги, я написала мелкими, совершенно шпионскими буквами: «Пожалуйста, позвоните мне». Написала и сложила так, как складывал Митя.

Пластилина не было. Пошарив, как шарил отец Глеб, наученный в университете, я нащупала чужой изжеванный шарик: шпионскую жвачку, налепленную на край. Преодолевая отвращение, размяла ее в пальцах и, приложив записку к изнанке скамьи, прилепила накрепко.

Пьяное помрачение

Он позвонил вечером на другой день. Его голос поднялся в трубке и, не дожидаясь объяснений, предложил встретиться тотчас же, но подальше от центра. Он сам назвал отдаленную станцию метро и, переждав мое растерянное молчание, объяснил: оттуда рукой подать до речного вокзала.

Когда я сошла с эскалатора, отец Глеб уже ожидал. С первых же слов все легко объяснилось. Сегодня он служил на правом берегу и, понимая, что время позднее — центральные кафе к девяти закрываются, не бродить же по городу, — вспомнил о неприглядном ресторанчике речного вокзала, который открыт круглосуточно. Пустой автобус подвез нас к причалу, и, радуясь своей предусмотрительности, отец Глеб указал на окна, горящие, несмотря на поздний час.

Поднявшись на пирс, мы прошли темными коридорами, такими низкими, что хотелось пригнуть голову, и вошли в просторную комнату, из окон которой открывался вид на Неву. В углу за едва освещенной стойкой скучал официант. Всюду были расставлены высокие столы без стульев; за колонной, убранной вьющимися растениями, похожими на порядком увядшие традесканции, пустовал единственный столик нормальной высоты, как бывает в булочных — для стариков и детей. Кроме нас, посетителей не было. Судя по темноте на пирсе, теплоходов уже не ожидалось, так что ресторан, открытый в этот час, оставался удобной данью традиции всех без исключения вокзалов.

Мы подошли к стойке. Меню отсутствовало. То, что нам предлагалось, было выставлено на витрине, являя собой жалкое зрелище. Селедка, обрамленная мелко нарубленным винегретом; сайра, вывернутая из консервных банок и обложенная ломтиками яиц; иссохшие шпроты, похожие на рыбных мумий. Ранние весенние мухи, подманенные запахом, кружили, не решаясь остановить свой выбор. Коротко обсудив, мы выбрали водку. Точнее, выбрала я, и отец Глеб кивнул.

Устроившись за низким столиком — не то старики, не то дети, — мы разлили по стаканам. Отец Глеб поднял, и, к своему удивлению, я обнаружила, что он совсем не умеет пить: держа стакан как надколотую кофейную чашку, подносил его к губам и, пригубив, отводил в сторону. Водка, разъедавшая губы, не помогала. Здесь, вдали от города, я чувствовала себя скованно. Впрочем, кажется, и он тоже. Ни один из нас не решался начать.

Сквозь широкие — во всю стену — стекла я видела дрожащие речные огни, похожие на язычки свечей. «Тихо, как в аквариуме. И некому биться в припадках». — «Разве что вот ему, от скуки. Видать, смертная», — отец Глеб подхватил вполголоса и кивнул на официанта. Мне показалось, что ему стыдно: скорее всего, он жалел о том, что случилось в метро. Я сделала глоток и отставила. Только теперь, почувствовав горечь, поняла, что голодна. В пустом желудке вспыхнуло. Водка кружила голову. То, ради чего я позвала, показалось необъяснимым.

«Со мной происходит странное, я никак не могу объяснить, но это так, как будто я чувствую себя шпионкой, чужой, никак не могу приспособиться, к этой... — я помедлила, не решаясь произнести, — стране». То касаясь губами горького стакана, то отставляя в сторону, я, словно мы не расстались, признавалась в том, что меня терзает жалость к Мите, но в то же время я никак не могу избавиться от мысли, что, уехав, он совершит предательство. «Предательство?» — отец Глеб переспросил удивленно. «Нет, конечно, не это — *советское*, — я заторопилась. — Мне кажется, что отъезд для него — смерть». Брови отца Глеба надломились.

Перескочив, я заговорила о Верочке, о том, как я ей, в сущности, завидую, потому что ей легко и покойно. «Но мне-то, мне что делать? Такие, как я, похожи, — я усмехнулась, — на царя Мидаса: все, к чему прикасаюсь, превращается в боль и горечь. Словно нет для меня простой человеческой радости. Проклятье какое-то!» — бросила в сердцах. «Что-нибудь в институте?» — он спросил вежливо. «Да, еще и это, будущая защита. Гадость». Отец Глеб слушал, не перебивая. В его глазах, утомленных долгой службой, стояла равнодушная усталость. «Скажите, может быть, мне — в монастырь? — я спросила тихо, как про себя. — Буду молиться и читать книги», — шероховатые бахромчатые обложки глядели на меня из-за монастырской стены. «Глупости! — он отверг быстро и раздраженно, словно только теперь, пробудившись от равнодушия, вступал в разговор. — В монастырь *уходят*, а не *бегут*. Кроме того, для этого нужны духовные силы. У тебя их нет. Ты просто не понимаешь: в монастырях — строгое послушание. *Таких*, как ты, — он выделил голосом, — самовольных и несмиренных, отправляют на скотный двор». — «Сечь?» — я уточняла. «Работать, — отец Глеб ответил угрюмо. — Прекрасное средство для таких барынек, как ты». — «Во-первых, я и сейчас работаю. В институте. А во-вторых, зачем? — я спросила, как будто уже стояла над кучей с вилами в руках. — Можно же что-то... более умелое, например в библиотеку...» — «Или прямиком в настоятельницы, — он откликнулся раздраженно. — В монастырь приходят другие, смиренные сердцем. Не чета тебе». — «Если бы Господь хотел, чтобы моя душа стала душой скотницы, с самого рождения Он поставил бы меня над навозной кучей. А теперь что ж — уже поздно. Теперь меня можно только *растоптать*».

«Знаешь, — отец Глеб опустил глаза. — То, что ты считаешь навозом, другие называют удобрением. На нем взрастают и наливаются колосья, полные живых зерен. Падая на тучную почву, эти зерна дают всходы. Но для этого они должны погибнуть. Просто пока что ты этого не понимаешь. В тебе не проснулась настоящая женщина, и все твои тяготы и страхи — дань затянувшейся бездетности. Надо родить, и все образуется: ребенок займет тебя всю. На метания не останется ни сил, ни времени. Уж я-то знаю».

«То, *как* вы говорите о материнстве, похоже на смерть». Господи, я думала, да если б могла, я давно родила бы: для Мити.

«Это — правда. Женщина — зерно, умирающее в детях. И так будет всегда». Холодный отсвет невских огней дрожал в его зрачках, словно глаза, повернутые вглубь, видели череду заживо истлевающих женщин, склоненных над колыбелями. Их жесткие пряди слабли, наливаясь сединой. «Ну хорошо, пусть так — с женщинами, — с отвращением

я отогнала видение, — а как же...» — «Мужчины? — он подхватил с готовностью. — Мужчины спасаются по-другому:
вопреки!» Белые речные огни всплывали с глазного дна,
загорались непонятным мне счастьем. «То, что вы называете спасением, жалко и убого, но это еще полбеды. Беда
в том, что вы надеетесь им управлять, — горький водочный
смех вскипал пузырями, лопался на моих губах. — Есть такой закон, для тех, кто управляет. Вам, конечно, простительно. У биологов это не входит в программу, а наши студенты сдают его на экзаменах, сейчас, — я махнула рукой,
пьянея, — я тоже его сдам. Вот: *любая управляющая сис-
тема должна быть сложнее управляемой,* иначе все
кончается крахом».

Сидя напротив, он клонил голову по-петушиному, словно готовился склюнуть меня, как зерно: «Это там, в науке.
В церкви все по-другому. Если и кончится крахом, то — для
тебя. Когда ты, по своей гордыне, окончательно отпадешь от
Православной церкви». Он отвел глаза. Слова, вылетевшие
воробьями, прыгали вверх и вниз по голым оплетьям траде-
сканций. Хмель проходил.

«Я позвала вас для того, чтобы спросить: в тот день, когда вы приходили в последний раз, у меня пропал мешок.
У стенки за холодильником. Вы случайно?..» — склонив голову, я качала стаканом. «Мешок, я... почему? Я ничего не
знаю...» — «Неважно, — я махнула рукой, снова пьянея, —
но, пока не найду, мне нельзя ни рожать, ни причащаться».
Неверной рукой я отставила стакан. Отец Глеб нахмурился.
Сетчатые белки наливались красноватым. Мне показалось,
он тоже порядком опьянел.

«Страшно не то, что вы чего-то не знаете, это бы
еще... — мой язык заплетался. — Страшно то, что вы-то как
раз думаете, будто знаете все... Ладно, — я поднялась и, зайдя за свой стул, взялась за спинку, — я расскажу вам, что
было в том мешке, и если вы угадаете, для кого я его соби-

рала, обещаю сгнить над колыбелью, как истинная и правильная... православная... Угадаете, даю слово — умереть». Шаткая спинка качнулась у меня под руками.

«Итак: пара меховых варежек, чай и кусковой сахар». Отец Глеб помолчал. «Ну, судя по всему, ты собрала передачу и понесешь в больницу... Нет, не в больницу, варежки... Значит, понесешь в тюрьму», — он махнул рукой в сторону, туда, где за Невой, невидный с темного пирса, лежал красноватый кирпичный крест, повернутый к небесам. «Нет, я сказала, нет — *холодно*», — и вернулась за детский столик. «Ладно, — отец Глеб произнес примирительно. — Сдаюсь».

«Мне надо что-нибудь съесть», — обернувшись, я поглядела на официанта. Ожив и выйдя из-за стойки, он приблизился: «Будете заказывать?» — он держал согнутую руку, покрытую белой салфеткой — как на перевязи, словно стоял передо мною с перебитой рукой. Ожидая заказ, подтянул повыше салфетку, заголив запястье. Синий размытый куполок, вытравленный на коже, мелькнул на мгновение. «Я не отгадал, может быть... Загадай свою загадку ему». — «Слушаю», — лицо официанта напряглось. «Скажите, у вас есть хлеб, просто хлеб, кусками?» — я думала о том, что ничего *здешнего* мне не проглотить. Кивнув, он вернулся к стойке и принес три куска. Я потянулась за сумочкой. Официант усмехнулся и махнул рукой.

«Ха, сейчас вспоминаю, однажды в университете мы с ребятами поспорили, кто сможет выхлебать тарелку крошеного хлеба, если залить водкой!» — отец Глеб покрутил головой. «Водкой или вином?» — я переспросила, косясь на горький остаток. «Водкой, водкой, представляешь, я один раскрошил, залил и выхлебал. С тех пор, вот, с трудом...» — он держал рюмку осторожно, опасаясь давнего воспоминания о юношеском бессмысленном подвиге. «А как же, когда остается от причастия, и вам приходится *потреблять*?» Он смотрел, не понимая. Странная, растерянная улыбка про-

Елена Чижова

ступила в его лице, когда, осознав и соединив, отец Глеб дернул шеей совершенно так же, как дергал муж. «Зачем ты, а вдруг *теперь*... Я не смогу?» — он спрашивал беспомощно. Память о хлебе, выхлебанном с водкой, ходила горлом, вверх-вниз по кадыку, укрытому бородой.

Трезвая, я бы смолчала, но теперь, слизнув горькие капли, я заглянула прямо в сетчатые глаза. «Есть кое-что, в чем я не призналась на исповеди». Отец Глеб молчал настороженно. «Возможно, вы и правы. Когда называете смерть жизнью, потому что *так* — для вас. Для меня — по-другому. Здесь, пока я все-таки здесь живу, полнота — многослойна. Я это знаю потому, что *слышу другие слова*». — «Другие?» — снова, как будто понимая меня, отец Глеб усмехнулся. В его усмешке просияла Митина ненависть — родовой признак гибнущего поколения. «Другие слова — это бесовщина», — он дернул шеей, словно принял окончательное решение — поставил диагноз. Протянув руку, я взяла хлебные ломти.

«Значит, бесовщина?» Всеми пальцами, держа руки над тарелкой, я рвала хлеб в клочья и, разорвав, полила водкой. Тошнотворный запах водочного крошева ударил в нос. Обернувшись к стойке, за которой стоял официант, носящий на себе травленую кожу, я спросила ложку. Он приблизился и протянул. Примерившись, я черпнула поглубже и, перемогая дыхание, пихнула в рот. Обжигающая похлебка опалила внутренности и потекла мелкой тлеющей дурнотой. Ложку за ложкой, почти не давясь, я носила и, не дыша, загоняла в желудок, как свиней — в клеть. Проглотив последнюю, я оттолкнула. Официант, наблюдавший из-за стойки, присвистнул коротко.

«Вот и хорошо... Теперь вы будете... Бесовщина, — перемогая отвращение, я облизывала ложку, — всегда... когда потреблять... будете помнить... нас. — Вспухший язык лез в горло. — ...Потому что нельзя — когда нет памяти, ни служить, ничего, *заново* не начинают, потому что, — смеясь, я грозила неверным пальцем, — в нашей стране нельзя как ни в чем не бывало... В рай... Грехи не пускают... Как это там, не мир, не мир — но меч...» Пьяный локоть соскользнул со стола.

«От дает девка! Веселая, твою мать! — официант пристукнул о стойку пустым стаканом, как каблуком. — Не каждый мужик... чтобы водку с хлебом! Ей-богу, в первый раз!» — он качал головой восхищенно. — «Ага! — я сказала громко, — потому что я — живая девка!» — «Пошли, пошли отсюда скорее», — отец Глеб тянул меня из-за стола. Я держалась за край, боясь отцепиться. «Не бывает — вы-бо-роч-но... вы... а все другие... черт бы вас...» — я бормотала несвязно.

Холодный речной ветер ударил в губы. Глубоко вдыхая, я держалась за поручень. Сознание возвращалось. Сквозь муть, ходившую в теле, я стыдилась своей пьяной выходки. «Ты понимаешь, что ты сейчас сделала?» — отец Глеб говорил нежно, словно утешая. Волны, подбивавшие пирс, росли за его спиной, как крылья. Деревянный настил ходил и качался, как пустые весы. С большим трудом я удерживала равновесие. Отец Глеб стоял на краю и глядел сияющими глазами, словно там, невидная в речном тумане, дрожала восторженной рябью необозримая толпа. К ней спиной я стояла, брошенная на суд и милость его лучезарных инквизиторских глаз. «Ты — ведьма, — он говорил с наслаждением, — то, что ты сделала — отказалась от *нашего* причастия, потому что такие, как ты, и причащаются по-другому: *наоборот.* Это — ваша *черная месса*».

Выпустив поручень, я отступала медленными шагами. «Толкнет, сбросит, не найдут, — короткие мысли, одна страшнее другой, бились и исчезали, падали на дно. — Сошел с ума, сумасшедший, надо во всем потакать... За этим и притащил сюда... На вокзал...»

«Черная месса, что значит черная месса, не понимаю...» — я бормотала, стараясь оттянуть время.

«Если сейчас он сделает шаг, только шаг... Я смогу», — содрогаясь от ужаса, я примеривалась, *как* столкну его с пирса.

Не двигаясь с места, он говорил, задыхаясь: «Ты... В тебе бушует гордыня. Каждый из нас отвечает только за себя. *Никто* не имеет права брать на себя чужую ношу. Только Бог, только Он знает, *что и на кого* возложить», — сиповатым голосом, звучащим как надтреснутая тарелка, он бормотал, не останавливаясь. Едва прислушиваясь к словам, я следила холодным внимательным глазом: только один шаг.

«А ты, ты должна думать о муже. Ты — жена. *Все* остальное — грех, — переложив дыхание, как штурвал, он мотнул головой за реку, где лежал, невидный в ночном тумане, вывернутый к небу кирпичный крест. — Иначе все кончится плохо. Так плохо — ты даже не можешь себе представить, но потом, когда оно кончится, не смей говорить, что я не предупреждал тебя, — глаза сияли вдаль, поверх, туда, где мелкой речной рябью дрожала покорная толпа. — Представь, ты видишь их двоих: мертвыми, *обоих*. И вот тогда, а я это знаю, ты бросишься к мужу, потому что Бог един, и Он соединяет. И на жизнь, и на смерть! — Рукой в небеса, сияя глазами, как звездами, он говорил о царстве смирения, в котором есть только Бог, только Бог и каждый из нас. — Нет ничего земного, в чем стóит, в чем можно соединиться. И в этом последнем единении нет никаких *других*. Перед лицом смерти для нас нет *иного* выхода. Ты должна покориться добровольно, потому что Бог терпелив, но терпение Его на исходе!» Вера, бившаяся в его надтреснутом голосе, терзала меня. Явственно и вдохновенно, словно время, висящее перекушенными проводами, срослось, как живой нерв, он прозревал мое будущее — видел стоявшей между двумя гробами: справа — муж, слева — Митя, — и, вглядываясь неотрывно, смотрел в самое сердце.

На пустом пирсе я отступила на последний шаг. «Вам, — я собралась с силами, стараясь говорить спокойно, — никогда не приходило в голову *все рассказать ему*?» Я не назвала мужа по имени, но отец Глеб понял.

«Нет, — он ответил тихо и твердо. — На это я не имею права. Тайна исповеди. Ни ему — о тебе, ни тебе — о нем». — «А если *дадут*?» — «Как это — *дадут*? Кто?» — вопросами на вопрос он отвечал мне почти беззвучно, забыв о восторженной толпе. Сейчас, покинутый всеми, он выглядел растерянным и беззащитным. «Зачем спрашивать? Вы же понимаете. Этому вас учили в университете, когда рассказывали весь этот бред про камеры. Или вы хотите уверить меня, что из вас, священников, — никто и никогда?» Отец Глеб молчал. Быстрая мысль взвилась и канула камнем: вот удобный случай, единственный, здесь, на пирсе, когда вокруг — никого... Если сделать сейчас — он никому не расскажет: *никому* и *никогда*.

Отец Глеб замер, словно расслышав. В его глазах поднимался понятливый страх, как будто не я — *другая* заступила ему дорогу — встала поперек.

Мы стояли друг против друга по разные стороны правды, и между нами, невидная и неслышная, разверзалась пропасть.

Я шагнула назад, цепенея. Настоящая, воскресающая из мертвых ненависть сводила мои руки. Потоки отворенной крови хлынули в сердце с шумом. Сквозь шум я слышала стон донных баржевых шлюзов. Отец Глеб дрогнул и скосил глаза. Содрогнувшись от несодеянного, я повернула голову. Бледное лицо официанта маячило в пустом окне. Травленой рукой он держался за поперечину и смотрел холодно и внимательно — издалека.

«Господи, господи, что ты? Что ты?..» Глаза, сиявшие толпе, оплывали свечами. Он сделал шаг и обнял меня: «Не надо, не надо, ты не должна, разве можно, этакое — на се-

бя... руки... Отчаяние — смертный грех, непоправимый...»
Не отпуская, словно я и вправду уходила вниз, под невскую
воду, он бормотал и держал изо всех сил. Помрачение уходило. Официант глядел на нас с усмешкой.

Высвободившись из его рук, я пошла вперед — к спуску.
Тихие шаги ложились на доски за моей спиной. Ступив на
твердую землю, я обернулась: «Вы неправильно меня поня-
ли. Не себя. Сейчас я чуть не убила *вас*», — я призналась
тихо и твердо.

Отец Глеб усмехнулся: «Значит — заслужил. На все Его
воля». Он смотрел на меня с нежностью. Усмешка сошла
с его губ.

* * *

На другой день я намеренно завела разговор о *постри-
жении* Иосифа, поинтересовалась — когда и где? Радостно
встрепенувшись, муж отвечал: в Почаевской лавре, в самое
ближайшее время, именно он назначен сопровождающим.
«Я тоже поеду». Мне показалось, он не удивился.

ЧАСТЬ III

...милости хочу, а не жертвы.

Мф 9:13

Почаев

В июле муж снова уехал в Ватикан — Отдел внешних церковных сношений продолжал готовить встречу владыки Никодима с папой. Судя по всему, встрече придавали особое значение: в телефонных разговорах с отцом Глебом муж употреблял слово *прорыв*. По некоторым замечаниям я понимала, что речь идет о сближении с Европой, точнее, о близкой победе той *линии*, с которой ортодоксальная церковная администрация связывала имя и усилия Никодима и его учеников. Ортодоксов эта линия не устраивала. Прежде до меня долетали глухие разговоры о том, что экуменическая политика Никодима могла восторжествовать и раньше, займи он патриарший престол по смерти Алексия. Теперь, прислушиваясь к телефонным беседам, я проникалась уверенностью в том, что Никодим и его линия казались враждебными не одним ортодоксам. В отношении владыки складывалось замысловато-враждебное триединство: к иерархам примыкал и Совет по делам религий, и церковные диссиденты. И те, и другие, и третьи имели к владыке собственные претензии. Но если претензии первых двух лагерей представлялись мне совершенно естественными (сильная, независимая личность, глядящая на Запад), враждебность

279

церковных диссидентов смешивала все мои представления, тем более что формулировки, вменяемые владыке в вину, охватывали все больше церковные темы, в которых я не была сильна.

Впрочем, некоторые из аргументов, на мой взгляд, звучали вполне резонно. В частности, те, которые затрагивали не столько общественно-политические, сколько догматические основы экуменизма. Экуменизм пытался вернуть церковную мысль к первохристианским идеалам, что само по себе вступало в противоречие с православными канонами, тщательная разработка которых пришлась на последние века. Диссиденты представляли дело так, что победа экуменизма означала бы отказ от собственной национально-церковной истории. По крайней мере, так я понимала их возражения. Пытаясь оценить общую картину, я не задавала прямых вопросов, полагаясь на смутные догадки: выходец из атеистической среды, Никодим умел быть по-современному изобретательным в общении с властями и начальством, а значит, диссидентам в нем должно было не хватать их собственной героической прямолинейности. Мое же отношение к владыке Никодиму, сложившееся под влиянием памятной проповеди и укрепившееся после личной, короткой, но незабываемой встречи, оставалось безоговорочно восхищенным. Здесь мы с мужем были заодно. Намеки отца Глеба о неканоничности некоторых установлений Никодима (раз или два он заговаривал об апокалиптическом сознании владыки, влиявшем на его решения) муж встречал гримаской недовольства.

После тягостной сцены на речном вокзале, которую про себя я называла помрачением и старалась не вспоминать, отец Глеб заходил к нам редко — от случая к случаю, и в его отсутствие наши отношения с мужем как будто выравнивались. Мне казалось, они теплели. Однажды, под настроение, муж рассказал мне по секрету, что Никодим практикует тайные рукоположения и постриги. «Зачем?» — я изумилась. Укорив меня в недогадливости, муж объяснил, что это делается на всякий случай. Под всяким случаем имелись в виду возможные гонения на церковь, которые владыка Никодим то ли прозревал, как прозревал временную победу смерти, то ли просчитывал, анализируя, на манер астронома, какие-то подспудные общественные *траектории*. «Выходит, он не полагается на легальных?» — так я подумала, но не сказала, потому что вслух вспомнила о его отце, секретаре обкома: готовясь к отступлению, партия оставляла в немецком тылу будущих руководителей партизанских отрядов, до поры до времени засекреченных. «Ну, это уж ты...» — мужу аналогия не понравилась. Заканчивая разговор, я спросила о Николае: неужели он *тоже*? Я имела в виду: не полагается на свое окружение?.. «Не знаю», — муж ответил коротко, как будто с обидой. Я поняла: этим владыка Николай с ним *не делится*.

* * *

В Червоноармейске львовский поезд стоит три минуты. Мы сошли на пустую платформу. Будка, выкрашенная зеленым, обозначала вокзал. Невдалеке, под сенью припорошенных глинистой пылью тополей, стояла серая «Волга». Водитель, одетый в холщовую рубаху навыпуск, запирал переднюю дверь. Скорым шагом он взбежал на платформу и почтительно вынул чемодан из руки мужа. Процессия двинулась к машине в следующем порядке: водитель с чемоданом, муж, мгновенно ставший торжественно-высокомерным, и мы с Иосифом в хвосте, волоча по тяжелой сумке. «Ты бы хоть мне помог», — покосившись на торжественный профиль, буркнула я вполголоса, так, чтобы не расслышал провожатый. «Здесь не принято», — муж откликнулся тихо и недовольно. Иосиф подобрался сбоку и потянулся к моей сумке. «Да ладно, — я не выпустила, — осталось-то... Хорошо, хоть не всё на меня». Мы подходили к машине. Начнись все иначе, я попросилась бы вперед, но теперь протиснулась на заднее, рядышком с Иосифом. Суетливо устроившись, Иосиф спрятал кисти в рукава.

Высокие деревья, шатром укрывавшие дорогу, не спасали от духоты. Машина прыгала на выдолбинах, словно утлая лодчонка — с волны на волну. «Тут недалёко, — утирая пот со лба, водитель пообещал мужу, — минуток за сорок». Муж кивнул милостиво. Мы выруливали с главной дороги на проселочную, по сторонам которой тянулись широкие исхоженные обочины. Над ними стояла мелкая глинистая пыль. По обочинам двигались люди, сам вид которых поразил меня.

Нескончаемой чередой ползли нищие, убогие и увечные. Не замечая машины, словно мы находились в ином — непроницаемом для них — измерении, они переставляли ноги, подпорки, костыли. Ползли культяпые, похожие на послевоенных рыночных инвалидов; шли молодайки, одетые в украинские кофты — вышитые крестом по горлу и рукавам. Слепец, одетый в лохмотья, которые в иных обстоятельствах можно было назвать живописными, опирался на мальчика, подставляющего терпеливое плечо. Под деревьями, немного в стороне, сидели группы паломников — кружком над расстеленными полотенцами. Словно и вправду набранные *Христа ради*, перед ними лежали краюшки хлеба и ломтики сала, яблоки, помидоры, огурцы. В присутствии водителя я не решалась спросить, а лишь смотрела пристально, не в силах избавиться от мысли, что эти люди проникли сюда из прошлого: их лица разительно отличались от наших, городских. Странное чувство смещенного времени тревожило меня. Нигде, кроме этих обочин, *такие* паломники не встречались. Их шествие виделось мне нарушением какого-то общего советского замысла.

Не объехав колдобину, наша лодчонка нырнула вниз. Водитель ударил по тормозам, заглушая их визгом яростный моторный рык. «Вот и приехали, — он бросил досадливо, вмиг превращаясь в самого обыкновенного шофера, — надо покопаться. Можете пока пройтись».

Я вышла на обочину и, стараясь не заглядываться на вечеряющих, пошла вперед, туда, где в просвете деревьев открывался цветочный луг — душно пахнущее разнотравье. Луг начинался пологим склоном, и, сойдя, я оглянулась, ожидая увидеть дорогу, заглохшую машину и паломников, идущих мимо как ни в чем не бывало. И люди, и пыльная дорога, и наша машина — все скрылось за пригорком. Истовое стрекотанье кузнечиков глушило далекий рев. Отсюда, со дна луговой долинки, открывались высокие купы деревьев, похожие — против солнца — на раскинутые шатровые купола. Раздвигая высокую траву, перевитую цветочными оплетьями, я двигалась осторожно и медленно, как будто входила в воду. Постепенно подымаясь, луг выстилал противоположный склон.

Золотой отсвет, похожий на диск восходящего солнца, медленно вставал передо мною. Достигнув гребня, я застыла, пораженная: из-за горизонта, словно с дальнего края поля, поднимались пять золотых куполов. Они висели, не касаясь земли, будто сами собой взошли над полем, поросшим желтым кукурузным будыльем. Я пошла вперед, раздвигая сухие стебли, и с каждым моим шагом купола вставали все выше и выше. Небесного цвета купольные барабаны уже показались из-за горизонта, и, в несколько шагов добежав до проторенной тропки, я увидела Никольский собор: голубовато-белые стены, купола, крытые золотом, колокольня, вставшая на отлете — всё дрожало в жарком предвечернем мареве, как мираж посреди пустыни. Я мотнула головой, но убедившись в том, что этот собор — наяву, вдруг поняла, к чему, пробираясь по исхоженным дорогам, стремятся убогие паломники. От этой пустынной станции, от зеленой вокзальной будки — все дороги вели к куполам. На каком-то повороте — каждому, по его глазам, — они открывались, вставая над полями, очерченными ровными каемками дальних лесополос.

Когда я вернулась, водитель уже справился. Ворча на тех, кто не может сделать нормальную дорогу, — машины, и те не выдерживают, отдали бы лучше монастырю, уж владыка Иаков навел бы порядок — он пробовал мотор. Я протиснулась на заднее сиденье и закрыла глаза. Золотой отсвет дрожал в моем сердце, когда машина, покружив по деревенским улицам, выехала на главную площадь. Над ней нависала высокая глухая стена. За стеной, в зелени деревьев, угадывались очертания собора, вблизи не так уж похожего на мой любимый Никольский.

Прямо перед стеной, на низком, словно вбитом в землю постаменте, стояла статуя Ленина, с ног до головы выкрашенного могильной серебрянкой. Вокруг постамента разбили подобие клумбы, утыканной редкими, иссохшими на солнце цветами. Ленинская фигурка была непропорционально коренастой, и это несоответствие пропорций — высокого, стройного собора и коренастого памятника — отдавало умышлением. Коротко я взглянула на мужа и поймала его восхищенный взгляд: «Прямо духовный *ликбез* какой-то, хоть атеистов води!» — он оглянулся на водителя. Водитель не понял. Его глаза, глядевшие ежедневно, не замечали очевидного. Зацепившись за *атеистов*, он указал рукой на высокие стенные ворота, за которыми открывалась выложенная булыжником дорога. Огороженная высокими стенами, она довольно круто шла вверх, и там, хорошо видные с площади, открывались другие ворота, проделанные в толще внутренней стены. «В хрущевские времена, — он плюнул в раскрытое окошко, — атеисты повадились: закрыть да закрыть лавру. Народ прослышал, стали противиться, — а народ тут аховый, что ни двор — обрез чи берданка, приберегли, еще с бендеровских... Вот и вышли, пошли к воротам, н-е-ет, не подумайте, без оружия, там, — он махнул рукой на дорогу, зажатую между высоких стен, — встали, много людей, со всей, как говорится, округи... Так *эти* машины свои подогнали — асиза... в общем, говновозки, — он сказал, стесняясь своей грубости, — *полные*, со шлангами, ох, и толстые кишки...» Водитель замолчал, словно смотрел в свое прошлое. «И что?» — я спросила, не веря догадке. «Ну что... мы полегли вповалку, там, на каменьях, *эти* включили... Ну... Всех — сверху донизу, вот вони-то!» — «А дальше?» — «Ничего, никто не встал, так и уехали. Больше не сунулись. Отстояли, значит, лавру... В общем, — безо всякого перехода он заговорил о насущном, — вы, — он повернулся к Иосифу, — в гостиницу к нам пожалуйте, а вам, батюшка, поелику вы с матушкой, в монастыре нельзя, завезу вас по адресу, вот, у меня указано». Муж покосился на меня недовольно. «Отвезите меня, пусть они оба — вместе», — я предложила нерешительно. «Этого не приказано. Владыка благословил, как в телеграмме: оба двое и, значит, один». Он полез в карман и, развернув листок, внимательно перечитал написанное, словно желал удостовериться, что нас действительно двое.

Дом, куда нас доставили, походил на обычный — украинский: беленые стены, широкая приступка под окнами, крашенные синькой распахнутые ставни. Хозяйка была предупреждена. Гостеприимно выйдя навстречу, она поздоровалась, пряча руки, и повела нас за собой — *в залу*. Взглянув на бугорок, выросший под ее фартуком, я вспомнила иосифову муфточку.

В просторной *зале* не жили. Салфетки, украшающие поверхности, лежали в крахмальной неподвижности. По полу, похожие на заново проторенные тропы, стлались ковровые дорожки. Искусственные цветы в разнокалиберных вазочках топорщились тут и там. Оглядевшись, я приметила слоников, выстроенных строго по ранжиру, и как-то сразу успокоилась. Дорожные впечатления оставили меня.

Пристроив чемодан, муж вышел на двор — проститься с водителем. Проводив его глазами, хозяйка вынула руки из-под фартука и заговорила деловито: «Вот, здесь... а там, за стенкой — кровать, спать будете с *чоловиком*, квиточки вот, соседка принесла, как узнала, что вы — аж из Ленинграда, сынок у нее там учится». Поперек стола раскинулся огромный букет. Головы георгинов лежали расслабленно, теряя последние силы. «Воды бы, вянут», — я подошла полюбоваться. «А! — она откликнулась равнодушно, выказывая безразличие к живым цветам, предпочитая им мертвые. — Та-а, забыла ж я. Под столом таз еще, *кулубника*. Може, покушаете с дороги», — также равнодушно. Обойдя стол, я заглянула: алюминиевый таз, доверху наполненный ягодами, стоял, приткнувшись к ножке.

Последний раз я ела клубнику в детстве: мама привозила в пол-литровых банках, разобранную и пересыпанную сахаром. Конечно, на базарах она продавалась, но я как-то не покупала: дорогое лакомство. «А вы в самом городе живете?» — хозяйка заговорила полушепотом, словно выведывала тайну. «Да, в городе», — если бы не клубника, я ответила бы честно: в новостройках. «В *большом доме*?» — она спрашивала настойчиво. Мое ленинградское ухо царапнуло сочетание. «В большом? — я переспросила удивленно, — почему?..» — «Ну, квартир много, комнаты, разные жильцы...» — она обвела рукой, как будто очерчивала границы *большого дома*. «Да, да, конечно, много парадных, даже не сосчитать», — поваленный небоскреб всплыл перед глазами. «Вот ужас-то! — она вздохнула тихо и восхищенно, видимо, пытаясь вообразить. — А квартир сколько?» — доверчиво, как ребенок, слушающий страшную сказку. «Больше тысячи». Хозяйка всплеснула руками. «А вы на поезде приехали?» — усталое лицо озарялось румянцем. Получив утвердительный ответ, она подошла к окну и, машинально поправив занавеску, призналась: «А я вот никогда не видела поезда, живого...» — «А как же вы, ну, если поехать?..» — теперь пришел мой черед удивляться. «Куда мне ездить! Разве в Тернополь, так туда на автобусе». Тыльной стороной ладони она провела по волосам, словно, выслушав сказку, возвращалась к обыденным заботам в свою совершенно взрослую жизнь.

Сидя над тазом, мы ели молча. Казалось, им не будет конца. Крупные слегка кислили, те, что помельче, наливались неправдоподобно детской сладостью. «Ты когда в последний раз?..» — я спросила с набитым ртом. «В Женеве, — муж ответил, подумав, — но там — не считается, там... Совсем не пахнут. Красивые, но какие-то мертвые», — словно и заграница, и тамошние лакомства оставались в ином — не сравнимом — измерении. «А я — в детстве», — за хвостик я вытягивала ягодку помельче.

Таская ягоду за ягодой, мы поглядывали друг на друга, и забытая, совершенно детская радость подымалась сквозь толщу взрослой, тяжкой и убывающей жизни — вставала со дна. Я рассказала о сегодняшнем видении, странном и почти неправдоподобном, как мираж, и муж, не забывая таскать ягоды, восхитился неведомым архитектором, *так* воплотившим свой замысел. «Это для тебя, когда ты уже видела и Исаакий, и Никольский, а представь, каково тем, кто шел из деревень, день за днем, на костылях, сбивая ноги, и вдруг, над полями — невиданное, в полнеба, растущее с каждым шагом. Жаль, что я не пошел с тобой, так, дурак, и простоял у машины...» В первый раз за последние годы он говорил так, словно купола, открывшиеся моему взору, становились и его куполами.

«Ну и ну, — он вздохнул, отдуваясь, — неужели целый таз слопали? — На дне, в лужицах красного сока, плавали пустые липкие черенки. — Глебу рассказать, не поверит!» С тоской я подумала о том, что здесь, вблизи явленной купольной радости, нет моих сил вспоминать о Глебе. Муж помянул его, и тень, стоявшая меж нами, упала на пустое дно.

* * *

Лаврские монашеские службы — не чета городским. К ранней, начинавшейся часов в семь, мы не поспевали. За нею следовала дневная — в десять, а позже — вечерняя, начинавшаяся как обычно — в шесть. Август месяц в Почаеве особенный. На Успение — лаврский престольный праздник — со всех концов стекаются богомольцы. Малую толику их шествия мы видели воочию — на дороге. Некоторые, наложив на себя послушание, шли сюда месяцами: надеялись, испив из источника Богородицы, обрести исцеление от всяческих скорбей, душевных и телесных. Говорили, что каждый год один, а то и несколько исцеленных оставляли в лавре свои костыли. Об этом мне сказала хозяйка, якобы видевшая своими глазами. Мне эти истории напомнили страницы школьных учебников, где толстые католические попы дурили народ подставными примерами чудесных исцелений. Не то чтобы я учебникам верила, однако — впрочем, наверное, не без их влияния — отнеслась к местным чудесам скептически.

Другое дело сами лаврские службы. Никакой городской собор не слышал такого пения. Спевшиеся монашеские хоры — унисонное пение здесь предпочитали многоголосному — производили на меня магическое впечатление. Забывая о времени, я выстаивала долгими часами, и душа, парившая в знаменном распеве, улетала в такие дали, в которые — по самой своей многоголосной изысканности никогда не возносится городской смешанный хор. Широкие женские голоса не взлетают выше купола. Отдавшись в купольном барабане, они возвращаются на землю, полные земных надежд.

Монашеский хор вступал тихо, словно на цыпочках. Истовые лица, от которых мне, стоявшей в сторонке, трудно было отвести глаза, полнились отрешенной решимостью. Слившиеся в одно, они медленно поднимались по ступеням, все выше и выше, с каждым «Тебе-е-е, Господи...» Эти ступени были видимыми и земными — постижимыми. Черные фигуры, превращенные в звуки, шли смиренно и торжественно, не торопясь, но и не мешкая. Стоя изо дня в день, я ждала момента, когда голоса, идущие строгими рядами, приблизятся к самому краю, за которым, скрытые жухлыми земными стволами, открываются небесные купола. Словно за спинами монахов, я поднималась по их ступеням, угадывая близкий край высокого гребня, за которым открывалось необозримое пространство — сразу же за последним земным шагом. На этом краю голоса собирались вместе, становились единой душой и, перехватывая дыхание от горла к горлу, делали последний шаг. По вере объединяющей, их единая душа шла и шла как бы над пропастью, и золотой отсвет, дрожавший у горизонта, касался ее первыми возгорающими лучами. Под золотым отсветом я вспоминала владыку Никодима и чувствовала горькое отчуждение: если он тоже видит это *золото*, почему страшится смерти?

В этот миг, в котором, казалось, соединялись все души предстоящих, в соборе начиналось невообразимое. Не выдерживая напряжения, женщины рыдали, некоторые падали в обморок. Их выносили быстро и деловито, и над народом, смыкающимся над опустевшими местами, поднимался жестокий и бессмысленный вой. Словно дикие звери, раненные и загнанные, мужскими безобразными голосами кричали бесноватые. Услышав в первый раз, я содрогнулась. Вой был таким немыслимым, что крик женщины, когда-то упавшей нам под ноги, казался его слабым подобием — приближением. Заметив мой ужас, муж сказал, что эти крики — к лучшему. Особое душевное напряжение, в котором пребывают участники монастырских богослужений, понуждает бесов проявиться. Само по себе это становится первым шагом к исцелению. Бесы рвутся наружу, заявляя о себе невыносимым воем. Многих, пораженных этим недугом, специально свозят сюда из дальних мест.

Бесноватых выводили, чтобы позже передать с рук на руки особым, умеющим *отчитывать* монахам, и служба шла дальше, но теперь как будто в обратном направлении, когда, отлетая от далекого света, душа нащупывает крутой, оставленный телом склон. Медленными шагами хор двигался вниз по ступеням, не торопясь и не медля — созвучно утихающему знаменному распеву.

Вечерами, гуляя по городку, больше похожему на деревню, мы удивлялись тому, что лаврская жизнь, которая, казалось бы, должна составлять самое средоточие их городской жизни, никогда не выплескивалась за стены лавры. На улицах не встречались ни слепцы, ни увечные. Все пришедшие издалека непостижимым образом селились так, что оставались невидимыми. При том что лаврская гостиница, куда муж регулярно ходил навестить Иосифа, кажется, паломников не принимала. По крайней мере, муж не встречал увечных и там. Поразмыслив, мы решили, что в эти жаркие августовские дни пришедшие уходят подальше в окрестные поля, где и ночуют под открытым небом, смиренно дожидаясь праздника Успения. По улицам городка ходили обыкновенные деревенские бабы. Те, что уезжали на автобусах в дальние деревни, тащили авоськи с мягким сероватым хлебом — кормить детей и коров. Ближе к вечеру, опускавшемуся по-южному рано, на главную улицу выходили стайки местных девушек, все как одна одетых в черные сапоги-чулки. Чудовищная жара, стоявшая тем августом, не мешала их решимости выглядеть модно.

Эту женщину мы видели много раз. Она всегда появлялась неожиданно, словно выходила на главную улицу из ближайшего переулка. Высокая и довольно молодая, лет тридцати, одетая в черное — до земли — платье, с головой, покрытой шляпой и убранной траурными кружевами вуали, она шла, ни на кого не оглядываясь, погруженная в свои мысли. Увидев в первый раз, мы с мужем переглянулись, недоумевая. В Ленинграде, пройди она по Невскому, никто не остался бы равнодушным. Здесь, на глинистой деревенской улице, ее явление не вызывало ни малейшего внимания: прохожие на нее попросту не смотрели, словно дама, наряженная в глубокий траур, была привычным и обыденным зрелищем. Не поднимая глаз, она проходила почти рядом с нами и так же быстро исчезала — в каком-то боковом повороте. Увидев раз-другой, я спросила хозяйку. Не выказав ни малейшего любопытства, та пожала плечами и перевела разговор на более насущное.

Помыв посуду, я мазала руки кремом: в жесткой воде они становились шершавыми. Стесняясь и пряча свои под фартук, она попросила у меня тюбик — попробовать и, робко смазав, спросила: «А где *это* берется?» Услышав ответ, она изумилась и столь же робко обратилась с просьбой — купить и на ее долю, если *это* можно найти в местном универмаге. «Конечно, там есть специальный отдел. Много разных кремов. Да вы можете и сами: выбрать и купить». Замахав руками, хозяйка ответила, что никогда на это не решится: «Стыд-то какой! Что я — девка молодая, кремы покупать! Увидит кто...» Я обещала. Тогда, словно бы в благодарность, она и рассказала про скит, отстоящий от Почаева километров на пять. «Там часовенка, а рядом сумасшедший дом, только *эти* кричат очень, если к воротам подходишь».

Позже, вечером, я спросила у мужа, и он объяснил, что скит этот — бывший. Раньше там жили схимники — старцы, принимающие дополнительный постриг, как смерть — заживо. На их клобуках вышиты белые черепа и кости, они даже спят в гробах. Скит отняли у монастыря в те же хрущевские времена. «Как странно», — снова услышав про Хрущева, я заговорила о том, о чем думала давно: многие верующие благословляют сталинские времена, потому что тогда открывали храмы, и проклинают хрущевские, когда храмы сотнями закрывались. «Сколько верующих сгноил, и ничего, это — за несколько открытых храмов — прощается. А Хрущев, наоборот, *выпускал*. За это многое должно проститься, но все равно не прощают». Муж сказал, что одно с другим не связано: и те и другие — преступная власть.

На следующий день я увидела *траурную* в церкви. Стройная, похожая на черную бабочку, залетевшую под здешние своды, она стояла в народе там, где минутой раньше ее не было. Этим утром церковь оставалась полупустой. Всюду зияли пустоты, сквозь которые она — как мне подумалось — могла *проникнуть*. Отвлекаясь от черной бабочки, я обернулась на крик.

По утрам рядом с центральными колоннами частенько отчитывали бесноватых. Их приводили сюда, пользуясь утренним малолюдством, чтобы после долгой, но все-таки небесконечной службы, *отчитать*. К ним выходил сухонький отец Мефодий, специально на это поставленный. Его глаза и голос имели над бесноватыми женщинами абсолютную власть. Их, вялых, обвисающих на руках, но как-то *изнутри* упирающихся, приводили и ставили к колоннам. Некоторые сразу сползали на пол — от полной расслабленности. Внутренняя — нечеловеческая напряженность поразительно сочеталась в них с телесным бессилием. Обычно таких набиралось человек пять, если считать стоящих и лежащих, к ним он и выходил, издалека заглядываясь внимательными и собранными глазами. По мере его приближения бесноватые начинали тревожно озираться, стараясь увести от него глаза. Он подходил тихо и непреклонно и начинал спокойным, но грозным голосом. С первыми же звуками женщины выгибались и вскрикивали, то пытаясь уползти, то взвывая совсем по-звериному. Его голос креп, и глаза, устремленные то на одну, то на другую, становились жесткими. В них занимался какой-то металлический сияющий отсвет, и, выворачивая шеи, как будто окривев, они выли и рвались из-под его простертой руки. Наступал миг, когда, испустив окончательный яростный вой, как испускают последнее дыхание, они откидывались назад, и мне, видевшей их глаза, становилось жутко: эти глаза оплывали свечами, как оплывают глаза только что умерших, и, подхваченные руками провожатых, женщины шли обратно на мягких ногах, совершенно смирившиеся и обессиленные.

Стараясь отвлечься от воя бесноватых, я снова взглянула на траурную. Она стояла молча, совершенно неподвижно. Вуаль, опущенная на лицо, не колебалась дыханием. Руки, спокойно сложенные на груди, были белыми и тонкими. Под черными кружевами не различалось глаз. Косясь, я приглядывалась, но, сколько ни смотрела, так и не увидела: ни разу она не разняла сложенных рук, не положила креста. Что-то отвлекло мое внимание, и, когда я повернулась, женщины больше не было. Место, на котором она стояла, оставалось пустым. Казалось, никто не решился встать в круг, очерченный подолом ее длинного черного платья.

Если не брать в расчет явление *черной бабочки*, которую за мертвенно белые руки мы с мужем прозвали *черной молью*, ничего необычного в городке не происходило. По вечерам, когда, распрощавшись с Иосифом — жизнь будущего монаха строилась по особым монастырским законам, — мы приходили со службы, хозяин норовил угостить нас самогонкой, хранившейся в трехлитровых банках и совершенно голубой на просвет. Прошедшая несколько перегонок, она хоть и отдавала сивухой, но не таила в себе будущей головной боли, чего не скажешь о местных государственных пол-литровках, томящихся на магазинных полках. В один из первых дней мы, ради знакомства с хозяином, купили одну. Продавец оглядел нас с любопытством и, стерев вековую пыль, протянул. *Этого* пойла наш хозяин выпил из вежливости.

Кажется, на второй неделе нашего пребывания в селе играли свадьбу — не то на двести, не то на триста гостей. Во дворе невесты установили шатры — на случай дождя, и наша хозяйка, возвратившись с поля пораньше, отправилась помогать. Невеста доводилась ей дальней родней. Ночью, засыпая, мы долго слышали отдаленные пьяные крики и звуки выстрелов: видимо, из тех же *бендеровских* берданок. Утром по селу шатались не вполне трезвые парни, наряженные на манер лесных братьев — в зеленые безрукавки. Вернувшись, хозяйка рассказала, что свадьба вышла хорошей, только начали поздно: молодые венчались в отдаленной — километров двести — церкви. «А что же не..?» — я махнула рукой на близкие маковки монастыря. «Что ты! Монастырь-то мужской — туточки не венчают».

По долгу службы муж частенько встречался с настоятелем, отцом Иаковом, кажется, обсуждая с ним Иосифов постриг, который по каким-то причинам решено было отложить до весны. До этих пор Иосиф будет жить и учиться в Ленинграде, чтобы все окончательно обдумать. В Ленинград мы должны были возвратиться втроем — сразу же после Успения.

Теперь, когда последние сроки начали проясняться, я стала задумываться о том, ради чего, собственно, и напросилась в поездку. Не то чтобы я совсем забыла обо всем по приезде, но волны новых впечатлений, катившиеся на меня с первого дня, отдаляли окончательное решение. Поглощенная новым опытом особенных монастырских служб, я словно бы плыла по течению. Эти новые впечатления поражали меня по-разному. Терпеливая вера паломников вызывала восхищение. Жестокая, но необходимая процедура *отчитывания* бесноватых — глубокий сочувственный трепет. Случалось и недоуменное раздражение: когда я сталкивалась с грубостью монахов. Только что не тычками они отгоняли женщин, пришедших напиться из чудотворного источника, но замешкавшихся у струи. Вообще говоря, здесь, в монастыре, отношение к женщинам было особенное: монахи обращались к ним на *ты* и всячески помыкали. Однажды я видела, как пожилая женщина подходит под благословение. Поцеловав руку, она обратилась с какой-то смиренной просьбой. Молодой монах отмахнулся и поворотился к ней задом. Я подумала: «Только что не ударил!» Она отошла также смиренно. Вечером, не удержавшись, я заговорила об этом, и, подумав, муж предположил, что эти деревенские бабы за тем и приходят, чтобы *смиряться*. Как-то залихватски он воскликнул: «Для баб — особый кайф!»

Днем, сделав дела по хозяйству, я ходила купаться на близкий ставок. Дорога шла немного в гору в сторону кукурузного поля, откуда, поднявшись на цыпочки, я впервые увидела встающие, как рассвет, купола. Накупавшись в одиночестве, я шла той же тропой обратно, петляя разнотравным лугом, и не могла отвести глаз от легкого силуэта колокольни, медленно вырастающего за полем. По мере приближения к городку и храм, и колокольня тонули в монастырской зелени, но этот долгий промежуток времени между первым промельком колокольного креста и его исчезновением на последнем повороте я всякий раз переживала заново — полным сердцем.

Однажды я подвернула ногу: неудачно ступила в ямку — кажется, коровий след. После дождя он остался на расползшейся в жидкую кашу глинистой дороге и намертво схватился под жесткими солнечными лучами, как гончарная заготовка в печи. Повертев ступней так и сяк, я похромала дальше и, словно бы увидев со стороны, подумала о себе как о новом увечном паломнике, ковыляющем к монастырю по обочине дороги. Вдали показалась машина, и, не различив на ее борту красного медицинского креста, я подняла руку. По коротким репликам врача и водителя я, уже сидя в микроавтобусе, поняла, что машина — дурдомовская. Высадив меня в городке, они уехали в скит.

Эта прогулка была единственной неудачей, впрочем, скоро забывшейся: уже к вечеру нога совершенно прошла.

Обычно же долгая дорога давала простор для размышлений. Я шла и думала о том, что странная жизнь, в которую я окунулась, чем дальше, тем больше кажется мне естественным, примиряющим выходом из прежних противоречий. В этой жизни обнаруживалась гармония несоединимого: ее первым приближением мне виделось сочетание монастырской стены с приземистой, крытой серебрянкой статуей, на которую никто не обращал внимания. Снова, словно в руках моих двигался холодный стержень, я нанизывала на него странности, немыслимые вне этого городка. *Черная моль*, носившая вечный траур по дореволюционному прошлому (мне казалось, что в Гражданскую у нее погиб жених-офицер), стояла в паре с моей хозяйкой, ни разу в жизни не видевшей паровоза. Шествие увечных двигалось рядом с невидимой для них машиной, а жесткая процедура *отчитывания* сочеталась с успешной хозяйственной деятельностью владыки Иакова. Вспоминая наш первый вечер над тазом детского лакомства, я проникалась каким-то чувством успокоенной примиренности, как будто во мне первой весенней почкой набухала надежда на скорое *духовное выздоровление*. Оглядываясь на себя, ту, какой была до Почаева, я ужасалась своим прежним помрачениям. Мне казалось, что в этом пространстве, которое отстояли неведомые верующие, легшие — вместо меня — под вонючие струи *говновозки*, время излечивалось от глубоких трещин, которыми иссекла его не подвластная глазам отца Мефодия безумная власть.

С легким сердцем я уходила под стены монастыря и, подыскав укромный уголок, предавалась воспоминаниям о своих прежних — книжных — фантазиях. Чувствуя близость надежных монастырских стен, я думала о бахромчатых книгах, написанных в эмиграции, которых — в своем недавнем помраченном прошлом — мнила едва ли не собственными детьми. Теперь, успокаиваясь, я думала, что, *уже* написанные, они никак не могут стать моими, и образы их отцов-монахов, выходящих мне навстречу за свои — эмигрантские — стены, становились размытыми и неясными: надуманными. Новые мысли рождались в моем сердце. Я мечтала о том, чтобы самой дать жизнь новому — книжному — младенцу. Мне казалось, то, что я должна была написать, уже зачинается в моем чреве каким-то бестелесным образом — как бестелесный и унисонный знаменный распев. Словно замерев на первой, самой нижней ступени, я слушала зыбкие звуки, дрожавшие в моем сознании, и чаяла миг, когда, оторвавшись от края гребня, но выровняв полет, моя душа начнет подниматься все выше и выше — с каждым заново рождаемым словом.

Однажды вечером, прогуливаясь по обыкновению, мы заговорили о прошлом Почаевской лавры, и муж сказал, что до войны она была униатской. О вражде православных с униатами я слышала и раньше. Из-за них православная церковь враждовала и с католиками, а сами они издавна держали оборону с трех сторон, терпя то от немцев, то от православной церкви, то от советской власти. В последние десятилетия Почаевская лавра считалась православной, но что-то едва заметное выдавало униатские соблазны ее насельников. Одним глазом здешнее монашество заглядывалось на Польшу: вводило католические элементы в православный обряд. Выслушав, я предположила, что Польша — предлог, по сути дела, униатство заглядывается на Запад. Этого муж не поддержал, но на следующий день я вдруг представила себе лавру каким-то средневековым университетом, расположенным вблизи границы с Европой.

Все решилось неожиданно. Дня за три до Успения я пришла в собор пораньше, примерно за полчаса до вечерней службы. Сквозь высокие стрельчатые окна, глядящие в монастырский двор, лился солнечный свет. Длинный луч, похожий на соломинку, выпавшую из снопа, достиг солеи и уткнулся в каменную ступень. В глубине, едва не касаясь колонны согбенной спиной, сидел дряхлый монах. Обеими руками он упирался в простую сучковатую палку, похожую на лесной посох. Кажется, он был глуховат, а может быть, прихожане, подходящие к нему один за одним, говорили слишком тихо — кто же станет кричать про свои грехи? — и старик, внимательно прислушиваясь, переспрашивал высоким и свежим голосом: «Что говоришь? Что?» Тембр голоса не вязался с дряхлостью. Исповедующийся повторял, и, покивав, старец отпускал с миром. Не решаясь повернуться к старцу спиной, они отходили, пятясь и кланяясь.

Череда двигалась быстро, и, поглядывая на луч, уползающий с солеи, я вдруг решилась и подошла — последней. Подняв на меня детские голубые глаза, старец пожевал губами и, не дождавшись моих слов, обратился сам: «Баба или девка?» — он спросил строго и громко. Я молчала, пораженная. «Замужем?» — приложив ладонь к уху, он ждал ответа. На этот раз я кивнула. «Венчанные?» — он спрашивал, опираясь на посох. «Нет, мы еще, дело в том...» — я забормотала, пытаясь объяснить то, чему и сама не находила объяснения. Под жалкий лепет он подымался с низкого стула. Сутулая спина не давала ему распрямиться, но рука, оторвавшись от посоха, вознеслась и простерлась: «Прелюбодейка! Прелюбодейка! Ведьма! Вон!» — посохом он бил в каменный пол. Под моими ногами, отступающими шаг за шагом, пол качался — ходил ходуном. Голос, поднимавшийся к небу, отдавался в купольном барабане, и тусклый барабанный бой стучал в моих висках.

Цепляясь за стену, я добралась до дверей и медленно опустилась на ступени паперти. Черный воздух, словно уже наступила ночь, дрожал перед моими глазами. Чернота заливала двор, деревья и толпу прихожан, ожидавших в отдалении. Привыкнув к тьме, я смотрела, как из дальнего угла — со стороны монастырской трапезной — выходят черные пары и идут в мою сторону — к храмовым дверям. Их выход был безмолвным и торжественным. Впереди ступал владыка

298

Иаков, не имеющий пары, а за ним, приотстав на полшага, двигалась братия. Ветер раздувал их облачения парусами, и на мгновение мне показалось, что вся процессия дрожит над землей, силясь взлететь. Оттолкнув ладонями ступени, я поднялась с трудом и пошла по пустой пыльной площади — наперерез. Ропот, похожий на порыв ветра, поднялся в толпе и опал сам собою, когда, замерев посередине, я преградила ему дорогу — лицом к лицу. Случись это теперь, когда иерархи ходят с охраной, охрана пристрелила бы меня.

Процессия встала. Скорее удивленно, чем испуганно, отец Иаков смотрел, ожидая. «Мне нужно поговорить с вами», — я сказала пустым и твердым голосом, совладав с собою. «Слухаю», — он произнес тихо и покойно, зачем-то по-украински. «Нет, — я сказала, — нет, пусть они *все* отойдут». Помедлив, он махнул, не обернувшись. По мановению его руки черные пары взялись с места и отступили, не нарушив строя. Мертвая тишина, словно меня уже пристрелили, стояла над монастырским двором, когда я заговорила прямо, не подбирая слов. Я говорила о том, что приехала из Ленинграда, там — совершенно иная жизнь, если венчаешься — сообщают *куда следует*, от своих грехов я не отрекаюсь, но не позволю, чтобы на меня так кричали — прелюбодейка! — как этот *ваш старик*.

Он думал. Черная пелена сходила с моих глаз, когда я смотрела и видела, *как* он думает. «И что вы хотите?» — отец Иаков спросил по-русски, будничным голосом, как спрашивают по хозяйству. «Он оскорбил меня, вы за него отвечаете, значит, вы должны... повенчать». Оно сказалось само, помимо меня, вылилось как вода, нашло самый простой выход. «Это мужской монастырь, здесь — не венчают», — он произнес строгие хозяйские слова. «Но оскорбляют...» — я стояла на своем. «Ты... вы, вы приехали с мужем?» По его прищуру я поняла: сообразил.

«Хорошо, — он заговорил тихо, — то, о чем вы сказали, — нарушение. Чтобы исправить, мы снова нарушим. Завтра, в семь утра, в подземной церкви. Ни одна душа не должна знать». Кивнув, он прошел мимо, оставив меня посреди выжженного солнцем пространства.

Процессия вошла в храм, но народ и не думал расходиться. Тысячью глаз они смотрели, как я иду обратно, ступая по пыльной площади, словно, достигнув последней ступени, возвращаюсь назад, нащупывая крутой склон.

С отцом Иаковом мы больше не встречались. Через год, когда муж повез в Почаев Иосифа, отец Иаков вспомнил обо мне и передал золотой крестик. Еще через год до меня дошли слухи, что он умер насильственной смертью. Сумасшедший, сбежавший из скита, пробил ему голову топором. Его нашли на земле, уже истекшим кровью. Когда я думаю об этом, я вспоминаю пыльную площадь, черные фигуры и голос, говорящий о том, что, исправляя, можно нарушить.

Муж смотрел на меня с ужасом. Возвратившись, я коротко передала случившееся и, не вдаваясь в подробности, сообщила, что уже переговорила с владыкой настоятелем, нас венчают завтра, в подземной церкви, в семь часов утра. Он сидел оглушенный.

Всю ночь я слышала шаги за стеной. Кажется, муж так и не лег.

Утром мы поднялись до рассвета. Серый туман, похожий на низкие тучи, стлался над огородом. Протянув руку, я шевелила пальцами, щупала мокрые клочки. Влажная взвесь обволакивала меня. К половине седьмого туман еще не рассеялся. Ежась, мы шли вдоль заборов, торопясь к дальним воротам, откуда, незаметная с площади, открывалась узкая каменная лестница. Лицо мужа было бледным и потерянным.

На верхней ступени лестницы стоял молодой послушник, лет двадцати. Выслушав наше приветствие, он кивнул безмолвно и указал на свое горло.

Спустившись каменным коридором, мы оказались в маленькой комнате, заставленной по углам коваными сундуками. Тусклая электрическая лампочка проливала слабый свет. Открылась боковая дверь, и вошел незнакомый старец, облаченный в фелонь. Подойдя к нам, он поздоровался приветливо и бросил короткое приказание. Безмолвный послушник исчез в боковой двери. «Кольца есть?» Получив отрицательный ответ, он двинулся к сундуку. С трудом приподняв крышку, достал круглое блюдо: «Выбирайте», — и вышел из комнаты.

Словно крупными ягодами, блюдо полнилось перстнями. Перстни были старинными — королевскими. Отливая тусклым золотом, они горели всеми камнями. Робко протянув руку, я коснулась крупно ограненного изумруда. Закрепленный на вогнутой площадке, он бросал зеленоватый отсвет на мелкие соседние камушки. Надев на палец, я поразилась величине: перстень закрывал целую фалангу. Муж тоже выбрал — с рубином. Священник вошел неслышно, как будто, стоя за дверью, только и ожидал, когда мы выберем. «Следуйте за мной. Сейчас подойдут послушники, подержат венцы. Никто не должен знать», — он повторил предупреждение. «А они?» — я спросила, имея в виду послушников. «Эти не скажут, молчальники, дали обет — на пять годов», — он объяснил буднично, словно пятилетний обет молчания был делом обыкновенным.

Послушники возвратились с венцами. Все время, пока мы с мужем стояли у аналоя, они держали их над нашими головами. Идя против солнца, я видела, как, поспевая следом, послушники не поднимают глаз. Обряд показался мне коротким. Сложив книгу, священник предложил целоваться. Мы обернулись друг к другу и ткнулись щеками неуклюже. Я вспомнила фильм «Метель»: поцеловав *другого*, невеста упала в обморок.

Священник отпустил послушников и удалился в алтарь. Я сняла кольцо с пальца и держала на ладони. Он вышел и, приблизившись, передал разрешение отца Иакова: «Если *хотите*, *можете* забрать с собой». Тихий голос выделил *оба* слова, и, покачав головой, я отказалась. Ни слова не говоря, он забрал и положил на поднос. Тяжелая крышка поднялась снова, и обручальные кольца опустились на самое дно.

«Вы хотели исповедаться? — священник подошел и осведомился, словно исполнял чужую, подробно высказанную волю. — Пойдемте», — и повел меня к двери, за которой скрылись немые послушники. В смежной комнатке он прочел молитву и приступил. Еще много лет, вспоминая свою последнюю — монастырскую — исповедь, я задавалась вопросом: что же такое он прочел в моих глазах, если первое и единственное, что было с меня спрошено, объединяло чтение и воровство?

«Не случалось ли так, что ты взяла почитать чужую книгу, а в ней — бумажка, три рубля... книгу вернула, а деньги оставила себе?» Добросовестно я старалась припомнить, представляя себе зеленую бумажку, заложенную между страниц. Она рябила в глазах, отвлекая от главного. Случись нечто подобное в действительности, но, положим, с пятирублевкой, я вряд ли сумела бы вспомнить. «Нет, — я ответила честно, — нет, никогда». — «Хорошо», — он отвел глаза, приказал склонить голову и прочел разрешительную молитву.

Причастилась я на Успение. По дорогам, ведущим к городу, шли и шли паломники, сумевшие подгадать к самому празднику. Стоя на кукурузном холме, с которого в первый день увидела купола, я смотрела, как, подходя издалека, они крестятся на высокую колокольню. Мои глаза различали стариковские лица, заросшие комковатыми бородами, белые бабьи платки, похожие на банные, и живые лица мальчишек-подростков, взятых с собой в помощники и поводыри. Звуки баяна, певшего в инвалидных пальцах, стояли в моих ушах. Издалека они казались тонкими и прерывистыми — визгливыми.

Утренний храм был полон до отказа. Никогда, ни раньше, ни позже, я не знала такой мучительной полноты. То здесь, то там взлетали женские придушенные возгласы. Женщины стояли впритирку, касаясь друг дружки распаренными телами. Жар струился сквозь кофты, стоял под складками юбок. Уголками белых платков женщины стирали пот со лба и губ, и белые тряпичные концы становились мокрыми. Лица мужчин, одетых в шерстяные костюмы, покрывались торжественным багрянцем. Дёготный запах сапог, привычных к дорожным обочинам, мешался с духом распаренных бормочущих ртов.

Ближе к концу литургии, перед самым причастием, в собор внесли младенцев, и тягостный детский плач повис над толпой. Причастники пошли вперёд на исходе третьего часа, и плач младенцев смешался с криками детей постарше. Некоторые пытались вырваться и оглашали своды храма отчаянным рёвом. Другие шли к причастию, послушно складывая ручки, и, проглотив частицу, теснились у стола с тепловатой запивкой. За детьми настал черёд взрослых.

Дожидаясь своей очереди, я смотрела на лица отходивших, по которым, стирая усталость, пробегала гримаса сосредоточенной радости. Не расцепляя рук, сложенных на груди, причастники сливались с народом. Далёкий монашеский хор лился тихо и слаженно: «К телу Христову приди-и-те, источника бессмертного вкуси-и-те...» — и опять, снова и снова. Жаркие пары толпы держали меня плотным, непродыхаемым облаком. Почти теряя сознание, я двигалась к Чаше за чьей-то белёсой спиной. Видение женщины, падавшей навзничь, встало пред глазами. Как наяву я видела её выгнутое тело и боялась упасть, не дойдя.

К вечерне я не пошла. Ужас утреннего столпотворения дрожал в моём сердце, словно картина праздничной литургии, какой я её увидела, явилась видением Страшного суда. Окончательно я пришла в себя на следующее утро. Слабость мешала подняться, и, лежа на диване, я слушала рассказ мужа о главной праздничной службе. Он сидел на стуле и рассказывал тихим измученным голосом. «Хорошо, что не пошла, с непривычки невозможно...» Праздничная служба длилась полных восемь часов. Отдохнув к раннему вечеру, я решилась идти обратно. Муж вызвался сопровождать. После тайного венчания я ловила на себе его вопрошающий взгляд.

На слабых ногах я обошла монастырский двор, удивляясь малолюдству. Праздник подошел к концу. Молодые монахи ходили по территории, собирая оставленный мусор. Уборка почти закончилась: в дальнем углу у стены стояли полные баки. Я прошла мимо, направляясь к туалету, попечением владыки Иакова выстроенному здесь же, на территории, и уже подходила к самой двери, когда молодой монах, тащивший объемистый мусорный мешок, обернулся и, стеснительно потупив глаза, остановил меня: «Туда не надо, не ходи». Удивившись, я огляделась, но, не найдя другого выхода, все-таки распахнула дверь.

Тяжкий аммиачный запах ударил в ноздри, когда, нерешительно стоя в дверях, я давала привыкнуть глазам. Вниз вели ступени, и, разглядев, наконец, ряды кабинок, я сделала шаг. Темная жидкость стояла у моих ног. На высоту нижней ступени она покрывала пол, обложенный плиткой. «Боженьки-и-и, сколько же *их*... тут!» — веселый голос воскликнул за спиной, и, оглянувшись, я увидела: молодая женщина, подняв юбки, присела на верхней ступени. «Народу то! Тыщи! — сидя на корточках, она обращалась ко мне. — Во, напрудили, земля не вбирает! — Справив нужду, она расправляла складки платья. — Который год к Матушке прихожу, а *такое* — впервой. А ты-то чего? Садись», — женщина удивлялась весело. Я вышла, не ответив.

На следующее утро я решилась сходить в скит. Хозяйка пожала плечами, но объяснила подробно: километра три по дороге, прямо за нашей улицей. Я вышла поздно, около одиннадцати. Утро выдалось сухим и жарким. Небо, в здешних местах обыкновенно плачущее на Успение, теперь совершенно прояснилось. Хваткое солнце мгновенно обожгло следы, утопшие в дорожной глине. Перебираясь с кочки на кочку, я шла осторожно: боялась подвернуть ногу. За городом дорога выровнялась. Две шинные колеи, отпечатанные ясно, примяли ямки коровьих копыт. Разрозненные оттиски больших резиновых сапог встречались время от времени, словно кто-то, месивший дорожную грязь, то шел по-человечески, то делал прыжок, не касаясь земли. Я шла и шла, обдумывая события последнего времени, и все случившееся — от куполов до мучительного причастия — складывалось в широкую, но несвязную картину. В ней была какая-то несообразность, как будто иконописец, начавший в *обратной* перспективе, на ходу перенял манеру реалиста, работающего в *прямой*.

Пройдя километры, отделявшие монастырь от скита, я, наконец, добралась. Только здесь, у самых ворот, за которые беспрепятственно въехали шинные следы, я пожалела, что не взяла с собой попить. Присев на камень, лежавший у дороги, я глотала сухую слюну и дивилась своей непредусмотрительности: собираясь, я представляла себе тенистое уединенное место, похожее на маленькую рощу, в которой не могло не быть колодца или родника. На самом деле место оказалось степным. Далекий зеленый островок, похожий на искусственную лесополосу, лежал километрах в полутора. Внутри, на самой *территории*, стояли чахлые, будто только что посаженные деревца. Створки ворот сводил тупой амбарный замок.

Я сидела и смотрела на солнце. В этом пейзаже оно казалось мне единственно живым. Теперь, когда я, наконец, дошла, мне становилась очевидной вся нелепость затеи. Вздохнув, я поднялась с камня, собираясь пуститься в обратный путь, и оглядела вымершее здание — напоследок. Скит смотрел на меня слепыми окнами. Я уже повернулась к нему спиной, когда услышала странный квакающий голос.

Голос выговаривал слова, которые я, стоявшая поодаль, не могла как следует разобрать.

«Ти-ий час, пя-ят, со-оро по-оснутся... У-у! — небольшое существо, одетое в просторную арестантскую пижаму, наблюдало за мной из-за цементного столба. «И-и сюда, — он говорил, тягуче глотая согласные, словно язык прилипал к неловкому нёбу. Скорее от удивления, я приблизилась. Он высунулся из-за столба и, взявшись за прутья, принялся раскачивать их слабыми руками. Решетка, возведенная бесноватой властью, защищала меня от сумасшедшего.

«И-и, и-и сюда», — боясь, что не пойму, он манил, нелепо взмахивая сведенными пальцами. Решетка была прочной. Подойдя, я встала в двух шагах, ожидая просьбы: может, попить. Вблизи он оказался мальчиком лет шестнадцати, тихим и приятным на вид, если бы не пустота, безнадежно стиравшая черты. Глядя на меня пристальными, как-то по-волчьи близко посаженными глазами, он оттянул резинку пижамных штанов и засунул руку. Оживший бугорок, похожий на Иосифову монашескую муфту, ходил в его горсти, пока глаза, глядящие на меня неотрывно, жмурились, как от солнца. Отвратительная, уродливая невинность кривила его черты, словно власть, замкнувшая клетку, лишила его самой возможности человеческого греха.

Солнце — единственный свидетель — жгло плечи. Судорожно выворачивая шею, сумасшедший выгибался и вскрикивал, взывал по-звериному. Испустив стон, в котором исчезли последние согласные, он отвел оплывающие зрачки и опустился на землю, смирившийся и обессиленный. Еще через минуту, совершенно забыв о моем существовании, он поднялся и побрел обратно — в свой скит.

Прикрывая плечи руками, я прошла короткий обратный путь. На этом пути, еще не зная о будущей смерти отца Иакова, который двумя годами позже должен был погибнуть от топора скитского узника, я думала о случившемся.

«Конец — делу венец, — пробормотав пословицу, я усмехнулась. — По венчанию и жених».

Ночью я лежала без сна, и смутная дрожь сотрясала мое тело. Ближе к утру муж вырос в дверях. Он глядел на меня вопрошающим взглядом. Поднявшись на локте, я махнула рукой. Он исчез безропотно.

Мы уезжали на другое утро. Водитель обещал заехать пораньше, мало ли, снова поломка в дороге. Распрощавшись с хозяевами, мы вышли за калитку. Хозяйка встала в стороне. Она смотрела на меня молча, но в этом молчании угадывалась стеснительная просьба. Снова, как в день приезда, она держала руки под фартуком, и, глядя на бугорок, я поняла. Поставив сумку на землю, я вынимала тщательно сложенные вещи, добираясь до дна. На дне лежал пакетик с косметикой. Высыпав в траву, я выбрала все тюбики. Бугорок шевельнулся, наружу протянулась рука. Хозяйка приняла кремы и, словно забыв о моем существовании, скрылась за калиткой.

На этот раз мы добрались без приключений. Зеленая будка стерегла платформу. Мы дождались поезда, который пришел по расписанию, но остановился как-то неудачно: двум последним вагонам не хватило места. Они висели за краем платформы, как над пропастью. «Тьфу, нищему жениться и ночь коротка!» — муж буркнул сердито. Цепляясь за высокие поручни, мы забрались с трудом, в суете не успев как следует попрощаться и поблагодарить провожатого, — с Иосифом, остававшимся до сентября, мы простились накануне. Забираясь в вагон, муж здорово порвал брюки, и мысли мои сосредоточились на иголке, которую следовало добыть у проводника.

Зашив и напившись чаю, я вышла в коридор. Сидя на откидном стульчике в пустом коридоре купейного вагона, я убеждала себя, что *жених* — отвратительная случайность, из тех, что никак не относятся ни ко мне, ни к монастырскому житью. Свой *дурдом* они могли устроить и где-нибудь в другом месте — не в скиту. Я приводила здравые, *город-ские* соображения, ясно понимая, что они не годятся для ми-ра, уходящего в прошлое под стук колес. Для этого мира, не знающего паровозов, я осталась чужой. В этом я тоже чув-ствовала себя виноватой, как будто, зная о своей тайной бо-лезни, вторглась в монастырскую жизнь, не пройдя каран-тина. «Грех — венцом, грех — венцом», — стук колес слагал-ся в несусветную *деревенскую* глупость, в моем *городском* случае начисто лишенную смысла. Грех, живший в моей кро-ви, не покрывался никакими венцами.

Теперь, когда вся поездка уходила в прошлое, погружалась на дно сундука вместе с нашими обручальными кольцами, я ду-мала о ней, как о чем-то ненастоящем. От подлинной монас-тырской жизни она отличалась, как заграничная женевская клубника от сладостной, благодатной духом, детской *кулубни-ки*, в которой, не подозревая об этом, пребывала наша стесни-тельная хозяйка, выпросившая грешным делом стыдноватые и соблазнительные початые тюбики с кремом. Глядя на косень-кие хаты, бегущие по обочине, я представляла себе, как вече-рами, закрывшись в тщательно выбеленной зале, она примет-ся отворачивать крышечки, давить натруженными пальцами и, выдавив толику беловатого крема, станет втирать в ладони городскую забаву, посмеиваясь над *городскими*. «Ничего, — я думала, — этого соблазна надолго не хватит». Собирая *кулуб-нику* будущего года, которую я, по своим грехам, больше никог-да не попробую, она глянет на ягоды по-хозяйски и мельком по-жалеет, что крем кончился, и не у кого больше попросить.

Подарочный гроб

Прежде я никогда не думала о том, какими вообще бывают гробы. Единственный, бабушкин, живший в моей памяти, был затянут мелким ситчиком, при дневном кладбищенском свете ставшим красноватым, но сразу же по приезде я окунулась в разговоры о цинковом, который вправляют во внешний — дубовый, тяжестью и назначением похожий на египетский саркофаг. Только так — под двойной защитой цинка и дуба — полагается везти через границы: из Ватикана в Россию. Вокруг смерти завился странный разговор о том, что изношенное сердце отказало мгновенно, но не случайно: после чашечки кофе, *поднесенной* за папским завтраком. Говорившие опровергали нелепый слух, но услыхавшие повторяли, и слух обрастал подробностями, каждая из которых летела вперед и множила домыслы. Говорили, что переговоры будто бы вступили в заключительную стадию, дело шло о подписании соглашения, способного на высшем церковном уровне покончить с межконфессиональной напряженностью. Теперь, когда подписание сорвалось, все — кто с облегчением, кто с разочарованием — одинаково признавали тот факт, что в ближайшие десятилетия, если не случится чуда, Русская православная церковь не сумеет — в отсутствие владыки Никодима — найти того, кто мог бы говорить перед папским престолом и быть услышанным.

Муж пропадал в Академии и, возвращаясь поздно, не терял торжественного выражения, с которым в эти последние дни церковь говорила о новой *скоропостижной* смерти. То гостиницы для высокородных католиков (муж называл их папскими нунциями), то покои для делегации Патриархии — все требовало подробного и безотлагательного вмешательства, поскольку близящаяся процедура прощания стремительно обретала реальные черты. Уже называли цену резного гроба, подаренного римским папой, — и шепотом: ишь, старается, знает кошка, — и эта циклопическая цифра с тремя американскими нулями добавляла к ожиданию элемент бессмысленного величия. Владыка Николай, которого я увидела мельком, чернел потерянным лицом, и это новое выражение, для которого в те дни я так и не нашла названия, в самый день отпевания разрешилось надгробной проповедью, которую многие годы распространяли в магнитофонной записи и слушали снова и снова, повторяя вслух и про себя ее первые — потерянные и безысходные — слова.

Лишь спустя много лет, наблюдая со стороны и пытаясь собрать воедино общественные и личные события, из которых сложилась наша будущая — церковная и внецерковная — жизнь, я осознала, что смерть владыки Никодима за ватиканским кофейным столом пресекла надежды не столько на конструктивный диалог с Ватиканом, сколько на сближение православной церкви с образованной частью общества, а вместе с тем и возможность реформации, которая, если Бог судил бы иначе, могла завершиться подлинным отделением церкви от государства, а значит, спасти и сохранить многое и многих. Начиная с того дня — говорю об этом с горечью и печалью, — церковь и интеллигенция, словно стоявшие на развилке одной дороги, пошли каждая своим путем, чтобы через несколько десятилетий уже не помнить о том коротком промежутке времени, в течение которого — редкий случай в российской истории — Церковный Бог и Гражданская Свобода глядели друг другу в глаза.

Учитывая нашу гражданскую и церковную историю, на это вряд ли стоило надеяться, но многие из нас, кому Бог привел родиться в СССР, все-таки продолжали надеяться, принимая за испепеляющую ненависть свою оскорбленную любовь к поруганной стране.

Я помню то прохладное утро. Резной дубовый гроб — подарок папы — доставили в Троицкий собор накануне. Мы шли, торопясь добраться заранее, и по дороге обсуждали слух о том, что из Москвы прибудут только *второстепенные*: кое-кто из Отдела внешних церковных сношений. *Лично* патриарх не соблаговолил.

Из напряженных отношений владыки Никодима с ПП (цеховая аббревиатура патриарха Пимена) никто не делал секрета, объясняя в первую очередь заочным соперничеством, восходящим ко дням последнего избрания на патриаршество. Тогда, после консультаций с видными иерархами, ЦК КПСС предпочел Пимена. «Все равно мог бы и приехать!» И муж, поняв мгновенно, откликнулся: «Вот-вот, на радостях!»

Как водится, меня провели туда, где — слева от клироса — сохранялось пустое огороженное место. Муж отправился в алтарь. Я стояла, окруженная матушками, привычно слушая и не слушая обыденную болтовню, и поглядывала на молодую монахиню, с ног до головы одетую в черное. После поездки в Почаев я внимательно приглядывалась к принявшим постриг, в особенности к *городским*. Простой платок, повязанный наглухо, вреза́лся в мягкую линию подбородка, и овал, очерченный черным контуром, придавал ее лицу особую, известную по русским иконам непреклонность. Занимаясь привычным делом, она гасила прогоревшие свечи и складывала огарки в маленькую картонную коробку. Один, вырвавшийся из рук, упал и покатился мне под ноги. Я нагнулась и подала. Принимая, она посмотрела на меня пристально: во взгляде, как отблеск прогоревшей мирской жизни, тлело спокойное презрение.

Тут до меня долетели слова, произнесенные влажным шепотком. Монахиня постарше разговаривала со старухой-прихожанкой: «Умер, и слава Богу, и царствие небесное, а то говорят, будто оба — и Никодим, и Николай... *католики*... Папе задумали продаться, антихристу, прости, Господи!» — крестясь, она косила глазом на правый клирос, где на специально возведенном помосте стояли почетные гости и среди них два католических епископа, одетых в торжественно-белопенные распашонки. Над кружевами чеканились бритые профили профессиональных книжников и дипломатов. Старуха кивала, собирая рот куриной гузкой и сохраняя привычное смиренное выражение.

Нелепый диалог повернул мои мысли в другую сторону. Я поняла, что на моих глазах разыгрывается странная сцена, не имеющая отношения к сути печального обряда: посланцы проштрафившегося Ватикана стоят перед многотысячной толпой, заранее убежденной в их виновности. Этой волны, исходящей из чужих глаз, они не могли не чувствовать.

То придавая лицам сдержанное выражение осознанной и многозначащей потери, то отводя взгляды от резного подарочного гроба, они стояли тихо и чинно, терпеливо пережидая нескончаемые повороты невнятной для их слуха восточной литургии. Многоглазое море колыхалось, подбивая берег, на который, словно бочку из пучины, вынесло продолговатый, наглухо задраенный предмет. Их римское нутро задавалось вопросом «кому выгодно?», и резонный ответ, который они дали себе, отправляясь в дорогу, теплил в них надежду если не на радушный, то, по крайней мере, сочувственный прием. Перед лицом случившейся трагедии их начальство повело себя безупречно, обеспечив новопреставленного дубово-цинковым сосудом и выслав вслед достойное посольство — в их двойном лице. Римское право, наследниками которого приехавшие, несомненно, являлись, не могло бы придумать — в сложившихся обстоятельствах — лучшей основы для их дипломатической неприкосновенности.

Они предусмотрели все, кроме тысяч глаз, само выражение которых, знать не зная римского права, восходило непосредственно к Средним векам. Эти глаза, утяжеленные восточными веками, источали сдержанную враждебность. Нелепость заключалась в том, что и сами епископы в известном смысле восходили туда же. Чего стоили их ровные средневековые челки, которое столетие покрывающие лбы! Однако внешняя средневековость папских посланников, положенная на доскональное знание римского права, как псалом на музыку, стала всего лишь крепкой *культурной* традицией, совершенно безопасной именно благодаря своей многовековой выдержанности. В этом случае действуют вполне винодельческие законы. Народ же, перед которым предстали эти выдержанные в дубовых бочках напитки, казалось, еще бурлил и зрел. Крепкий глоток этой невызревшей медовухи способен был раскачать и самую трезвую голову.

Этот народ, перед которым они теперь стояли, отрицал историческую Античность, раз и навсегда сочтя ее тупиковой ветвью духовного развития. Тысячу лет назад обернувшийся к Востоку, он чуждался опыта, накопленного Западом. *Несть ни эллина, ни иудея*, произнесенное по-русски, прорастало другим, добавочным смыслом, коренившемся в слове — *несть*. Ни эллина, ни иудея, ни римлянина, ни иезуита, ни Лютера, ни папы — сами слова стали ругательными. От них — чужих и еретических — следовало открещиваться до последнего, сбиваясь плечом к плечу в теплом пространстве под куполами.

В тоске, перехватывающей горло, я думала о том, что уехавший отсюда живым лежит в запаянном свинце, познав радости избавления, но никто из тех, кто заполнил храм, не может сказать наверное, *он* или *другой* скрывается под искусной дубовой резьбой. Гроб не позволили вскрыть санитарные власти, но если бы породистые католики могли проникнуть в суть дела, в тысячах глаз они прочли бы невысказанное обвинение и в том, что это по их — католической — милости гроб стоит закрытым. Странная мысль точила меня: я никак не могла понять, каким образом два противоречивых чувства — обвиняющая ненависть к католикам и слова молодой монахини о принадлежности главных действующих лиц к ватиканскому братству — сочетаются в одно?

Время от времени по толпе проносились глухие всхлипы, и всякий раз римские выбритые лица напрягались растерянно. Я смотрела, не веря глазам. Не будь я свидетелем бесконечно утрясавшихся деталей их встречи и расселения, я приняла бы их за подставных кукол — похожих на наших с Митей вымышленных персонажей, — которых специально нарядили и поставили для того, чтобы своими совестливыми гримасками они *отводили* глаза народа от тех, кто в действительности изрешетил осколками новопреставленное сердце.

Торжественная поминальная служба шла легко и слаженно. Точно и торжественно подавались возгласы, негасимые кадильницы дымились в дьяконских руках, но в этой слаженности никак не терялось очевидное: несчастный владыка Николай, любимый ученик усопшего, оставался словно бы в стороне. Горе, дрожавшее в его чертах, придавало им необычную, едва заметную подвижность, которую я, смотревшая сострадающими глазами, уловила.

Нет-нет, братия не подчеркивала его новую, незащищенную обособленность. Все сохраняло черты подобающего благообразия, но в то же время — и это получалось как будто само собой — начиная с этой заупокойной службы владыка Николай стоял один — против всех. Это мягкое, едва заметное отчуждение, похожее на дружескую подсказку, не было непреклонным. Все могло разрешиться одним, но необходимейшим решением. Им, как будто стоявшим в воздухе, было слово: *отречение*. Эта душная подсказка ломала жесткий рот Николая, когда он встречался глазами то с одним, то с другим из сослужащих.

Час за часом неслись под купол торжественные песнопения, и древняя красота обряда брала свое: напряженные сердца смягчались. Глядя на крышку выставленного на возвышение гроба, я думала о том, чей голос, спеленутый враждебной волей, исторгал из меня слезы, защищая от ужаса поруганности и смерти. На исходе шестого часа владыка Николай вышел и встал перед лицом народа. На его лице лежала живая и непреклонная решимость: высказать последнюю правду — тем и о тех, с кем привычно и умело говорил его учитель, принимая у себя в покоях, глушащих чужие шаги. Римляне, обвиненные облыжно, обернулись к нему с надеждой.

«Трудно говорить пред гробом, но пред *таким* гробом говорить еще труднее», — он начал медленно и торжественно. Лицо владыки сохраняло выражение достоинства, но в чертах его исчезла подвижность. Совладав с лицом — подавив неуместную в этих стенах *личную* решимость, — он уходил от невысказанной правды. Голос, поднявшийся на частицах, вынутых за упокой гонимых и гонителей, диктовал ему *простые* человеческие слова. Эти слова о горестном сиротстве были равно пригодными *для всех*. Он говорил о скором торжестве единения, которому покойный владыка отдавал все свои земные помыслы. Он говорил о том, что пред этим гробом необходимо забыть о распрях, но не назвал их смертельной болезнью, терзающей *народное* тело.

Ирмосы Великого канона — горестный плач о Помощнике и Покровителе — дрожали в моем сердце. Я слизывала слезы, струящиеся по моим будущим морщинам, и чувствовала свинцовую усталость, впрочем, вполне объяснимую тем, что замечательная *по красоте* речь владыки пришлась на седьмой час бесконечной торжественной службы. Взглянув на запястье, я вышла, проскользнув сквозь боковые двери, оставленные приоткрытыми. Надгробная речь закончилась. За стеною пели: *Придите вси любящие мя и целуйте мя последним целованием...* — а может быть, мне это только слышалось: так и не увидев владыку *безгласна и бездыханна,* я плакала, как будто снова стояла у бабушкиного гроба, заколоченного прежде моего целования.

На кладбище я не пошла. Выйдя за ворота, я увидела множество людей, не вместившихся в собор, и с удивлением отметила, что на этот раз на подступах к лавре не выставили *рогаток.* Все выглядело так, словно власть приглашала

Елена Чижова

всех желающих убедиться в истинности его смерти, которая, по странному стечению обстоятельств, случилась *где-то там*, вдали от *спасающей* Родины.

Сквозь толпу, дожидавшуюся выноса (говорили, что до близкого Никольского кладбища гроб понесут на руках), я пробралась к мостику и, миновав лаврский некрополь, вышла на площадь. Ранний вечер убывающего лета был теплым и сухим. С тихим шорохом неслись автомобили, въезжающие на мост, и безобразное здание гостиницы «Москва» занималось редкими желтоватыми окнами. Иностранцы возвращались с дневных экскурсий. Теперь они принимали душ, готовясь к вечернему выходу. Я шла, поглядывая по сторонам, и убеждалась, что все остается по-прежнему, как будто те, кто собрался в Троицком храме, существовали в ином измерении. Обернувшись назад, я уловила далекий перезвон и, различив пасхальное песнопение — *Христос воскресе из мертвых, смертию смерть поправ,* — мотнула головой, не поверив.

Ноги несли меня сами, пока не вывели к площади Восстания, в правом углу которой когда-то высился теперь уже взорванный собор. Слева, в вечерней дымке, дрожало здание Московского вокзала, откуда, проводив владыку Николая, выбегали, дурачась, *разночинцы*. В тот раз они были в ватных пальто, но теперь оделись по-летнему: в ситцевые рубашки-косоворотки. Поеживаясь от усталости, я смотрела то на вокзал, то на собор и удивлялась странному смещению. Взорванный контур собора проступал ясно и внушительно, в то время как очертания вокзала дрожали и смещались. Медленно, как будто не по своей воле, я пошла вперед — к собору...

Знакомые комковатые бороды расселись на паперти, повернутой в сторону площади. Молодые женщины, одетые в расшитые крестом блузки, стояли белой стайкой у края тротуара. Звуки баяна неслись с подветренной стороны. Различив высокие резные створы, похожие на крышку подаренного дуба, я поднялась по ступеням и вступила в притвор.

Из-за колонн, отделяющих средний храм от притвора, доносились тихие, приглушенные голоса. Солнечный свет, словно время едва перевалило за полдень, заливал каменный пол, выложенный плитами. По всему пространству храма стояли люди, сбившиеся в плотные группы, но не сливались в толпу. Богослужения не было. Молчал невидимый хор, царские врата оставались закрытыми, и даже над конторкой свечниц как будто не горел огонь. Не было и свечей, зажженных у икон. По краю, стараясь держаться стены, я пробралась поближе к амвону — рассмотреть взорванный иконостас. Этот иконостас выглядел странно. Поперечная стена, обыкновенно отделяющая средний храм от алтаря, представляла собой ячеистое поле, составленное из сбитых вместе рам. В пустотах на месте взорванных икон, словно на плечах друг у друга, стояли живые люди, внимательно глядевшие на предстоящих. Выражением непреклонности они напоминали молодую монахиню, прислуживающую в Троицком храме. Они стояли рядами, согласно иконостасным чинам, однако люди, собравшиеся в храме, казалось, не замечали этой странной подмены. Занятые своими разговорами, они не оборачивались к алтарю.

В глубине, за спинами забранных в рамы, поднялось шевеление, правая створка скрипнула и из царских врат выглянул мальчик в широком подряснике. Сверкнув глазом, он скрылся. Снаружи, со стороны паперти послышался рев мотора. Бойкие шаги разнеслись по притвору, и, обернувшись, я увидела группу людей, во главе которой выступал худощавый человек, одетый в подобие подрясника. То есть это был именно подрясник, но как-то странно подпоясанный, на манер подобранного плаща. Дойдя до амвона, группа остановилась, и препоясанный отошел в сторону — к колонне. Он стоял, как будто скрываясь от солнца, и, разглядев с близкого расстояния, я увидела толстую веревку, затянутую вокруг пояса. Те, кто стоял в рамах, скосили на него глаза.

Сопровождающие были одеты причудливо и разношерстно. Один — в короткой кожаной куртке, другой — в пальто с искрящимся меховым воротником. Еще один догадался явиться в нагольном тулупе, вывернутом наружу: я видела лоснящуюся грязную овчину.

Каменные плиты темнели, как будто наливались влагой. Солнце, уходящее на запад, медленно покидало храм.

Правая створка отворилась снова, на этот раз на всю ширину, и на амвон вышел пастырь, одетый буднично. В руке он держал архиерейский посох, и лишь по этому знаку власти можно было понять, что вышедший — не из рядовых. Препоясанный выступил из-за колонны и свел ладони, подходя под благословение. Едва заметно поморщившись и не подняв благословляющей руки, иерей произнес: «Полно вам, отец... — я не расслышала имени. — Мы же не в Гефсиманском саду».

Искрящийся воротник отделился от основной группы и, подойдя, протянул сложенную вчетверо бумагу. Не приняв ее, иерей кивнул и пошел вперед. За ним двинулась вся разношерстная группа. Он ступал тихо и медленно, переставляя ноги с видимым трудом, словно сердце его было иссечено шрамами, но те — казалось бы, живые и здоровые — едва поспевали за ним.

Через распахнутые двери они вышли на площадь, как во двор. Лязгнуло, словно кто-то передернул затвор, и, обернувшись к взорванному иконостасу, я увидела глухую стену и расслышала тонкий звон пересыпаемых монет...

От храма не осталось и следа. То, что я ошибочно приняла за храмовую конторку, оказалось окошком кассы: к нему вилась очередь пассажиров, меняющих деньги на пятаки. Усердные эскалаторы уносили их вниз под землю, и лица людей, ступавших на движущиеся ленты, казались усталыми.

Мучительное ощущение разъятого, несмыкаемого мира терзало мое сознание. Отступив в сторону, я закрыла глаза. Лица людей, стоявших во взорванном иконостасе, встали предо мною: я видела их живые глаза и губы, хранящие молчание. Пассажиры, уходившие под землю, смотрели вперед замершими глазами. Я подумала: словно ослепли. Тот, *другой*, стоявший под моей кухонной полкой, принадлежал к молчащим, я помнила его руку, коснувшуюся губ. Этот — препоясанный грубой веревкой — относился к слепым. Иначе он заметил бы тех, кто смотрел на него из взорванного иконостаса, — заметил и ужаснулся. Я думала о том, что слепые глаза и молчащие губы принадлежат двум разным мирам; от всех, и живых, и мертвых, непреклонная власть требовала своих обетов: от мертвых — молчания, от живых — слепоты.

Ступив на движущуюся ленту, я вспомнила об осиротевшем владыке Николае и, возвращаясь к мыслям о *потребляемых* им частицах, представила, какая страшная борьба терзает его нутро. В самой сердцевине его тела не на жизнь, а на смерть воюют убитые и убийцы, стараясь перетянуть его — каждые на свою сторону. Нельзя *потреблять* безнаказанно; тем, кто потребляет, рано или поздно приходится выбирать: слепота или молчание, ослепнуть или смолчать.

Теперь, когда, потеряв учителя, он остался в одиночестве, мертвые, к которым примкнул владыка Никодим, заставят его сделать выбор... Подняв глаза, я увидела приближающийся поезд. Вырвавшись из темного жерла, он шел стремительно и неотвратимо: летел по траектории, проложенной раз и навсегда.

Отступив от края платформы, я села на скамейку. Ноги, натруженные за день, ныли каждой жилкой. «Вы имеете право хранить молчание». Я вспомнила полицейского из какого-то старого кино...

Митино лицо встало передо мною так же ясно, как взорванный собор. Над верхней губой, шевельнувшейся мне на-

319

встречу, проступал, как испарина, смертельный страх. Все, окружавшее меня наяву, дрожало неверным контуром, словно земные пласты, сдавленные сегодняшними похоронами действительно стронулись с места. Мгновенно, отметая прочь все постороннее, я поняла: случилась беда. Наверное, я что-то сказала вслух, потому что мужчина, сидевший рядом со мной, обернулся удивленно: «Что вы сказали?» — он переспросил вежливо и предупредительно. «Нет, нет, извините...» — я думала о том, что нужно встать и идти. Бежать.

«Мне показалось, вы на что-то пожаловались», — мужчина продолжал настойчиво. «Я просто устала. Очень устала. Весь день — на ногах». У меня не было сил подняться. «Лучший способ отдохнуть — выйти на улицу босиком и так постоять, глядя в небо. Конечно, хорошо и холодное обливание, но не все решаются... А постоять, сейчас же еще тепло, правда?» — «Правда, — я сказала, стараясь скрыть раздражение, — сейчас приеду и пойду на улицу — стоять». — «Да-да, причем совсем недолго. Хватает пяти минут, чтобы слиться с мирозданием, почувствовать себя частицей общего, бесконечного...» Вдохновляющее чувство причастности к чему-то огромному и целому перехватывало его горло. Он смотрел на меня, доброжелательно улыбаясь, но в улыбке, как болотный огонек, скрытый под земляным слоем, тлела высокомерная уверенность в том, что он-то — избранник мироздания — сумел найти правильный выход.

«Конечно, — он продолжил, — вы можете возразить мне, что мироздание — штука довольно сложная, а я вам отвечу, что все-таки не настолько, чтобы нельзя было сопоставить со сложностью отдельного человека. На этом, собственно, и построены все мировые религии, поверьте мне, все без исключения». — «Да, — я кивнула. — Вот сейчас все и выяснится. Вы — нищий бродячий проповедник, основатель всеобъемлющего учения, новой вселенской церкви, и мне несказанно повезло?»

«Разве я говорил о церкви? Церковь относится к мирозданию как элемент к целому. И в этом смысле, именно в этом смысле, она ничем не отличается от любого другого учреждения...» — «Любого? Например, ГеПеУ?» — я цедила сквозь зубы. «В известном смысле... Там ведь — тоже люди, возможно, заблудшие души... Своя иерархия... Да, пожалуй, и КГБ». — «Лю-юди... Надо полагать, ваши сослуживцы?» — отметая последнюю осторожность, я осведомилась нежно. «Лично я к этой организации отношения не имею, что, впрочем, не мешает мне судить здраво».

«Знаете, — я говорила твердым голосом, — наверное, найдется немало заблудших, кто сумеет восхититься вашей теорией мироздания и даже позавидует вашему здравому смыслу, но *лично я* вижу в этом исключительно слепоту и нравственный изъян. Добро вы были бы иностранцем, но для человека, жизнь прожившего в нашей... — я искала слово, — юдоли, где не только учреждения, но и каждый человек человеку...» — я хотела сказать: рознь. «Понимаю, — он перебил мягко. — Возможно, я кажусь вам глупым и старым, но, поверьте, иностранцы здесь ни при чем. Люди везде люди. Когда человек один — ему всегда страшно... Засим прощайте, — с неожиданной легкостью он поднялся навстречу приближающемуся поезду. — Приятно было познакомиться».

Выйдя из метро, я направилась к автомату. Здесь, на поверхности земли, страх отпускал меня. Мне уже начинало казаться, что все это — пустые выдумки, но, прижав ухо к трубке, я дожидалась настойчиво. Гудки неслись один за другим. Мне *надо* было услышать голос. Тогда, убедившись, что ничего не случилось, я положила бы трубку.

Дома, ближе к ночи, я повторила попытку. Митина квартира молчала.

Елена Чижова

Гнусная рептилия

Телефон звонил непрестанно. То из канцелярии Академии требовали мужа, то из Москвы — торопили с какими-то документами. Затишье наступало ночью.

После похорон муж все чаще оставался ночевать на работе. Он объяснял это неотложными делами, требующими едва ли не круглосуточного присутствия. В рабочий кабинет доставили диван. Мелкие безделушки, украшавшие домашний письменный стол, начали постепенно исчезать. Вытирая пыль, я думала о том, что, относя их в Академию, он приноравливается к новой жизни.

В эфемерной ночной тишине я крутила пленку с речью Николая, и все больше проникалась мыслью, что невосполнимая потеря, которая на нас обрушилась, ударила по нему всего сильнее. В отсутствие иных свидетельств я могла судить единственно по голосу, и этот голос, к черновым интонациям которого я успела за несколько лет привыкнуть, свидетельствовал о том, что теперь, переложенный начисто, он претерпел существенные изменения. Прежде, вслушиваясь в интонацию, выводившую — друг подле друга — библейские выражения и жесткие обороты речи, я представляла себе нового Гамлета, выступившего из круга друзей, чтобы отомстить за погубленного отца. Тот принц глядел на трон почти равнодушным взглядом, всерьез не помышляя, что рано или поздно это станет его седалищем. В пьесе, разыгранной на современных подмостках, между ним и троном стоял возлюбленный духовный отец, которому, по высшей справедливости, должно было достаться и патриаршество, и отмщение. Победительное отмщение: подняться и встать вопреки всему. *Всего* накопилось с лихвой: больное сердце, непримиримые отношения с ортодоксальным епископатом, с одной стороны, и радикальными церковными диссидентами — с другой. Было от чего прийти в отчаяние, но желание

Ватикана вести переговоры именно с покойным владыкой Никодимом обнажало истинную иерархию, рядом с которой действительное положение дел не могло не стушеваться.

Я не знаю и не могу знать, *так* ли думал об этом владыка Николай, однако он, человек тридцати с небольшим лет от роду, конечно, не мог не понимать, что в отсутствие своего духовного отца он окончательно лишается роли принца, во всяком случае, наследного. Если ему когда-нибудь и удастся *взойти* на престол, это восхождение случится совсем на иных путях, а потому теперь, когда духовный отец был погублен, в голосе названого сына больше не звучало прежней — безоглядной и почти трагической — решимости, когда, преодолевая страх, точнее, не позволяя себе *за себя* бояться, он боялся лишь за того, чей дух, запертый в больном теле, обладал всеми свойствами необходимой и достаточной стойкости. Произнося и записывая на пленку слова, владыка Николай стоял, по видимости, неколебимо, но в этот надгробный миг в нем качались, уравновешивая друг друга, две чаши весов, на каждой из которых лежали проглоченные частицы: на одной — за убитых, на другой — за убийц. *Это* я слышала в его нарастающем голосе и, перематывая пленку назад, думала: настанет день, когда ему придется сделать выбор — в меру собственного понимания и человеческих сил.

Прислушиваясь к голосу, страдавшему над закрытым гробом, я не могла не думать и о том, что рано или поздно придет конец эпохе — долгому сроку, который начался решением Совета по делам религий, отдавшего предпочтение патриарху Пимену. Это решение пришлось на 1971 год, и, вспоминая Митин кружок шестидесятых, за который его чуть было не выгнали из университета, но по какому-то стечению обстоятельств (об этом, так и не решившись спросить у Мити, я мало что знала) *пощадили* и даже *выпустили* за границу, я думала о будущем церкви, отгораживаясь от предчувствия какой-то надвинувшейся беды.

Тогда, в 1971 году — в день восшествия на высший церковный престол нового патриарха — это решение было многими воспринято как неудача: сторонники владыки Никодима надеялись до последнего. Однако неудача лишь подливала масла в огонь, потому что по правилу абсурдного, а значит, единственно правильного ожидания это решение не могло быть признано окончательным. То время я знала только по рассказам. Те, к кому я прислушивалась, говорили о вспыхивавшей надежде, никак не связанной с действительными обстоятельствами. Вот почему даже вопреки изменившемуся голосу владыки Николая я продолжала надеяться. Втайне я надеялась на чудо, которое вполне может случиться, как случилось тогда, когда *они* пощадили Митю.

Вряд ли в свои двадцать пять лет я могла рассуждать разумно, да, пожалуй, не я одна. Ни у кого из нас, живших в те годы, не было опыта революционной смены иерархической структуры, кажущейся незыблемой. Как абсурдную мы отмели бы мысль о том, что при всей благотворности внешних, диссидентских раскачиваний крах ороговевшей системы наступает лишь тогда, когда на верхнюю ступень иерархии восходит человек, прошедший ее от самого низа, но не сумевший смириться с ее губительной косностью. Моим сегодняшним голосом, усталым и сломленным, я утверждаю, что, сложись все иначе, рядом со светским реформатором стоял бы реформатор церковный — равновеликий в своем историческом порыве, и гибнущая имперская сила нашла бы достойное соответствие в гибнущей силе церковного абсолютизма. Иногда я думаю, что этот сценарий нельзя назвать невозможным. В конце концов, владыка Никодим умер, не дожив до пятидесяти лет.

Новый телефонный звонок прервал мои размышления, и голос мужа, звучавший устало, предупредил, что снова остается ночевать в Академии, завтра к девяти, ехать домой нет сил. Я спросила о самочувствии владыки Николая, и муж, помявшись, ответил: «Ничего». Я уже собралась было повесить трубку, когда он продолжил: «Вот, сидим с Глебом, разговариваем, что-то будет дальше?..» — и я поняла, что в сегодняшней ночной беседе речь идет о будущем назначении на вдовствующую кафедру, Ленинградскую и Новгородскую.

Только теперь, осознав эту близкую перспективу, я почувствовала, что события, начинавшиеся исподволь, со смертью владыки обретают новый импульс, проще говоря, начинают стремительно развиваться. С отбытием последних католических гостей мы вступали в полосу *консультаций*, которые, как я хоть и не вполне ясно представляла, должны были закончиться выбором: либо, при определенных выполненных условиях, *возведением* владыки Николая, либо — его почетной ссылкой. Единственным заступником мог стать владыка Ювеналий, по обещающей прихоти природы и внешне похожий на Никодима, которого он незадолго до римской трагедии сменил на посту главы Отдела внешних церковных сношений.

О ссылке думать не хотелось. Я шагала взад и вперед по комнате, подбирая благоприятный аналог. В мыслях, сменяя друг друга, мелькали имена. Бродя вокруг да около, я оставалась под омофором Русской православной церкви, пока что-то, идущее по обочине, не блеснуло зеленоватым лучом. Приглядевшись, я увидела высокую фигуру, увенчанную невиданным по красоте головным убором, похожем на клобук, на переднем скате которого сиял огромный изумруд. Я вспомнила рассказ мужа: в парижском аэропорту он наблюдал воочию, как Илия, католикос всей Грузии, в то время еще недавно избранный, спускался — в полном облачении — по внутреннему эскалатору, сияя вправленным в патриарший убор небывалым изумрудом, но видавшие виды пассажиры, движущиеся навстречу, не удостаивали его ни малейшим любопытством.

Сияющий изумруд высвечивал блестящую карьеру, которую католикос, закончивший Московскую духовную академию и рано принявший монашество, начал ректором духовной семинарии Грузинской православной церкви. Муж нет-нет да упоминал о новом католикосе, выказывая неизменное восхищение: красавец, умница, воплощение грузинской чести. За прошедшие два-три года, став президентом Всемирного совета церквей, Илия открывал действующие церкви, отстраивал монастыри, восстанавливал грузинские епархии. Эти сияющие перспективы виделись мне, когда я думала о будущей деятельности владыки Николая, первой ступенью которой должна была стать Ленинградская и Новгородская кафедра. Молодость, дипломатический опыт, Никодимова пасторская выучка... «Дай-то Бог!» — раскладывая диван, я думала о том, что, в конце концов, оба — и Николай, и Илия — советские люди. Это церкви вроде бы разные. Страна-то — одна...

В этих мыслях я как будто шла по дороге и вспоминала хваткое солнце, обжегшее разъезженную глину. Словно вынутые из огромной печи, на ней лежали шинные колеи *дурдомовской* машины, а рядом — параллельно колеям — печатались следы резиновых сапог. *Кто-то*, ступавший широко и размашисто, ухитрялся совершать прыжки, противоречащие силе тяжести — посрамляющие ее законы.

Я раскинула диван и легла. Черная грушка настенного бра попалась под руку, и, дернув за шнурок, я закрыла глаза. На пороге яви и сна я погружалась в зеленый свет, несущий надежду. *Степь да степь круго-ом, путь дале-ек лежи-ит...* — голос отца Глеба, но чистый и лишенный скверности, затянул песню, и странный надтреснутый звон захрустел на моих зубах. Тревожный звон, пересыпанный песчинками, дрожал все сильнее, и, приподнявшись, я обвела глазами комнату, в которой похолодало.

Теперь, кажется, совсем проснувшись, я лежала, приподнимаясь на локте, и слушала звон, пытаясь обнаружить его источник. Звон, не похожий на телефонный, шел откуда-то сбоку, словно сочился из-под стены. Комната выглядела сумрачно. Серая полумгла лежала по углам, как в белые ночи, когда время не относится ни ко сну, ни к яви. Ежась от холода, становящегося нестерпимым, я потянулась за одеялом. Сбитым истерзанным комком оно лежало в ногах. Вкрадчивый звон, терзающий уши, доносился от самой двери, и, выглядывая из-за диванного подлокотника, я пыталась разглядеть то, что лежало на полу сероватым свалявшимся комком.

Это *что-то*, не то мешок, не то забытая половая тряпка, на самом деле было ни на что не похожим. Подобравшись к самому краю, я смотрела, как, шевельнувшись, оно обрело очертания и серо-зеленый цвет. Тревожный звон рассыпался гадким хихиканьем, и маленькие сморщенные ручонки, высвободившись из тряпичной кучки, потерлись одна о другую. Они были сухими и тощими, как лапки богомола. Острая мордочка, иссеченная морщинами, ткнулась в них подбородком, и два внимательных глаза, приглушенных складчатыми веками, остановились на моем лице. «Дрянь, — я сказала тихо, — гадина и дрянь. Не смей смотреть на меня». Веки моргнули припухлыми складками. «Тряпка, гнилая тряпка. Только посмей, только посмей раскрыть свой поганый рот».

Посыпалось бессмысленное хихиканье, словно сама мысль о разговоре рассмешила помоечную тварь. «Сейчас я доползу до лампы, дерну шнурок, и ты снова станешь тряпкой. Утром швырну в вонючий бак, поняла, гадина?» Решившись, я двинулась на локтях к лампе. У двери присвистнуло и отдалось торопливым шорохом. Мелко перебирая задними лапками, существо зашуршало по полу, в обход. Добравшись до лампы, оно притулилось к креслу. Больше не решаясь тронуться с места, я замерла.

Холод, сквозящий от пола, пробивал стеганую вату. *Оно* сидело, не двигаясь. Сероватый свет сочился сквозь плохо задернутые шторы, и в этом освещении я сумела рассмотреть: продолговатое тельце, покрытое некрупной чешуей, длиною не более полуметра. Время от времени его сотрясала судорога, и тогда, будто меняя угол чешуйчатого отражения, существо меняло цвет. Обливаясь то серым, то зеленым, оно приглядывалось и прислушивалось, силясь понять мой язык.

Наверное, прошло какое-то время, потому что, сидя под ватным одеялом, я сумела унять дрожь. Челюсть, ходившая ходуном, замерла, как вправленная, и в кончиках пальцев затеплилась кровь. «Скоро рассветет», — челюсть стукнула предательски. *Оно* отозвалось короткой судорогой и потерло ручонки. «Отвечай или убирайся!» — я крикнула, не узнавая своего скверного голоса.

«Да ладно чибе... Чи думаешь, чибе свет поможет?» — оно хихикнуло. Отвратительный щебечущий звук царапал барабанные перепонки. Обеими руками я зажала уши и зажмурила глаза. Не видя и не слыша, я пыталась собраться с мыслями. Они разбегались в разные стороны. «Инопланетный... галлюцинации... покушение...»

«Вот уж глупосчи, глупосчи, сущие глупосчи, никак от чибя не ожидал! Чи же — непоседа, чуть что, в монастырь, неужто там не насмотрелась?» — оно чирикало и терло ладошки. «Давай, давай... Не вижу и не слышу», — не отнимая рук, я бормотала сквозь зубы. «Так-таки не бывает. Обет есть обет: или чи не видишь, но говоришь, или молчишь, но видишь?» Оно разговаривало со мной, как будто заранее знало мои мысли. В *земноводных* устах они звучали гадостно. «Чирикало́ гнусное!» — я вытерла губы, словно глотнувшие отравы.

«Ах, извините, — оно чмокнуло, — вам, ленинградцам, не потрафишь, чуть где областной говорок, вы уж и нос воротите, не так, мол, произносим, не оттуда, мол, прибыли. А то еще, скажи, понаехали. Дескать, не народ, а толпа... Ладно, изволь, буду ломаться по-вашему, *по-ленинградски*... А между прочим, абсолютное большинство граждан этот ваш гонор не одобряют. Осуждают, можно сказать». — «Говори, что надо», — мало-помалу я начинала приходить в себя.

«Вот так-то лучше! Да брось ты кутаться, можно подумать, окоченела. Не так-то и холодно, если рассудить здраво». — «Это ты-то — здраво? Судья зеленая!» — «А чего? Не хуже других, — оно буркнуло и обиделось. — А может, еще и лучше, смотря у кого спрашивать. Иные, ежели бы могли, уж всяко предпочли бы меня. Я, если хочешь, расстрельные списочки не подписываю». — «Ага, — я откинула одеяло, — ты только нашептываешь, а перышком водят другие. Интересно, как их потом по вашему ведомству награждают? Что им *там* полагается?»

«Помойная яма». Он ответил кратко. Гнусный звук, терзающий уши, исчез. Голос обрел спокойную ясность, словно отроду принадлежал ленинградцу, имеющему вкус к словам. «Помойная яма полагается всем, *и тем, и этим*, нечего ваньку валять», — рывком я дернула подушку и пихнула себе под бок. «Не-ет, вот этого ты не доду-умала, яма яме рознь», — подтянувшись, он перевалился в кресло и сел поудобнее. Невесть почему, я успокоилась. Сидящий в кресле становился подобием гостя. «Ну и черт с ним, — я сказала себе, — в конце концов, как пришло, так и уберется». Как будто услышав, он глянул внимательно.

«Послушай-ка, — неожиданная мысль пришла мне в голову, — ты там, у вас, кто?» — «Кто — кто?» — он повел острым ухом. Судорога отвращения прошла по спине: «Не знаю, по иерархии: старшина, рядовой, не генерал же?» — «Чего это?» — он чавкнул недовольно. Отведя глаза, я поежилась: «Ну, в книжках, почитать, *вы*, как это, вроде бы человекообразные, а ты больно уж... пресмыкающийся». — «Не вижу особой разницы. А что до величины, так каждому — по его грехам». — «Значит, если, например, к убийце — шлют кого покрупнее?» — «Чи что, дура? — забывшись, он снова сбился на говорок. — У вас энтих убийц, считай, полнарода. Ежели к каждому крупного слать — крупных не хватит. С убивцами вашими — задача простая, к ним — любой дурак рядовой...» — он вскинулся и присвистнул. «Сам дурак, не свисти», — я сморщилась злобно. «А чо, денег не будет? Так мне не надо, я и на дармовщинку могу, халявой, не хуже вас, совейских», — поелозив тощим задом, он устроился поглубже.

«Значит, рядовых — к убийцам... А ты, по всему видать, не рядовой?» — «Этого тебе знать не положено, а то возгордишься, возомнишь о себе». — «Ладно, — я сказала примирительно, — не положено, так не положено, только не верится мне, что ты *там, у вас,* — в генералах». — «Нету у нас генералов, — опять его голос стал ясным и серьезным. — *Там, у нас,* другие чины». — «Это какие ж? Штатские, что ли?» — «А как поглядеть. Я вот, к примеру, архимандрит». — «Чего-о?» — я протянула презрительно. «А тебе, гляжу, подавай бородку благообразную, клинышком, или подрясничек, веревкой препоясанный, а то еще, бывает, зевки крестят и ручки суют в рукава... — он расхихикался, довольный. — Я ведь вот что подумал: кто в рукава, а кто и в брючки, если взять по вашему, по-скитски!» — откинувшись, он почесал брюхо.

«Заткнись. Мальчишка — больной», — я огрызнулась, защищая. «Да у вас каждый второй — больной, и ничего не поделаешь, вырождение-с... — он гладил начесанное брюхо. — Ну-ка, — подмигнул глумливо, — сравни фотографии: до и после». — «Хорошо, что вас не коснулось!» — мне хотелось плюнуть в глумливую рожу.

«Какое там, не коснулось, и-и-и! — он завел тоненько, по-поросячьи. — Вот, взять меня, раньше-то я — красавец!» — он завертел головой, охорашиваясь. «Тьфу! — я плюнула. — Значит, говоришь, архимандрит. А *главный ваш* кто — поди, патриарх?» — «Князь, — он ответил и причмокнул. — Это вы своих шпокнули, а мы береже-ем». — «Заткнись! *Шпок-*

нули! Кто это — мы? Я, что ли, их шпокнула? Меня и на свете-то не было, и нечего глаза колоть». — «Во-от! Ты-то и выходишь дурой. Те-то, кто *сам*, может, хоть порадовались, прия-ятно кровушкой побаловать. А вы-то — так, уродцы в чужом пиру...» — «Уродцы?!» — отшвырнув подушку, я села руки в боки. — На себя гляди, гадина!»

«Знаешь, — он почесал за ухом, — а ты мне нравишься. Как это говорят, непуганое поколение. С вами надо работать творчески. Между прочим, тяжелая работа — берешься как с нуля. Эти, *до тебя*, ну сама скоро узнаешь, с ними попроще, но — нет, не интересно», — он шарил вертлявой мордой. «А ты, значит, при исполнении? И долго тебе еще *творить*? Вон, весь в морщинах, на пенсию не скоро?» — «Эх! Да кабы моя воля, я бы когда еще! В этом, как его, год-то, когда съезд ваш *знаменитый*... Да, видно, не пришло еще времечко бока отлеживать. Родина-ваша-мать в опасности. Годков этак тридцать-сорок еще покру-утимся! А то и все пятьдесят». — «А потом что же, сгинете?» — я натянула одеяло. «Сгинуть — не сгинем. Другие придут, помоложе», — он замолчал и задумался.

«В сущности, в этом и заключается связь времен... — ручонка поднялась и вывернулась раздумчиво. — Старики, вроде нас, уходят, молодые приходят. А что поделаешь? Как говаривал апостол Павел, с каждым *поколением* нужно разговаривать на его языке. Мы вот — романтики», — сведя кулачки, он потянулся. «Врешь, — я сказала уверенно, — апостол Павел говорил: с каждым *человеком*». — «Во-первых, ты-то откуда знаешь? Там давным-давно все застроено. А во-вторых, какая разница?» — острые глазки сверкнули хитро. «Такая! Нечего придуривать, сам все понимаешь». — «Я-то понима-аю... А вот ты! Эпоха! Шестьдесят лет назад! Десятилетия! Такие, вроде тебя, напридумают, а нам — разгребай», — он сморщился и пригрозил пальцем. Холодная волна, сводящая зубы, поднялась по мановению. Язык распух и прилип к гортани, словно холод, исходивший из его пальца, лишил меня речи. Сглатывая всем горлом, я задохнулась и раскашлялась. Он сидел, пережидая приступ.

Ледяной воздух царапал бронхи, проникал до корней. Стараясь дышать тише, я вытерла мокрые щеки. «Плачешь?» — нарушая молчание, он спросил заботливо. Я дернула щекой. Мною овладевало странное бессилие. Гнусная тварь, по-хозяйски развалившаяся в кресле, подчиняла мою волю.

«Человек... Поколение... Еще не хватало здесь, — я забыла слово, — политинформацию...» — спиной я чуяла голый бесстыжий бетон. В собственной комнате, как в склепе, я собралась из последних сил и вытерла рот: «Говори, что надо, и уходи».

«Да-а... — он протянул разочарованно. — Все-таки ты мало читаешь. Взять твоего любимца, Фому. Сам, как ни крути, человек, а писал, вишь ты, прямо от лица поколения. Жаль, главной его книжечки ты так и не удосужилась!» — «Кто?» — я спросила, не удержавшись. «Вот так-то лучше, — он поерзал в кресле. — Роль ученицы тебе к лицу. Вообще-то, должен признать, ученица из тебя хорошая. Прямо скажем, талантливая. И учителей выбираешь с умом». Каждое слово, сказанное тварью, било в сердце. «Ах да, — он присвистнул. — Что это я? Теперь-то дело другое, теперь тебе и спросить некого! Ну спроси хоть у мужа. Поди, спрос не грех. Грех-то венцом прикрыт? А? Кстати, чего это он так упирался, когда ты его — к венцу?» — хихикнув, он откинулся. «Не твое дело!» — я кусала губы. «Не мое, не мое, я — сторона, это ваши игры, *монастырские*. А здорово ты отца Иакова обломала, раз-два и готов! Вот это по-нашему», — распустив лобные складки, он сопел одобрительно.

Глядя на меня пристальными туманящимися глазами, он жмурился, как от солнца. Монастырское воспоминание дарило его наслаждением. Глаза, глядевшие неотрывно, дрогнули оплывающими зрачками, и длинная волна, похожая на судорогу, изогнула жалкое тельце. Цепляя подлокотники всеми пальцами, он дышал, отводя глаза. Наливаясь отвращением, я смотрела, но не видела земноводной твари. На моих глазах, упустивших последний миг, случилось необъяснимое превращение. В кресле, легко и свободно откинувшись, сидел человек. На вид ему не было и сорока. Болотная бледность покрывала черты, неуловимо сходные с исчезнувшими. Туда же гнул и костюм с серо-зеленой искрой. Я не заметила, как в его руках оказался портфель, откуда, запустив пальцы, он вытянул мелко исписанный лист. Пробежав, кивнул удовлетворенно и поднял холодные глаза.

«Если здесь ничего не напутано, вы хвалились, что умеете угадывать то, что написано в чужих книгах? Растить их слова в своем чреве?» — перейдя на *вы*, он улыбался. Холодный вежливый голос терзал меня. Я кивнула. «Тем лучше. Значит, нам будет проще договориться», — он отложил исписанный лист. «Догово..? А кто это за мной записывал? — Желудок сжался, и, сводя взмокшие ладони, я выдавила: — Договориться — о чем?» Короткая судорога повела его шею. Он кивнул и отложил.

«Так, — холодный гость сверкнул внимательным глазом. — Начнем сначала: с книг. Прошу учесть, что все, прочитанное тобою, доставлено сюда при нашем попустительстве. Если бы мы не хитрили с таможней, где бы ты взяла *свои* книги?» — «Я бы их угадала», — чуя холодную стену, я думала о том, чтобы отвечать достойно. «Угадаешь, еще угадаешь, конечно, если мы позволим, — он кивал. — Позволим и благословим. Говорят, без нас ни одна хорошая книжечка не пишется, — в голосе вскипала угроза, — а впрочем, скоро узнаешь и сама». Я заметила: со мной он — как монастырские, на *ты*.

«А знаешь, что особенно смешно? — он оживился. — С учителем-то твоим... Училась, училась, а главному не выучилась: в этой стране за спросом ходят к нам. Ежели мы благословим, тогда-а! Вон, твои обновленцы. А, — он махнул рукой. — С ними — дело прошлое. Кстати, учитель твой неужто не рассказывал? Уж мы с ним, было дело, повозиились... Крутился, как черт под вилами. С его-то собственной, а главное, семейной историей... Дура! — он озлился. — Придумала: пощадили и выпустили. Неужели за границу — *за так*? А ну-ка, спроси у мужа». — «Гадина. Врешь ты про Митю... Я не верю».

«Не хочешь, не верь. Считай, мои выдумки. Лично мне, — он заговорил мягче, — выдумки нравятся, особенно — твои. Как же там?.. — снова он взялся за лист. — Нда-с, передается *по крови*, согласен, это — хорошо. Это раньше, дескать, каждый сам по себе. Не хочешь, сиди, мол, дома, а уж пошел в бордель — там постыдные болезни, как говорится, грезы любви... А тут и ходить не надо... Считай, в борделе... Да ты и сама скоро узнаешь, когда прочтешь», — порывшись, он вынул темно-синий том. Серебряные буквы, пропечатанные на обложке, дрожали в моих глазах. Я силилась рассмотреть, но рука, качавшая книгу, вывернулась так, что мне досталось одно только слово: *Доктор*...

«В первый раз напечатали в год твоего рождения, — он завел как ни в чем не бывало, — но теперь — библиографическая редкость, нету и у дочки твоего профессора, там, на Исаакиевской, — он произнес с нажимом, — нечего и спрашивать, но скоро, совсем уже скоро они издадут снова, уже готовят, и знаешь где? Ты будешь смеяться: в Узбекистане. А зачем нам здесь, в России? Нам в России этого не надо — пусть чучмеки читают. Кажется, страна одна, ан нет... Ты ведь любишь все путать, например, с Грузией...» — он хохотнул и сунул книгу в портфель.

«Но что мне особенно понравилось, — сжав кулаки, зевнул сладко, — так это твоя выдумка о *первородном русском грехе*...» — «Это не выдумка», — я возразила твердо. «Ладно, не надо придираться к словам. Если тебе приятно, назовем не выдумкой, а догадкой, хотя, говоря откровенно (с умными собеседниками и мы откровенны), для нас-то — никакая не догадка, а самый обыкновенный инструмент. Крючок для рыболова... кадило для дьякона... карандаш для писателя... Вот именно — карандаш», — он замолчал, раздумывая.

Безвольным комком, похожим на половую тряпку, я следила за его руками, в которых, как по волшебству, явился тряпичный мешок. Он был точь-в-точь моим, если бы не грубый шнурок, похожий на веревку. «Вещественное доказательство», — собеседник произнес веско. Растянув во всю ширь, словно ослабив удавку, он запустил пальцы и разложил по столу: чай, сахар, помойные варежки. «Ваше?» — обратился вежливо. Косой ярлычок с пометкой tax-free завернулся угодливым крючком.

«Странно все-таки получается... Продукт, купленный за границей, как говорится, на твердую валюту, и где мы его находим? В пе-ре-да-че», — он произнес раздельно. «Это... в больницу», — изо всех сил я прикусила губу и сглотнула солоноватое. «А вот врать нам не на-а-до, — он протянул с удовольствием, — тем более так — неумело. Меховые варежки в больнице — без надобности. Нет. Не вы-хо-дит!» — разводя руками, он клонил подбородок к плечу. Серый оконный свет заливал прямые волосы, разложенные на косой пробор.

«А выходит совсем другое. Выходит, к чему-то готовимся... Может, к побегу?» — закинув руку, он пригладил плоский затылок. «А зачем мне бежать? Я — человек свободный». — «И давно ли?» — уточнял деловито. «С рождения», — теперь, ответив достойно, я не опустила глаз. «Приятное исключение, чего не скажешь о *других*, — голосом он выделил гадко, — о тех, которые ничего о себе не возомнили и знают — что почем. Уж они-то мешочки не складывают, потому что варежками от нас не откупишься, —

поднеся к носу, он сморщился от помойного запаха. — Готовься не готовься, а просто так от нас не сбежишь. Кстати, не доводилось ли тебе?.. Короче, есть тут одна теория, сейчас не вспомню ни автора, ни названия, но общий смысл тот, что *ад*, — дознаватель улыбнулся тонко, — одно из тех трансцендентных пространств, каковые либо существуют для всех, либо вовсе ни для кого. Этот автор вывернул так, дескать, ни единый праведник, узнай он о существовании ада, не насладится собственным райским бессмертием. Нет, прижизненная безгрешность ни при чем, тем более здесь, среди вас, где нет и не может быть праведников. Откуда взяться! Все измазаны, — словно нюхая варежку, он протянул брезгливо. — Единственное, что еще попадается, так это сострадание. Прогрызливый червячок точит изнутри. Впрочем, теории, и эта — не исключение, плохи именно тем, что не каноничны. Любая из них отдает душком *обновленчества*. Для многих он — хуже серы». Я слушала, вникая с трудом. Знакомые слова, произнесенные глумливым голосом, не смыкались со смыслом.

«Уж сколько их, готовых отдать свою душу, — пальцем он очертил аккуратную ровную окружность, — лишь бы соблюсти предписанные каноны...» — «Это — вина властей». — «Брось! — он отмахнулся беззлобно. — Давно-о я замечаю за вами эту паскудную манеру: валить на нас, как на мертвых. На самом деле *всегда* побеждают те каноны, ревнители которых ловчее договорятся. В эти мелочи мы не вникаем. Договорились с властями, и — ладушки. Уж я-то помню, как юлили и те и эти, только где уж там обновленцам! Хитрости маловато! — он пригладил пробор и покачал головой. — Не-ет, как частное лицо, я никак обновленцев не одобряю. Это надо ж — сотрудничать с большевиками! Однако, если уж, как говорится, считать по осени, то *праведные*, *церковные* цыплята, с нашей точки зрения, вышли ничуть не хуже. Что в лоб, что по лбу, но! — он воздел острый палец. — Честное имя *этого* патриарха возносили на литургиях в полном каноническом соответствии. А в сущности, не случись англиканского архиепископа, вря-яд ли славный генералиссимус завел бы волынку с патриаршеством! А тут, оп! — все одно к одному, и договорились славно: мы вам невмешательство в вашу *литургическую* жизнь, а уж вы нам — вечную патриаршую поддержку в нашей внутренней, но особенно внешней политике. Нормальный ход. Наши — в дамки, ваших нет. И где они — ау-у! — романтики-обновленцы!» — «У патриарха не было выбора», — слезы бессилия вскипали в уголках глаз.

«У него, но не у тебя. А значит, мы подходим к главному». Он вцепился в подлокотники и изогнулся, щурясь. «Ломает?» — я догадалась гадливо. «Уколоться пора», — он буркнул и полез в портфель. Медицинский чемоданчик блеснул металлическим боком, и, ловко управившись, серо-зеленый выпустил струйку из иглы. Резиновая петля обвила заголенное запястье и затянулась — сама собой. «Не желаете?» — предложил вежливо. Я отшатнулась.

«Ну, ну, и правильно, лекарство — дело вредное, — он занес и вонзил. Прозрачный столбик, полнивший шприц, медленно вливался в вену. Откинувшись, он прикрыл складчатые веки. — И правильно, и правильно... Лечиться надо народными... Народ всегда прав... Народ всегда поддержит... — бормотал, заговариваясь. — Я была всегда с моим народом... Хорошо написано, от души! — лекарство дошло, голова дернулась и воспрянула. — Да, о чем бишь я? О главном, — глумливая улыбка растеклась по губам. — А главное для *нас* — что? Свобода. Свобода или смерть?!» — рявкнув, он изогнулся фертом.

В тишине стучала зубная дробь. Вцепившись всеми пальцами, я сдерживала челюсть, но она, сведенная ужасом, выбивалась из-под руки. «Шучу, — он пригладил волосы, — в смысле преувеличиваю. Но не сильно. Так сказать, заостряю проблему. Короче, дело к ночи, в смысле — к достойному концу, который, если доброхот вроде меня не вмешается, грозит стать недостойным. Эй, ты чего там, уснула?»

«Ты сгинешь?» — подняв голову от подушки, я спросила тихо. «Я-то сги-ину, — он махнул рукой, — а ты останешься и будешь сигать к открытым форточкам и сеять крупу. Наешь и станешь дожидаться всходов: хороша каша, да не наша. А как же учитель? Его дело совсем плохо. Да ты и сама знаешь — беда! А ведь, помню, предупреждали. Обещал. Поверили. Мы, если надо, тоже людям верим — не хуже твоего. Однако веры в таких делах маловато. Долг платежом красен. Это я — про тебя. За других вольно́ рассуждать, дескать, ученик покойного. Как же так: испугался, не сумел, не решился высказать всю правду? А ты попробуй — за своего постой».

Медленно, словно выжимали по слову, его голос проникал в мое тело, бродил по измученным венам. Я чувствовала себя ссыхающейся оболочкой, из которой вытянули все внутренности умелыми крюками. Он выговорил все, что я и в самых последних мыслях не решалась выговорить.

«В этой стране *ни черта* не вырастет», — я услышала голос и подняла веки. Близко сведенные глаза смотрели на меня неотрывно, словно силились разглядеть, что у меня внутри. Над поднятыми земными пластами, как над разверстой могилой, мы стояли друг против друга. «*Ни черта* не вырастет, — он повторил медленно, — но ты, тебе я предлагаю помощь, всего лишь безвозмездную помощь. Никакой торговли, я — не процентщик и не торгаш, вроде ваших, церковных. Все, что от тебя требуется, — признать нашу безграничную власть, и мы спасем *одну* неприкаянную душу. Забери, — он пододвинул. — Это больше не нужно. Забирай и решайся, время — к утру».

«Кому... не нужно?» — я смотрела на помойные варежки. Они лежали смирно, дожидаясь своей участи. «В этой стране ни до кого ничего не доходит, сколько ни передавай, — голос звучал торжественно. — Тут требуется другое — выбрать тех, кто возьмет твой выбор на себя. Не ты первая, не ты и последняя. Признай, и мы его выпустим, на все-е закроем глаза». — «Это неправда, — распухший язык ворочался с трудом, — вас нет, вы — морок, болезнь, мое помрачение...» — «Вот уж глупость! Никак от тебя не ожидал. Кстати, *он*, ну ты меня понимаешь, сначала тоже, знай, открещивался, а потом, *однажды*, как миленький, попросил. У нас. Обещал расплатиться ненавистью... Смешно». — «Ненавистью... Неприкаянную... спасем, и ты его погубишь...» — язык стал тяжелым, как жернов, положенный на шею. «Чтобы погубить, мне не надобно твоего согласия. Рано или поздно все неприкаянные так и так каются — *у нас*».

Я видела — он устал. Адская жидкость, бродящая в крови, действовала как дурман. То собирая взгляд, то распуская пристальные зрачки, он сидел подчеркнуто прямо, но равновесие давалось ему с трудом. Белые щеки подернулись густой прозеленью. Тень, лежавшая в углах рта, подчеркивала болезненную впалость. «Решайте-с», — меркнущий голос не сумел смягчить холуйского призвука.

Медленно, как будто вертела неподъемные жернова, я думала о том, что согласие станет моим выздоровлением. Я-то знала, о чем он здесь мелет. Не я первая — не я последняя. Одним кивком я обрету свободу от помоечных баков, ночных кожаных звонков, выдуманных холщовых мешочков, тихих и призрачных пальцев, приложенных к молчащим губам. Здоровые — не видят. Я тоже стану здоровой и ослепну. *Никогда* не увижу непреклонных лиц, вправленных во взорванные иконостасы, и *другие*, согбенные фигуры не встанут на моей кухне, как лебеда. Я ослепну по собственному выбору. По своему собственному выбору приму желанный обет — слепоты.

Слепнущими глазами я смотрела в лицо тому, кого *готова* была признать. Холодный огонь, высокий и праздничный, занимался в его пустых оплывающих зрачках. Я напрягла подбородок, готовясь кивнуть, но в этот сладостный и ослепляющий миг в мои зрачки брызнуло раскаленным, и мягкое наплывающее бельмо лопнуло, словно расклеванное птицами. Спина сидящего передо мной держалась достойно и прямо, но темный вспухающий бугор дрожал под его животом. Глубоко дыша, он старался сбить приближение восторга... Замирая от невиданной боли, я видела, как бледные черты искусителя стягиваются, иссыхают морщинами. Воя утробным воем, как все они — в храме, *оно* оттянуло ремень и, сунувшись в штаны, зашевелило перепончатой лапой. Оживший бугор ходил в его горсти, пока оно глядело на меня, истекая сладострастной истомой. Серо-зеленое туловище изогнулось в последней судороге, и, опрокидываясь во тьму своей будущей, теперь уже близкой, болезни, я услышала стон его оскорбленной и торжествующей любви.

Зеркало, вправленное в раму

Сквозь раздернутые шторы проникал уличный свет. Не отрывая головы от подушки, я чертила глазами, но комната, принимавшая очертания, не становилась моей. Дом, слепленный моими руками, распадался на части, как будто прошедшая ночь выбила гвозди из пазов. Мебель громоздилась пыльной декорацией, разобранной на куски. Сквозь пыль, дрожавшую в глазах, я пыталась припомнить, но память блуждала вокруг да около, не соединяясь. Я смотрела на дверь, но помнила тряпку, не поддающуюся опознанию. Скользя глазами, я прочертила путь от двери: вдавленное кресло, на котором *сидели*, хранило очертания. Застонав, я мотнула головой, но удавка, обвившая шею, затягивалась сильнее. Стараясь не двигать головой, я сползла с дивана. Одежда была сырой и холодной. Осторожно и сосредоточенно я разбирала сложенную стопку и, ежась от сырости, надевала как не свое. Часы, висящие в простенке, остановились на семи.

Вырвавшись на улицу, я свернула за угол и замерла. Темный вой ударил в уши, и первым толчком, как будто разом ослабили веревку, в голову хлынула кровь. Она билась в ушах, расползаясь яростным шуршанием. Сорвавшись с места, как будто снова погнали, я бежала к остановке, но мысль неслась впереди: *так* выла бы я, если бы *признала*. Обломки плотины — спасительного *сонного* объяснения — вонзались в израненный мозг. Сознание, оседланное взбесившейся мыслью, строило единственно верную последовательность, первое звено которой замкнулось на Исаакиевской площади: там стояла будка, в которой я затевала игру с мелочью. Медные двухкопеечные монеты рассы́пались по серой глади, когда я, загнанная в угол, отрекалась от вечной жизни.

«Что-то еще... тогда же...» Словно наяву я слышала голос, окликавший меня из подворотни. *С ним*, сама во всем виноватая, я говорила сегодняшней ночью.

У метро, смешавшись с толпой пассажиров, я вспомнила мелко исписанный лист. Тот, слышавший мысли, ходил за мной по пятам, записывал мельчайшими буквами — предъявить. Мысль вздыбилась и вонзилась шпорами: если так, значит, и сейчас он должен идти за мной. Не выдавая взглядом, я озиралась исподтишка, но лица людей, спешивших на раннюю смену, были отрешенными...

Добежав до Колокольной, я свернула за церковную ограду и затаилась: тот, кто следил за мной, должен был выскочить из-за угла: на ходу, по инерции... Дойдя до парадной, я оглянулась. Напоследок — на всякий случай.

Из подвала несло плесневелой сыростью. Взбежав на три пролета, я замерла у дверей. Еще не решаясь, я прислушивалась к соседним квартирам, словно за дверьми, запертыми наглухо, стояли серо-зеленые писцы. Готовые слушать мысли, они держали пустые блокноты и приготовленные ручки. «Главное, *не думать*», — стараясь не выдать себя мыслью, я собирала силы. Мягкое, похожее на опилки, обкладывало клетки мозга, они гасли узкими окнами — одна за другой.

На звонок не выходили. Припав к замочной скважине, я прислушивалась, но не различала шагов. Не дождавшись, тронулась вниз по лестнице, но за спиной хрустнуло и открылось. Не ступая на площадку, Митя вырос в просвете створки шириной в ладонь.

Его лицо было бледным. Тусклый взгляд скользнул и остановился. «Господи, — он произнес неслышно. — Это — ты... Есть Бог». Коротко оглядевшись, словно знал про соседские двери, он поманил меня пальцем и отступил в глубину. Костюм, сменивший вытертые джинсы, придавал ему строгую торжественность. «Ты... куда-то... собрался?» — я прошептала, не понимая. «Тихо, мама спит». Он приложил палец к губам. Снова, как в академической церкви, его палец просил о молчании.

Шагая по комнате, Митя говорил короткими, едва связными фразами, из которых я поняла главное: *взяли* того, кто давал книги. Теперь, добравшись по цепочке, они вызвали его, приказали явиться на Литейный — вручили повестку. «Прямо на работу, двое... Мне позвонили из отдела кадров, предложили спуститься, там у них специальная комната, чтобы никто не мешал». — «Это они сказали, что *взяли* того человека?» — «Нет, но назвали фамилию, спросили — знаком ли?» — «А ты?» Митя кивнул. «Но, может быть...» — я искала *нестрашное* объяснение. «Нет, — он щелкнул пальцами. — Тем же вечером мне позвонили из Москвы. Это — последний звонок. Потом я уже не подходил».

«Когда?» Подойдя к столу, Митя взял листок и подал мне. Бумажка в четверть страницы, похожая на квитанцию. Я вчитывалась внимательно. Фамилия, имя, отчество, время, номер комнаты и подъезда. Через неделю.

«Неделя, целая неделя, — сев на подлокотник, он глядел мимо. — Специально... Отсрочка, психологический прием —

обессилить», — глаза распахивались слепо. «Ну что ты говоришь! Если бы у них *на тебя* было, неужели стали бы раздумывать, давать время? Явились бы сразу — с обыском». — «Явятся», — словно очнувшись, он обернулся на дверь. Клетки мозга пылали огненными полосами: теперь я понимала, *зачем* он надел торжественный костюм. «Господи, — я сказала, — звонок, мой звонок, ты выходил встречать *их*...»

Мы сидели за низким столом, не приближаясь друг к другу. «А раньше ты ничего не замечал?» — «Нет, разве однажды. Вызвали в отдел кадров. Сказали принести справку из паспортного стола, помнишь, тогда, на Рубинштейна...» Я вспоминала вечер и замкнутый путь, легший муравьиной тропой. Из года в год по тропе ходили те, кого отправляли за справкой. «А потом?» — «Ничего, — он пожал плечами, — взял, отнес, подшили». — «Но тебе, — я начала осторожно, — потом тебе никогда не казалось, что кто-то?..» — «Следит?» — подумав, он покачал головой.

«Эти двое, как они выглядели?» — я принималась снова. Митя сморщился неопределенно. «Лица, — я вдохнула коротко, — в их лицах? — голос уходил вниз, под ребра. —.Не было такой... зеленоватости?» Не удивляясь, Митя думал внимательно. В лице, измученном тревожными ночами, проступала беззащитность.

«Послушай, — решившись, я заговорила снова, — раз уж идти... *Там* они знают мысли». Я сказала и замерла, ожидая яростной вспышки, но Митя усмехнулся, соглашаясь: «*Мыслепреступление*? Конечно. Я помню об этом. Черт, надо было и мне...» Поймав мой взгляд, он улыбнулся криво: «Если б знать заранее... Церковных не трогают. Надо было — в церковь».

Возражая, я заговорила о церковных диссидентах, о том, что были и есть процессы, брали и сажали. «Как же его, господи?.. — я не могла вспомнить. — Ты же сам говорил, этот...» — «Да если бы я хоть четверть, хоть четверть того,

что этот Якунин! Неужели стали бы возиться?! Черт! Меня
бы они просто уничтожили!» — «Не ори, — я сказала, наливаясь злобой, — *тебя* они пока что только вызвали, а он уже
сидит. В конце концов, если и так, никто не мешал тебе —
в церковь». — «Не-ет уж, — он ломал губы, — мне-то как
раз именно мешали, твои же церковники. И не только. С мо-
ей-то *историей*! Представляю, как бы они сунулись с моей
кандидатурой — на согласование с *коллегами*!» — «С какой
историей?» — я спросила и опустила глаза. «Было дело.
Сейчас об этом незачем. Могут дернуть и тебя».

«Что плохого, если церковь защищает своих? Тебе что,
лучше, когда отрекаются?» — «Да разве!.. При чем здесь это:
отрекаются, защищают. Сами по себе они не защищают и не
отрекаются. Гадость в том, что и то и другое — по соглаше-
нию, — он устал и затих. — Ну почему, почему ты не можешь
просто быть женщиной, нормальной женщиной: пожалеть
меня? — ежась от холода, Митя поводил плечами. — Для этого ничего не надо. Ничего, даже книг. Это — инстинкт. Он есть
у любой козы или, черт бы ее побрал, крольчихи...» — «Да, —
я сказала, — верно, у любой козы».

Я думала о том, что сейчас, в эту самую минуту, готова отдать все, чтобы стать этой самой козой...

«Разве ты... когда-нибудь... учил меня этому? И не смей
из меня — урода... Ты сам, сам, разве сам ты умеешь хоть кого-нибудь пожалеть?» — «Помнишь, тогда, в мастерской,
когда рухнул дурацкий омар, ты сказала: *мы все — покойники*? А еще потом ты говорила, что хочешь жить нормальной жизнью. В этой стране — нельзя. Я говорил, но ты не
поверила. Если *они* на этот раз отпустят...» — Митя задох-
нулся и замолк. «Что?» — я спросила, на что-то надеясь.
«Ничего», — он не стал продолжать. Вынув из моих рук бумажку, сложил по сгибу и спрятал в нагрудный карман.

Я встала и пошла к зеркалу. Мутноватое от старости и пыли, оно было вправлено в дубовый шкаф. «Скоро все кончит-

ся, осталось совсем немного... Немного потерпеть», — я утешала Митино отражение, глядевшее на меня из зеркала сквозь время и пыль. «Почему ты так... говоришь?..» — Митя стоял за мной. В глазах, смотревших на меня из глубины, не было ненависти. Пыльное зеркало отражало испорченную реальность, преломляло ее как луч. Луч, исходящий из нашей жизни, возвращался назад преображенным. Митины глаза теплились радостью: отражение, стоящее за плечом, ткнулось в мое плечо подбородком. Я подняла правую руку, и мое отражение, подняв левую, коснулось Митиной щеки... «Потому, что я не верю в совпадения», — глаза в глаза, я бы не посмела. «Тебя — тоже?!» — подбородок вздрогнул и, напрягшись, выступил вперед.

«Нет, нет, это — не то, ты не так...» — я заговорила торопливо. «Слава богу!» — он выдохнул облегченно. Отраженный взгляд опять был теплым и праздничным. «Хватит про них. Расскажи, — Митя повернул меня к себе, — мы не виделись *вечность*».

Я вывернулась из его рук и, садясь в кресло, подумала о том, что все действительно сдвинулось: прежний будничный Митя так не сказал бы никогда. В обыденном мире, в котором его не приглашали повесткой, Митин язык был опасливым: избегал *прямоты*. Все, что пронзало душу, мгновенно взывало к околичностям, как будто искренность, облачаемая в слово, требовала иронической упаковки.

За дверью зашаркали. «Мама ничего не знает», — Митя предупредил коротко. «А если зайдет?» Я растерялась. «Не зайдет, рассказывай», — он просил нетерпеливо.

Ежась от ночного ужаса, я вдохнула. Сухие шуршащие ручонки потянулись ко мне от двери, но мгновенно и безошибочно, как будто это *уже* случалось, я угадала и осеклась. Я знала: *что* он мне на это ответит, если я расскажу ему все. Рядом с его *действительным* страхом мой рассказ станет безжалостной пародией. Порождением больного сознания.

Елена Чижова

Обернувшись к зеркалу, хранящему наши праздничные отражения, я начала с главного — о монастыре. Митя слушал, не сводя внимательного взгляда. Монастырские картинки занимали его. Позабыв про свои страхи, он вспыхивал то удивлением, то радостью, а то и переспрашивал, требуя новых подробностей. Мой рассказ начинался со станции, и, обойдя молчанием шофера, клявшего начальство и дороги, я перешла к паломникам. Митины глаза искрились удовольствием, когда я, стараясь ничего не упустить, описывала бабенок, слепцов, поводырей. Совершенно осмелев, я пошла к кукурузному полю, над которым, словно небесный отсвет, вставали золотые соборные купола. Последний ночной ужас покидал мою душу, когда, рассказав о купольном чуде, я встретила радость, льющуюся из его глаз. «Когда-нибудь я напишу об этом», — он пообещал, и я кивнула.

Мало-помалу мы добрались до приземистой статуи, с ног до головы выкрашенной серебрянкой. «Неужели так и стоит, вымазанный?» — Митя качал головой восхищенно, живо представляя себе кургузого Ильича. За приземистым памятником следовал рассказ о *говновозке*, и, слушая о людях, по доброй воле легших под вонючие струи, Митя морщился горестно. Все дальше и дальше, вспоминая о прожитой монастырской жизни, я то пела вполголоса — любимым знаменным распевом, то вспоминала призрачную черную *бабочку*, умеющую являться и исчезать. Митя предположил, что если так и было в действительности, значит, эта *бабочка* — чья-то *неприкаянная* душа.

Слово отдалось чмокающим звуком, но, взяв себя в руки, я сумела отогнать. «Только не вспоминать, только не...» — я ринулась вперед, торопясь добраться до исповеди, которая — в этом я признавалась со стыдом и болью — закончилась моим унижением.

Митины брови поднялись: «Неужели?..» Ему не верилось, что я, изгнанная старцем, нашла в себе смирение *про-

346

глотить. «Не-ет!» — я засмеялась, и Митя кивнул довольный. Рассказ об остановленной процессии вызвал живей-
шее одобрение. «О! Это — по-нашему!» — он воскликнул,
когда я преградила путь наместнику, отодвинувшему свиту
одним мановением руки. «И что? Что ты ему сказала?» —
Митя наслаждался, предвкушая. Все еще не чуя опасности,
я передала площадную беседу, завершившуюся лукавым до-
говором.

«Значит, по-вен-ча-лись?» — Митя произнес холодно
и раздельно, не поднимая глаз.

Когда он их поднял, праздничные отражения исчезли.
Острые осколки зеркала летели из дубовой рамы, сыпались
к моим ногам.

Больным израненным шепотом он говорил о том, что всегда восхищался моей не имеющей границ аморальностью,
которая сама по себе, безо всякого инфернального вмешательства, способна подвигать меня на кощунственные по-
ступки, для которых — и в том и в этом мире — нет и не может быть оправданий. «Я не верю, ты не можешь этого не
понимать... Не могла не понимать, венчаясь. Неужели ты не
видишь, что теперь — *не-по-пра-ви-мо?*» Замирая, я слушала голос, но мысль, загнанная в угол, судорожно искала
выход.

«Это ты говоришь мне об этом? Что для тебя — церковное венчание? Если каждое упоминание о церкви, стоит мне
только заикнуться, — из тебя же — одна только ненависть,
неверие и презрение!»

Тихим голосом он говорил о том, что его отношение
к церкви совершенно ни при чем. Дело не в церкви, а во
мне, потому что я, в чем он с самого начала был совершенно уверен, похожа на всех советских людей, не умеющих
быть порядочными даже на том поле, которое они очерчива-
ют по своей доброй воле. «Вы, — он поднимал острый палец, — носите в себе непоправимое уродство, которое само

по себе рушит все ваши самые искренние убеждения, хоть церковные, хоть коммунистические, и нет в этом мире силы, способной ваше уродство обуздать. А впрочем, тебе я благодарен. Когда я, наконец, отсюда уеду, именно тебя, как самый чистый и законченный экземпляр, я выведу в своем бестселлере: сумею рассказать правду о вашем общем и бесхитростном уродстве».

Митин голос, поднимавшийся к небу, бился в купольном барабане, и тусклая барабанная дробь терзала мои виски. Сквозь монотонный голос, обличающий меня в уродстве, она выбивала: «Прелюбодейка! Ведьма! Вон!» Палец — монашеский посох — упирался в каменный пол. Плиты пола наливались, становясь влажными, и луч, отражаясь в пыльном зеркале, сползал с солеи...

Острыми сучковатыми пальцами я впилась в его простертую руку, и медленно оползающая тьма закрыла свет. Во тьме, отдававшей зеленоватым, я видела: это — позор и ужас, если он *вырвется* и напишет свой проклятый бестселлер. *Это* станет моим позором, несмываемым, как серебрянка. Он запишет за мной мельчайшими буквами: тайные мысли и слова. Их он вывернет наизнанку и выставит так, чтобы я, вымазанная статуя, встала перед воротами в его дивный новый мир. «... ваши игры, монастырские. Здорово обломала...» — зеленоватый голос подбирался ко мне, льнул к плечу. «Дрянь, гадина и дрянь, не смей смотреть на меня!» — покрываясь холодным потом, я говорила спокойно и ясно — заранее отрепетированные слова.

Митя отдернул руку. Морщась и склоняя голову, он прислушивался с удивлением, словно не верил ушам.

«Тряпка, гнилая тряпка, ты только посмей, посмей раскрыть свой поганый рот!»

Сквозь сон, становившийся явью, я повторяла слова, как будто шла по ссохшейся глинистой дороге, прямо по колеям *дурдомовских* шин. Вой, уносящий во тьму, рвался из моей груди, но, держась из последних сил, я свела свои пальцы в кулак. Что-то, бредущее по обочине, вспыхнуло в мозгу неизъяснимым светом, и в этом свете я увидела себя. Убогое деревце, не отбрасывающее тени, я стояла как вкопанная в высохший скитский двор. На ветвях, так и не пустившихся *своими* словами, лопались привитые почки: два безжалостных мира, *низ и земля*, прорастали во мне — из одного ствола. Сучковатый вживленный отросток, похожий на мою руку, изгибался и выбрасывал зеленоватые корни: они шевелились, въедаясь в мою сердцевину. Ухватив обеими руками, я рванула его на себя, как стрелу из колотой раны, и, занеся руку, нанесла удар. В носу хрустнуло. Черные бабочки порхали над полем, толклись и падали на стерню...

«Сейчас, сейчас, — Митин испуганный голос гонялся за бабочками, ловил иссохшие тельца, — сейчас, я — воды, как же это, не опускай, держи голову, остановится — все отмоем». Мокрое, похожее на тряпку, легло на переносицу. Кровь утихала. Быстро и коротко дыша, я пробовала нос. «Ничего, вроде... ничего, до свадьбы заживет», — я бормотала бессмысленные слова. Блузка, закапанная на груди, липла бурыми пятнами. «Ничего, — я повторила, — скоро кончится, осталось совсем немного...»

Митина рука сжала мой локоть. «Да, да, конечно, немного, скоро совсем остановится, — он заговаривал кровь, — неделя, и меня отпустят, против меня — ничего, в доме пусто, они могут прийти и проверить, мало ли *тот* признался, главное — молчать самому. Я буду стоять на своем... А потом, когда выйду от них, я подам документы: теперь предпочитают отпускать. Пока тебя не было, — он сказал буднично, словно я, живущая в его доме, выходила в ближайшую булочную, — я все узнал подробно. Сначала уволиться, документы — потом. Как правило, бумаги ходят месяца три. На этот срок у меня отложено, чтобы прожить, не работая. — И ровным голосом, как о решенном: — Ты поедешь со мной».

Если бы не боль, лежавшая на переносице, я сказала бы: «У тебя ничего не получится. Они не выпустят. Потому что сегодня ночью я отказалась за тебя попросить». Я могла бы это сказать, потому что уже не боялась, но прежде мне надо было убедиться в том, что все ночное — правда.

«Книга, синяя с серебряными буквами, название начинается с *Доктор*... Там о какой-то болезни, передающейся по крови». Другого способа у меня не было. Митя задумался. Поднявшись, он подошел к книжному шкафу. «Доктор?.. Этот?» — он вытянул переплет.

Я узнала ее: на эту книгу, по-хозяйски развалившись в кресле, ссылалась гнусная рептилия.

«Самое главное, тепло одеться. *Там* очень холодно, сводит изнутри. Давай посмотрим. Сейчас», — я пошла к шкафу, помнившему наши отражения. Распахнув дубовую створку, рассматривала одежные стопки. «Вот, этот свитер», — я вытянула темно-синий, грубой вязки. «Это, — он смотрел опасливо, — на тот случай, если меня немедленно *препроводят*? Лето, на улице лето. В свитере я буду выглядеть идиотом...»

«Тот, кто сядет напротив, начнет передергивать». — «Мы что? *Там* — за ломберным столиком? Партийку в карты?» — он усмехнулся. «Они действуют как цензоры. Помнишь, ты объяснял? Вырвут единственное слово, но смысл мгновенно меняется, как будто вывернут наизнанку. Да, вот еще, — я смотрела на темно-синий свитер, — старайся *не думать* правду».

«Тебя послушать, — Митя вынул свитер из моих рук и теперь оглядывался, не зная, куда пристроить, — прямо кодекс советского человека: туловище — в тепле, смысл — наизнанку, в голове — единственно ложь. — Кинув на диван, он шагнул ко мне. — Во всяком случае, спасибо за заботу. Ты говоришь сущие глупости, но выглядишь замечательно: коза козой...»

В прихожей щелкнуло. «Мама, — помрачнев, он отступил. — Пошла в булочную. Ходит каждый день, что бы ни случилось. С ее болезнью это очень опасно. Сколько таких случаев: выходят и забывают. В сумочке, я слежу за этим, всегда документы. И номер телефона — если что, мне сразу позвонят. Понимаешь, — он прикрыл створку машинально, — если меня *возьмут*, она ведь будет ходить по-прежнему. И однажды... Ты *побудешь*?» — он спросил коротко, без перехода.

Привитые почки налились горечью. Острые и зеленоватые, они проступали сквозь запятнанную ткань. «Я собирался позвонить тебе», — он сказал тихо, словно бы в оправдание. «Мне пора. Я позвоню».

«Бесполезно, — Митя смотрел разочарованно. — К телефону я не подхожу. Ты вернешься? Когда ты вернешься?» — он переспрашивал настойчиво. В голову лезло двузначное число. До него, указанного в повестке, оставалась одна неделя. Я поднялась.

«Ну ладно — ты... — он взялся за ручку входной двери. — Но он, как же он — под венец?» — «А что здесь?.. Он мне — муж», — все-таки я вставала на защиту. Ради ребенка, который когда-нибудь должен родиться. «С государственной точки зрения. Но с церковной... он ведь и с прежней женой венчался». Я отступила, не понимая. «А ты что же, не зна-ала? Все знали, он и не скрывал. Венчались на последнем курсе. Мать пригласила священника на дом, чтобы не донесли в ректорат». — «Знала», — я ответила, словно Митя уже стал одним из тех, кому нельзя говорить правду.

Выйдя на площадку, я тронулась вниз по ступеням. За спиной хрустнул замок: гадко, как носовой хрящ. Боль, резавшая глазные яблоки, мешала сосредоточиться. Если бы тот, кто слушал мои мысли, вознамерился записать, вряд ли он сумел бы это сделать. Даже себе я боялась передать словами: тот, кто принимал мою исповедь, знал единственную и главную правду. Она заключалась в том, что под венец я пошла с чужим, *ворованным* мужем, а значит, мое договорное венчание было воровским.

«Ищейки могут выслеживать только по *мысленным словам*. — Поравнявшись с церковной оградой, я сказала себе: — Теперь я для них невидима. Хорошо. Это — хорошо».

Церковный двор был усеян строительным мусором: криво распиленные доски, мотки проволоки, тяжелые бетонные глыбы. У заднего крыльца, сброшенные к алтарной стене, лежали мешки. Их выгрузили и оставили под открытым небом. То тут, то там в мешках зияли отверстия. «Тише», — спасаясь от нового подступающего приступа, я заставила себя не думать о пулях. Никакой не песок — цемент.

«Что же мне делать, Господи?» — я прислонилась к алтарной стене. Оглянувшись, я увидела пластмассовую плошку, до краев заполненную водой. Зачерпнув горсть из прорехи, я поддернула рукава и принялась замешивать старательно — свободной рукой. Глиняное тесто, похожее на разъезженную дорогу, становилось гуще. Разминая пальцами, я уносила его в угол, туда, где, шевеля метелками, стояла крапива. Если слова, все слова исчезнут, что-то должно остаться свидетельством — чтобы ангел, летающий над полями, мог увидеть и понять без слов. Золотистые утренние лучи обходили высокие стебли. Крапивные метелки, склоненные своей тяжестью, выступили мне навстречу. Они были тяжелыми и полновесными, как кропила.

Я села в траву. В мире, соединяющем низ и землю, я сидела, как оглашенная, и за меня, выбравшую безумие, некому было попросить.

«Нету, нету детей, нет и не будет...» — я бормотала и разминала в ладонях, с наслаждением, словно зачиная новую жизнь, катала и катала шарики и выкладывала перед собой.

Красное капнуло на руки, и, закинув голову, чтобы свернулось, я следила глазами за солнцем. Оно уходило за край стремительно набухающего облака. Торопясь поспеть до дождя, я опустила голову, не обращая внимания на кровь. Сероватая глина становилась красноватой. Быстрыми пальцами я лепила маленькие тельца. Глиняные человечки, замешанные на моей крови, оставались свидетельством — за меня...

Оглядевшись напоследок, я пошла обратно — к калитке. Еще не свернув, я услышала голос, зовущий меня по имени. Не оборачиваясь, потому что теперь уже знала — *чей*, я шла медленно и спокойно, больше не боясь думать. Я думала о том, что теперь бояться нечего: пусть приходят и записывают. Маленькие человечки, которым я успела *передать*, пойдут вперед по моей обочине, когда я, побежденная врагами, буду выть бессмысленным воем, в котором не останется ничего свободного: ни земли, ни низа, ни мыслей, ни слов.

«Я сделала это. Мои пальцы измазаны глиной — они могут прийти и убедиться». Словно предъявляя бесспорное доказательство, я вытянула перед собой руки и вывернула ладонями вверх.

Высшая мера

Кружа по комнатам, я примеривалась, с чего начать. Начинать следовало немедленно. Я чувствовала стремительно нарастающее нетерпение. Оно ныло в пальцах, шуршало за ушами, дрожало под сердцем. Странным образом с ним соединялось спокойствие. Руки, готовые действовать, наливались силой.

Бессвязные мысли вились в голове. Единственное, что всплывало ясно: церковный развод. Об этом я думала с холодной решимостью. Так я избавлюсь от трехрублевой бумажки, заложенной между страницами. Отдам обратно, не приму на себя грех воровства.

Вопрос, касавшийся отца Глеба, звучал просто: во что бы то ни стало я должна выяснить, знал ли он о *том* венчании. Отголоски прежних разговоров приходили на память: я склонялась к тому, что знал. Во всяком случае, начинать следовало с Глеба. Разговор с Митей — на потом.

Канал связи действовал безотказно. Мы встретились у Казанского собора, и, выслушав, отец Глеб поморщился: «По правде говоря, не вижу особого смысла». Опуская глаза, он заговорил о том, что, в сущности, ни он, ни кто другой не имеет права вмешиваться, диктовать вполне житейское решение, тем более неизвестно, что выйдет лучше, по крайней мере, в данном случае — оставаться или уезжать. Предположение, что Митю посадят, он отмел безоговорочно. «Если *только* за чтение — пересажали бы полстраны», — отец Глеб пожал плечами.

Мы сидели на скамейке, и, отводя мою просьбу, он говорил тихо и монотонно. По его словам выходило, что Митин отъезд освободит мою душу — отпустит с миром. «Не видишь — не бредишь», — он произнес рассудительно. Оглядывая меня тяжелеющим взглядом, отец Глеб рассуждал о цельной и радостной жизни, в которой я, забыв про Митю, стану хорошей женой и — он помедлил — матерью.

Я слушала и смотрела в небо: густая черная туча наплывала на купольный крест. «Вы говорите так, потому что у вас есть *личная* причина радоваться его отъезду». Чужие голоса вступали время от времени, но отец Глеб не замечал. «Если хочешь — да, — он принимал прямой разговор. — Во-первых, по-человечески, я — на стороне твоего мужа... — он назвал его уменьшительно-ласкательным именем, — а во-вторых...» «Ну?» — прислушиваясь к моему вопросу, голоса стихли.

«...Таким, как Дмитрий, здесь, — отец Глеб очертил границы пространства, — все равно жизни не будет. Дело не в *этих* — с Литейного. Дело в их собственном выборе. Не знаю, как тебе объяснить, но путь, который они нашли для себя, в сущности — тупиковый. По отношению к жизни народа они — личности маргинальные, бредут по обочине». На висок упала капля, и, отерев, я повела плечом.

«Что значит — по обочине?» — я обращалась с угрозой. «Это значит, — он говорил тихо и веско, — пройдут, не оставив следа. Плетью обуха не перешибешь. То, что хорошо в юности, в зрелые годы выглядит несколько неестественно, как... юношеский грех», — отец Глеб усмехнулся коротко. «Вот оно что, юношеский... И вы, выходит, грешили?» — я заставила себя улыбнуться. «Отчего же, грешил помаленьку. Кто ж из нас, университетских... *Я тоже кричал — свобода...*» — он пробормотал хрипловатым голосом и махнул рукой.

«В нашей богоспасаемой стране, — он продолжил без тени улыбки, — нигилизм — опасный грех. Он ведет единственно — к разрушению, и если кто-то, — пальцем он показал в небо, — пишет за нами, в этом революционном деле накопилась не одна сотня томов».

«Вы хотите сказать, что *там* — предварительное следствие? Интересно, когда-нибудь нам дадут почитать дела?..» — «Вот-вот, — отец Глеб подхватил охотно. — И статьи, заметь, групповые — по этим делам». Луч, пробившийся сквозь прореху, впился в основание креста. «Что свяжешь здесь, то свяжется и в небесах. В конце концов, пространство — *трансцендентно*», — отец Глеб пригладил бороду. Уродливое слово пришпорило память и ожгло крапивным хлыстом.

«Почему мне все время кажется, будто это — какой-то больничный корпус?» Отец Глеб поморщился: «Не всё. Начинать следует с себя. Ты сама должна излечиться». Голоса притихли испуганно. «Вы хотите сказать, что я — больна?» — я спросила ясным голосом. Его молчание было жгучим, как хлыст.

«Я хочу сказать, что свобода не бывает наружной. Если она и есть, то только — тут, — пальцем, как рукоятью хлыста, он ткнул себя в грудь. — Именно поэтому я и считаю, что встреча с Дмитрием, если она и состоится, будет напрасной. С такими, как он, церковь говорит на разных языках. Наш язык — созидания. Никогда мы не сумеем договориться».

«Это ничего, — я сказала, — ничего, что церковь — на разных. Главное в том, что мы-то с вами сейчас поговорим на одном. Говорите, нет выбора? Ну что ж, — я прислушалась к цокающему голосу, — у него, но не у вас. А значит, мы подходим к главному». Я говорила на языке скверной рептилии. Отец Глеб слушал недоуменно. Рука метнулась вверх, побежала по отвороту. «Что ты... хочешь сказать?» Я видела: он ежится, словно вокруг похолодало. Механическим жестом, как будто заголяя запястья, я поддернула рукава.

«Я хочу сказать, что пустое — это ваши бессмысленные рассуждения, потому что вам *придется* встретиться с Митей, встретиться и *отговорить*. А если вы мне откажете и, более того, не справитесь с задачей, я расскажу мужу, что это вы, нарушив тайну исповеди, сообщили мне о его первом венчании». — «Но... Я же ни единым словом», — он замер. Откинувшись на скамейке, я рассмеялась: «Вот именно, сообщили, причем не когда-нибудь, а именно сейчас». Растерянный и глупый ответ убедил меня окончательно. Теперь я была уверена: знал.

Склоняя голову, я вглядывалась внимательно. В моих руках он становился безвольной куклой-марионеткой, до поры до времени висевшей на крюке.

«А если я откажусь?» — он спросил потерянно, словно говорил с теми, кто *вызвал* Митю.

«Тогда, — я продолжила с удовольствием, — мне придется пойти к владыке Николаю и сообщить ему о новых открывшихся обстоятельствах...» Теперь он, наконец, понял: узнай владыка о двойном венчании, для будущей карьеры мужа это станет неодолимым препятствием.

«Ты не сделаешь этого, — справившись с собой, отец Глеб заговорил уверенно и спокойно. — За столько лет я имел возможность убедиться в том, что ты...» Под моим взглядом отец Глеб сникал. Ему был внятен язык разрушения.

«В сущности, если ты просишь и Дмитрий выразит желание, в чем я, говоря серьезно,, сомневаюсь, мы, конечно, встретимся. В конце концов, это — моя обязанность... Теперь — все?» Отец Глеб поднял глаза.

Снова, как на пирсе речного вокзала, он смотрел на меня с болью и нежностью, никак не вязавшейся с моим вероломством.

Трубку подняли сразу, но я не узнала голоса: он был жестким и напряженным. Первой мыслью мелькнуло: чужие. Уже пришли.

«Вас слушают», — он повторил безличную формулу. Вдохнув, я назвалась. «Я слушаю», — личным местоимением он менял гнев на милость. «Ты не уходишь?» — я спросила, стараясь говорить коротко. «Некуда», — он ответил еще короче и кашлянул горлом. Закрываясь от уличного шума, я тянула на себя дверную ручку. За стеклами телефонной будки двигались люди. Будочный жар, окружавший мое тело, полнился душными испарениями: их оставили те, кто надышал до меня. «Приходи», — Митя сказал, и я кивнула.

Гулкие голоса падали на тротуары и расшибались цветочными горшками. Повсюду валялись остовы комнатных растений, разбивших головы о камни. Асфальтовые трещины вились, как вырванные корни: я шла осторожно, боясь наступить.

В парадной мы столкнулись лицом к лицу. «Я — за газетой», — Митя взмахнул свернутой в трубку.

Мы поднимались по лестнице. «Ты — специально?» Я подумала: измучился, боится звонка. «Угу, — он обернулся. — Не хочу, чтобы мама услышала. Утром мы встанем пораньше, и ты уйдешь потихоньку». — «Ты... рассказал?» — «Нет, но, если услышит, выйдет в прихожую. Как я ей объясню? Ты, — он назвал мужа уменьшительно-ласкательным именем, — пока что — его жена».

«Помнишь, в какой-то книжке?.. — я думала: все бессмысленно, отец Глеб прав. — Митя, Митя, Дмитрий — хитрый...» — «Нет, не помню, — Митя оживился. — И что с ним стало, с этим — хитрым?» — «Погиб», — я ответила громко. Те, кто таились за дверями, записали за мной — слово в слово.

Сидя в кресле, Митя покачивал ногой. Волна, соединяющая брови, набегала и подбивала берег. Неловко лавируя, я вела разговор. Все, на что я могла сослаться, десятки раз проговаривалось во времена нашей близости — в мастерской. Но тогда — теперь мне так казалось — эти разговоры носили предварительный, отчасти репетиционный характер. Однако в них было главное: прежний Митя умел отделять зерна от плевел. Время от времени теряя равновесие, он неизменно возвращался к ясным «да» и «нет».

Новый Митя, которого я несколько дней назад — впервые после долгой разлуки — увидела в просвете дверной створки, потерял равновесие. Таким я его не знала: глядя в глаза, подернутые страхом, я не находила в них прежней рассудительности. Выбитая из колеи этим вывихом или сдвигом, я искала выход, но чувствовала, что иду в тупик.

Торопясь, я говорила о том, что одному человеку — тяжко, но Митя поглядывал на меня насмешливо. «Сотни лет церковь вырабатывала механизмы, унимающие боль. Молитвы — те же... — я пыталась найти слова, — те же алгебраические формулы. Одним рывком можно взлететь туда, куда годы и годы вползают на хлипких арифметических ходулях». Я отдавала себе отчет в том, что выговариваю какие-то нелепости, но боялась сослаться на другие слова: о намоленных иконах, о выверенных звуках, способных поднять плотского человека на высоты парящей души. «Нет, и не может идти речи, чтобы оправдать образ мысли всех без исключения священников, да и сами они, по крайней мере, лучшие, не претендуют на всеобъемлющую безгрешность. Однако за ними — за каждым, пусть самым жалким, стоит опыт мистического преображения мира, дерзновенно свершаемого ежеутренне — на литургии». Я повторяла: ежедневно и непрерывно, из века в век, из страны в страну. Глядя в Митины глаза, я просила его согласиться на встречу, и в этой просьбе уже не было расчета. «Церковь дает силы», — сидя напротив, я больше не помнила о его бестселлере. Только о спасении.

«Жаль, — Митя протянул насмешливо, — что у нас не было своей Реформации. Из тебя бы — отменный проповедник! С твоим красноречием — выдающаяся духовная карьера». Он поднялся и подошел к окну.

Прямая спина, которую раньше, про себя, я называла офицерской, обмякла. Плечи, когда-то вписанные в квадрат, оплыли. «Все, что ты говоришь, — правда, — коротким взглядом обежав двор-колодец, Митя обернулся ко мне. — В сущности, мир невыносим, и только человек, лишенный сердца, не желал бы пришпорить, как ты говоришь, готовую формулу и взлететь над его уродством. Люди, вообще, склонны к тому, чтобы воспарять. Миллионы готовы лить слезы над пучком пеньки — или из чего они там наворачивают — факел, раз в четыре года — на Олимпийских играх... Всякий раз смотрю и изумляюсь. И чему, спрашивается, изумляться, если имеешь дело — это ты верно подметила — с хорошо отлаженным механизмом: из года в год, из века в век. Это я пытался тебе объяснить, когда говорил про мамину булочную, в которую она ходит каждое утро, изо дня в день...»

Митино лицо светилось усталой бледностью, первый отсвет которой я увидела в храме, давным-давно, на исходе моей первой пасхальной ночи. Гаснущими глазами он смотрел на меня так, словно я снова была среди званых, а значит, могла помочь.

«То, о чем ты просишь меня... Я знаю, это бессмысленно. Нет, чему-то они научились. Умеют разговаривать с язычниками. Но в том-то и дело, что *мы*, — голосом он выделил слово, — и верующие, и неверующие — давным-давно монотеисты». — «Давным-давно?!» — «Угу, — он подтвердил. — Некоторые еще с двадцатого съезда. А кое-кто и раньше... Так что, говоря серьезно, у твоих церковников выбор невелик: либо с язычниками, либо с нами». — «Нас мало», — я сказала с горечью. «Вот именно. Значит, — Митя пожал плечами, — никакого чуда не будет. Их выбор предопределен. Но дело даже не в этом. А в том, что я знаю цену их помощи, — отходя от окна, Митя возвращался ко мне. — Попроси ты об этой встрече раньше, я отмел бы с презрением. Но теперь, когда я ослаб, мне трудно рассуждать об их жестокости. *В день, который не ожидаете, в час, о котором не думаете...* Теперь я и думаю, и ожидаю, и это ожидание тяжелее смерти. Смерти я не боюсь. Я боюсь одного: бесчестья. Впрочем, ты вряд ли понимаешь. Честь — понятие устаревшее. Впору заглядывать в словарь...»

Он говорил о том, что нынешний — это не он. Никогда не предполагал, даже не мог себе представить, *как* все это подействует. Сколько раз прикидывал на себя, находил нужные слова, чтобы презрением защититься от них и их подручных.

Я слушала и думала о том, что церковное и государственное мучительство растут из одного корня, и эта мысль пугала меня.

«Знаешь, — Митя опустил голову, — никому не могу сказать... потому что... А! — он махнул рукой. — Дело не в том, что я их... боюсь, кто не боится? Главное, никакие разумные доводы против них не работают. Потому что они — это я. Но они запускают пальцы в такие глубины, до которых самому мне не добраться. Все отлажено и проверено: для себя они выработали такие формулы, сопоставимые с теми, о которых... Одним рывком они отбрасывают на дно — в самый чудовищный ад. Всего лишь несколько ночей, и ты идешь, как про́клятый, туда, куда тебя ведут», — взяв свои запястья, он ломал кисти рук.

«Чем бы это ни кончилось, — он подошел к зеркалу, — этих ночей я себе не прощу».

Я подошла и встала рядом. В зеркале, где мы отражались, я не была ни козой, ни крольчихой. Сокрушенным сердцем, обращенным к Мите, я чувствовала себя костью от его кости, плотью от плоти — блаженной памятью вынутого из него ребра.

Митя говорил о церковных стенах, украшенных древней красотой, о том, что всегда, и в лучшие, и в худшие годы, страдал от душного безверия, но церковь, соблазненная бесовской властью, пугала его едва ли не сильнее. В Митином лице, изменившемся до неузнаваемости, проступало два человека, как когда-то за моим журнальным столом, за которым он пел тенором и баритоном — попеременно. Теперь, собирая складками губы, он поминал мир, опороченный ложью, и отрекался от него. До сих пор я никак не могу понять, почему, заметив двоящуюся перемену, я не нашла в себе ума — отступиться, как будто кто-то кинул в мои уши пригоршню земли, чтобы я не услышала Митиных слов о том, что ад, ходящий за нами, имеет собственные, конгениальные, формулы мучительства, и они, взращенные древней традицией, почти не зависят от исполнителя.

Забыв о скудеющем времени, я гнала его вперед, торопясь, поймав на слабости, условиться о месте встрече, где они сойдутся вдвоем, чтобы договориться. По тогдашнему неразумию мне казалось это возможным. Я надеялась на их общую память, уходящую в университетское прошлое, которое само по себе представлялось мне родом блаженного времени, когда, каждый по-своему, они вступали на путь, обращенный к небесам.

Я, родившаяся слишком поздно, мнила себя посредником, способным собрать их в одном — заранее согласованном — месте: чтобы напоследок, прежде чем разойтись окончательно, они успели бы поговорить. Силою вещей, которую сторонний наблюдатель, не знающий высших мер, может назвать чем угодно — хоть стечением обстоятельств, — я получила их всех, без изъятия: тех, кто учили меня любви и ненависти, потому что были поколением моих любовников и мужей.

* * *

Они встретились накануне двузначного дня.

С шести часов, сидя на своей убранной кухне, я следила за стрелкой, ползущей рывками, и старалась представить подробно, от самого момента встречи. Опоздать Митя не мог. Со своей всегдашней пунктуальностью он должен был прийти заранее и ожидать, вглядываясь в лица прохожих. Едва ли он помнил Глеба в лицо. Отец Глеб подходил немного сбоку, краем глаза я видела его плечо. Здесь случилась заминка: Митина рука, готовая протянуться, невольно повисла в воздухе. Руку остановила мысль о сане: следует ли подавать? По обыкновению интроверта, отец Глеб неловкости не заметил.

По набережной, в сторону Спаса-на-Крови, они шли, слегка сторонясь друг друга, так что черный длиннополый пиджак — компромисс между рясой и обыденным мужским костюмом — норовил приблизиться к стене, в то время как белая рубашка, выбивавшаяся из джинсов слегка подмятым пузырем, двигалась по краю тротуара, у самого поребрика. От корпуса Бенуа они свернули на мостик в сторону Конюшенной площади.

Митя нарушил молчание первым. Лицо отца Глеба оставалось напряженным. Митины брови, сдвинутые к переносице, дрогнули, и угрюмый отпор поднялся в Глебовых глазах.

Часы, натужно двинув стрелками, выходили на второй круг. Митя говорил искренно и торопливо, чертя в воздухе руками. Лицо собеседника оставалось непреклонным. Я поймала себя на том, что вспоминаю страницу учебника: барин-народоволец говорит с мужиком. Склонив голову к плечу, мужик прислушивается настороженно, как будто думает о том, что барин, говорящий мудреные слова, на самом деле норовит свести со двора корову...

По моим расчетам, они подходили к Вечному огню. В этот час здесь не было брачующихся пар. Белое кружево невест украшало собою тяжко заставленные столы. Веселый гул, не долетавший до этих по-вечернему пустеющих мест, поднимался под потолки лукавыми выкриками «Горько!». Женихи, наряженные в черное, вставали с мест и прикладывались к жарким губам. Вряд ли кто-нибудь, кроме усталых матерей, думал о дочерях как о жертвах.

Они подошли и сели на скамью. Локоть, одетый в черное, лег на спинку. Отец Глеб слушал внимательно и упрямо, изредка кивая. Его взгляд плясал над огнем. Может быть, он размышлял о юношеских грехах революции, от которых, вступив в *безгрешный церковный* брак, раз и навсегда отложился. Спрятав ладони в коленях, Митя клонился вперед. Белый пузырь надувался за его спиною, и, машинально заводя руку, он заправлял за пояс. Короткое пламя Вечного огня, раздуваемое ветром, билось в зарешеченной шахте. Воздух, дрожавший над газом, относило в сторону — к пустынным невским берегам. Где-то близко, у самой Невы, поднималось каменное здание, куда, по особому повелению, он должен был отправиться — на другое утро. Оно, затмевающее собою памятники, сохраняло многозначное величие, поскольку — в отличие от наших собственных путаных и нелепых жизней — воплощало собою жизнь языческого *рода*. Жизни тех, кого *приглашали* в его стены, были накрепко привязаны к нашему скверному времени. Жизнь рода, *передающаяся по крови*, от времени почти не зависела, а значит, грозила стать вечной.

Звонок раздался раньше, чем я ожидала. Распахнув дверь, я встала на пороге. Отец Глеб молчал, переминаясь с ноги на ногу. «Ну?» — спросила я. Как будто очнувшись, отец Глеб вошел. Отстраненная улыбка лежала на его губах, словно прогулка, окончившаяся раньше времени, наполнила его душу вековой мудростью.

«Встретились?» Он ворохнулся на стуле, сжал кулаки и кивнул. Шаг за шагом под моим непреклонным взглядом отец Глеб рассказывал, увязая в подробностях.

Митя опоздал. Пришлось дожидаться минут десять. Главный разговор случился в Александровском саду. «Про меня говорили?» — «Про тебя? Не-ет», — будто и не было нашего *угрожающего* разговора, отец Глеб улыбнулся светло. В нескольких словах обрисовав Митино состояние — растерян, нервничает, не вполне справляется с собой, — он привел две-три незначащих фразы, в которых я не расслышала Митиного смятенного голоса. Голос, переданный отцом Глебом, принадлежал кому-то неопределенному, словно пришедший, но опоздавший на встречу, был заведомо подменен. Подмененный голос жаловался на безысходное уныние, на то, что все нарушилось, сорвалось... «И что *вы*?» — я прервала раздраженно. Мягкой рукой коснувшись бороды, отец Глеб заговорил, зажигаясь чужими словами. Он говорил о покаянии и обращении, узком и тесном пути, *общем для всех* конце — тяжком и страшном; о божественных *изъятелях*, отбирающих у тела душу, о страшных мытарях, ревизующих и описывающих наши грехи. С детства и до старости, прибирая в папки наши мысленные рукописания, они скалывают — в принятом порядке. Я слушала, содрогаясь. *Так*, безжалостно и страшно, мог говорить только *враг*.

Отец Глеб говорил, не останавливаясь, и за каждым словом, сияющим мне навстречу, стояли глаза *изъятелей*, явившихся судить. Жестокие слова, не ведающие милости, слепили мои глаза.

Шипение, словно что-то влажное швырнули в огонь, раздалось за моей спиной, и сладковатый газовый запах проник в ноздри. Вскочив с места, я привернула кран.

Шапкой вскипевшая кастрюля залила конфорку. За разговором я забыла, что поставила суп. Пенная лужа, плеснувшая за край, расползалась по чистой плите. Машинально я взяла тарелку и налила до краев. Осенившись крестом, отец Глеб взялся за ложку.

Телефон, висящий у моего локтя, заверещал пронзительно. Я подняла трубку и выслушала: усталым голосом муж предупреждал, что остается ночевать в Академии, рано утром — неотложные дела. Еще не вполне понимая зачем, я отозвалась нейтрально, не повторяя его слов. Отец Глеб, занятый вечерней трапезой, смотрел в тарелку.

«Хорошо, — я сказала, заговаривая кровь, — и это — все?» Он пожал плечами. Опасливо, боясь пролить, отец Глеб наклонял тарелку от себя, черпая с моей стороны.

Дальнейшего я почти не слушала. Какое-то время он еще рассказывал, но, неожиданно зевнув, поднялся с извинениями. Отвернувшись к плите, чтобы не выдать себя сиянием глаз, я предложила посидеть еще: только что звонил, обещал скоро приехать. *Просил*, чтобы вы дождались».

Обводя глазами кухню, отец Глеб медлил. Потоптавшись, как над порогом, он сел и сложил руки. Теперь, когда Митин отъезд становился почти что слаженным делом, отец Глеб заговорил о том, что надежда все-таки остается: с назначением нового митрополита Москва, похоже, медлит. Промедление он объяснял трудными консультациями, главным предметом которых, судя по всему, был владыка Николай. «Подумай, Никодим долго болел. *Их* врасплох не застало. Будь на примете *бесспорный* кандидат, они бы приняли решение немедленно. Чем длиннее пауза — тем вероятнее благоприятный исход». То оглаживая бороду, то пробегая пальцами по отворотам пиджака, он пускался в рассуждения о том, что назначение Николая, будь на то Божья воля, продолжит Никодимову твердую линию.

«Ну, хорошо, — я сказала как можно мягче, — а если не назначат?» — «Не-ет, — он нахмурился, — об этом не хочется и думать». — «Да, — я согласилась, — не хочется, — и кивнула. — Что ж, пора спать». Часы, двинув стрелками, остановились *на двух*. Круглый циферблат пучился невинными цифрами. Отец Глеб поднял глаза. Зрачки порхнули и замерли. «А как же... Ты же сказала... Что, не приедет?» Внимательно, словно обретя способность следить за чужими мыслями, я смотрела и понимала его дословно. «Но...» — отец Глеб опустил голову. Случись на его месте экстраверт, он совладал бы скорее.

«Конечно», — отец Глеб кивнул торопливо, отрекаясь от своих быстрых, начерно набросанных мыслей. Страничка, прибранная изъятелями, представляла собой мелко исписанный лист, местами вымаранный до слепоты. Зеленоватая рука, подхватившая рукописание, медлила в растерянности: судебный секретарь, подшивающий его дело, не мог решиться, в какую стопку — направо или налево — отправить этот листок. Помедлив, он отложил до утра.

366

* * *

За стеной стукнуло — отец Глеб раскладывал диван. Я лежала и думала о том, что, в сравнении с его торжеством, любая мера станет незаслуженной милостью. Любая, кроме последней и высшей. «Мне нельзя, я — священник, для меня *такая* история — гибель». Безумный смех вскипал на моих губах. Напоследок — перед лицом нашей общей гибели — все становилось просто и ясно: выполнимо. Он — мой духовный отец — лежал в соседней комнате, и изъятели, вострящие перья, уже склонялись над его изголовьем. Готовые записать за нами обоими, они ждали неопровержимого доказательства. Ведя по стене безымянным пальцем, я готовилась предоставить.

Сладковатый газовый запах завивался над пламенем: тело, налитое тяжестью, занималось от тлеющих охапок. Связанные в пучки, они стояли кру́гом, подпирающим костер. Отсчитывая секунды, я дышала и боялась задохнуться. Злые языки касались голых ступней. Вздрагивая от боли, я поджимала под себя пальцы и приказывала себе подняться, но тело, отравленное парами газа, не желало меня слушать. Непреклонные лица, стоящие во взорванных ячейках, скашивали свои взоры — на меня.

То проваливаясь в короткий сон, то приходя в себя, я скользила по грани и видела двузначные числа. Среди них стояло и то, которое вывели Митины изъятели. В их дом он должен был отправиться наступающим утром.

Боль давила горло угарной тошнотой. На цыпочках, в одной нательной сорочке, я выбралась из комнаты и замерла под дверью. В гостиной было тихо. Взявшись за ручку, я потянула на себя.

Ежась, как от холода, отец Глеб сидел на диване. Судя по всему, он так и не ложился. Тревожный взгляд уперся в дверной угол, словно высматривал что-то, вспухающее на полу. Взгляд собрался и стал цепким. В беловатом свете двузначного наступающего утра он видел и узнавал. Губы, шевельнувшиеся мне навстречу, дрогнули и собрались складками. Содрогаясь от шума, терзавшего уши, я вслушивалась, силясь расслышать. «Ну?» — я спросила, повторяя угрозу. Услышавший ясно, он должен был плюнуть мне в лицо, встать и швырнуть наотмашь: «Гадина и дрянь!» Если бы он посмел, не раздумывая, я сделала бы шаг.

«Господи, Господи», — отползая в глубину, он бормотал потерянно. Глаза, увидевшие свою гибель, распахивались широко и покорно, и жалкая дрожь, от которой сводило пальцы, сотрясала его с головы до ног. То, что должно было случиться, случалось из века в век, из рода в род. Шаг, похожий на смерть, отделял меня от тех, кто изымает души. На самом краю, готовая примкнуть к *изъятелям*, я стояла, наслаждаясь его покорным ужасом, и темная волна скверной родовой памяти шумела в моей крови. Шум вырывался гибельным воем, и, отшатнувшись от себя, как от зверя, я кинулась назад.

Пепельная среда

Отец Глеб исчез, не дожидаясь утра. Сквозь сон я не расслышала дверного щелчка. Открыв глаза, я вспомнила — *сегодня*. На четвертушке, услужливо всплывшей пред глазами, явилось точное время. Рабочий день *они* начинали с Митиной неприкаянной души.

Холодная змейка наручных часов мигнула двузначной цифрой. Я проспала: *их время* уже шло. Сорвавшись с места, я заметалась по комнате, как пойманная крыса. То хватаясь за куртку, то шаря по карманам в поисках кошелька, я судорожно считала деньги, как будто собирала выкуп. Нескладные сборы съели минут тридцать.

Часы, стучавшие в вестибюле метро, показывали без пятнадцати одиннадцать. Мигающие секунды пульсировали мелко, как сердце. С того момента, как Митя вошел в *родовое* здание, минуло два часа. Косясь на мигающий экран, я прикидывала: вряд ли им понадобилось больше. Я говорила себе: Митя успел вернуться. Но если так — сердце стучало в такт секундам, — значит *их* время — всего лишь производная моего неведения, потому что теперь, когда Митя успел выйти, их время продолжается для меня одной. Мысль об отпавшем времени, которое не соотносится с настоящим, превращала его в подобие глиняного сосуда, зарытого под дверной порог. Время моего неведения посвящалось Молоху, и ужас, терзающий сердце, корчился остовом первенца, принесенного в жертву.

Я шла по кромке тротуара, и время пульсировало за ушами, отчего все, окружавшее меня, принимало странные очертания. Дома, выстроенные по контуру площади, отступали в глубину. Пространство словно бы ширилось на вдохе, и тусклые соборные купола, увенчанные обрубком, зыбились, оплывая свечами. Пространство, в которое проваливалось мое иссохшее время, втягивало меня, как кит, вдыхающий планктонное облако. *Их* пространство, чью алчность я разгадала, смыкалось над головой, как вода. В этом пустом пространстве я сама, мое застигнутое тело становилось продолжением пустоты, потому что толща, окружавшая меня, не имела ни души, ни тела. Точнее, это было какое-то общее, совокупное тело: на меня оно зарилось равнодушно, без малейшей вражды. Медленно, словно желая рассмотреть напоследок, я подняла руки и поднесла к глазам. Голубоватые вены пульсировали секундами, пальцы ходили мелкой дрожью. Стоя на краю площади, ширящейся на вдохе, я вглядывалась в свои пальцы, как будто в них, как в последнем вдохе, содрогалась моя душа.

Жжение, похожее на слабый ток, пронзило самые кончики: я расслышала тайный, тихий звук. Сквозь толщу, накрывшую город, он сочился вниз из того пространства, которое я, выстраивая свою иерархию, назвала *верхом*. Это пространство было источником и истоком. Струя, облеченная в слово, изливалась сквозь мои гибнущие пальцы, проникая в поруганный и покоренный город.

Замерев у ограды, я думала о том, что если и есть надежда, она в этих зыбких звуках. Они одни называются Словом: имеют силу победить пустоту, разрушить скверное и жестокое время *рода*, которое *те*, не имеющие ни тел, ни душ, проживают из поколения в поколение. Сквозь толщу, стоящую над головой, я вглядывалась в *другое* время, в котором женщина, похожая на меня, станет одушевленной. Рядом с ней я была помоечной побирушкой, примеряющей чужое шмотье.

* * *

Сероватые следы лежали на Митиных щеках, перечеркивали лоб. Слабый запах гари стоял в прихожей, пощипывал глаза. Жаркая волна пахнула навстречу, когда я вошла в комнату — следом за Митей. В воздухе, вьющемся струями, летали белые клочки. Он подошел к печке и, распахнув чугунную дверцу, пошевелил. Цвета пламени корчились и выгибались с хрустом. Митя прислонил кочергу и провел рукой по губам, оставляя серый след: «Вот, Пепельная среда... Как оказалось, именно сегодня...» — «Что?» — я смотрела в жерло ожившей печи. «А, ерунда, — он махнул рукой, — не обращай внимания, это — у ваших врагов: первый день Великого поста». — «Как Чистый понедельник?» — я спросила, замирая.

Снова он взялся за кочергу и распахнул дверцу. Отсвет пламени лег на его лицо: теперь оно казалось расписанным двумя красками — серой и красноватой. «Ну, что там, сегодня?» — «Сегодня?» — он отозвался тихо и недоуменно, словно сегодняшний день был самым *однозначным*. Растерянно я считала дни и числа: у меня выходило *то* — двузначное. «Ты... Не ходил?» — я испугалась и осеклась.

Митино лицо повернулось в мою сторону и подернулось отвращением. Оно проступало сквозь двуцветные полосы, как положенные на кожу белила. «Я не могу говорить об этом», — он сказал твердо и провел по губам пепельной рукой. «Взяли подписку?» — я спросила шепотом. Он дернул локтем и качнул головой. «Господи, ну что же тогда, да перестань ты — с этой печкой», — сделав шаг, я вырвала кочергу.

«Послушай, — Митя заговорил медленно, — я понимаю, в тебе говорит *здоровое любопытство*, но *там* — это... разговор, я *не хочу и не могу* в подробностях, — он поднял голос, — но главное, что тебе надо знать: я был прав. После того, что было *там*, я не смогу оставаться в этой стране, продолжать как ни в чем не бывало». — «Они... что-то потребовали?» — первое, что пришло в голову.

«Потребовали? Во всяком случае, ничего такого, о чем я не знал бы раньше». Мягкое, похожее на пепел, обкладывало клетки мозга. Слова были пустыми и бессмысленными, как иссохшее время. «Что? — сквозь словесную тьму я смотрела в огонь. — Что ты сжигаешь? Письма?» — «Писем нет. Собираюсь сжечь книги, — он отвечал мертвым голосом. — *Здесь* мне больше не понадобится». — «*Все?* Но это же — отцовская библиотека...» — взглядом я обвела стеллажи. «Именно поэтому. За свою я бы... Нет, *все* сжигать не требуется, только самые *главные*». Я оглядывалась, не веря. В присутствии тысяч томов он не мог говорить всерьез.

«Единственное, о чем жалею, — разговор с твоим благолепным попиком. В этом виновата ты. Это ты поймала меня на слабости... Если бы не ты...» — он задыхался. Двуцветные полосы, покрывающие лоб и щеки, лежали глубокими шрамами, как будто их вырезали по живому. «Они... тебя мучили?»

«Что ты имеешь в виду? — как-то мгновенно успокоившись, Митя переспросил насмешливо. — Впрочем, догадываюсь, — он улыбнулся криво. Улыбке мешали шрамы. *Комната сто один.* Уж не знаю, может быть, под влиянием литературы у многих сложились превратные представления об этой области нашей жизни: все эти английские досужие выдумки с крысами, комнатами и пытками, — он говорил размеренным голосом, как будто, взойдя на кафедру, читал лекцию. — У нас, доложу тебе, иначе. Все начинается в юности, когда, побывав у них, ты надеешься, что на этом все закончилось. А как же иначе, раз они тебя *отпустили*? Слепец, ты живешь, не глядя в зеркало, а поэтому и не знаешь: у тебя на лбу — их печать. Однажды они закидывают крюк и цепляют тебя за губы, и твои иллюзии, которые прежде казались жизнью, остаются по ту сторону, словно ты уже умер. И тогда ты говоришь себе: все это время я жил несовершеннолетним, иначе говоря, придурком». Митя остановился.

«Завтра я подаю заявление. Я знаю, в отделе кадров подпишут не вдруг, существует особый ритуал. Так сказать, набор ритуальных услуг, которые они любезно предлагают. Отъезжающий — род трупа, никаких прав не имеет, все решают за него. Только в данном случае — не родственники, а сослуживцы: именуется бесхозным телом. Таким, как я, все услуги — бесплатно, — мне показалось, он снова улыбнулся. — После чего труп отправляется в ОВИР, чтобы договориться об условиях: все, как в Греции, — на этом этапе стоит и денежек, и усилий. Интересно, как будет выглядеть мой Харон? О, я уверен: дебелая баба с вшивым домиком, супруга кого-нибудь из *этих.* Семейный подряд, ты не находишь?» — сложив руки, Митя сидел напротив. Высокомерие умершего играло в его бровях.

«А впрочем, искать аналогий — скверная привычка. *Там* я надеюсь от нее избавиться. По крайней мере, для тебя я не хочу подбирать сравнений. Пусть остается как есть». — «Что — как есть?» — «Точнее, как было, — он поднялся, не глядя, — было и больше не будет. Вчерашнего я тебе не прощу. Как ты сказала, Чистый понедельник? Я не очень тверд в ваших церковных терминах, но, кажется, все прощения совершаются накануне. Так что, будем считать, простились», — смиряя брови, он двинулся к затухающей печи.

Пачка книг в твердых переплетах лежала готовой поленницей. Нагнувшись, Митя подхватил верхнюю и покачал на весу. Жесткий коленкор, изрезанный серебряным тиснением, ходил у меня перед глазами. «Вот, — он смотрел на меня, покачивая, — эту надо *обязательно* сжечь. Я же сказал тебе: все — не надо. Штук двадцать-тридцать и тогда...» — «Что тогда?» Книжный обрез, повернутый ко мне боком, был захватанным и неровным, как будто, прежде чем прочитать, его резали тупым ножом.

«Есть такой анекдот. Злопыхатели, вроде меня, любят рассказывать. Году эдак в шестидесятом журналисты спросили у японцев: когда (речь шла об электронике) СССР сможет вас догнать? Японцы обдумали. "По самым оптимистическим прогнозам, лет через тридцать". В семидесятом их снова спрашивают. Японцы прикинули и отвечают: "В лучшем случае лет через пятьдесят". В восьмидесятом их спросили в последний раз, и, обдумав, японцы ответили: *никогда*». — «Я не понимаю...» — «Что непонятного? — взгляд, остановившийся на мне, прищурился и собрался. — Есть несколько книг. То, что в них написано, надо прочесть и усвоить, иначе будущее никогда не наступит. Страна, отвергшая эти книги, обречена. Именно их и именно с этой целью я и собираюсь уничтожить, чтобы ни в коем случае эти книги не остались *им*».

Книжный обрез, словно взрезанный ножом, выворачивался в мою сторону. Не моргая, я смотрела, как Митя распахивает чугунную створку и заносит руку. Еще не поверив, я поднималась на ноги. Осторожно и бережно, как кладут в колыбель, он вложил книгу в горящее жерло и выпрямил спину.

Боль, ударившая в живот, словно вонзили железный стержень, затмила глаза. Словно глядя со стороны, я видела: оставляя свое тело, я *выхожу из него. То, что из меня вышло*, встало на колени и поползло к распахнутой печи. «Не на... не надо...» — корчась от боли, *оно* кричало и тянулось — вырвать из огня. Нечеловеческая ярость, как будто ударило молнией, рассекла Митино лицо. Кривой шрам, разрубая красные и серые полосы, лег наискосок.

«Ага-а! Любишь их! Любишь!.. — вырвав из пламени, он держал тлеющую книгу, и тошнотворный запах затлевшей бумаги забивался в ноздри. — На! Вот тебе! Это ты — язычница! Вот он — твой Бог!» — размахнувшись от плеча, Митя швырнул в стену. Удар ужасной силы, от которого искрами брызнул затылок, отбросил меня назад. Я услышала вой, рвущийся ко мне из тьмы, и увидела: *то, что вышло из меня*, падает навзничь...

Книга, вывернутая обгорелыми страницами, лежала у стены. Мое тело, из которого *оно вышло*, стояло посреди комнаты. Пустыми обожженными глазами Митя смотрел пристально, мимо меня.

Лица прохожих были пепельными. Я шла, внимательно переступая через корни. Они врастали в асфальтовые шрамы, изрезавшие улицу. Оттуда, из глубины, доносился гул. Наружу он пробивался тяжелыми накатами.

Опустившись на корточки, я расковыряла трещину пальцем.

«Тебе чего, плохо?» Рядом со мной остановились ноги. Они были толстыми и отечными. Из ветхой туфли, присыпанной серым пеплом, вилась узловатая вена, проступала

ЛАВРА

спутанным узлом. Если взять за конец, она вытянется длинной веревкой... как в анатомическом театре...

Женщина взвизгнула и отдернула ногу. Заслонив голову руками, я ждала. «Хулиганка! Чего руки тянешь, дрянь!» Туфля, присыпанная пеплом, поднялась над трещиной. Толстые ноги, перевитые веревками, двинулись с места тяжело. Они шли, не разбирая дороги, не боясь придавить...

Я поднялась и пошла к церковной ограде, за которой, шевеля метелками, стояли крапивные будылья. Тяжелые бетонные глыбы, похожие на вывернутые из земли камни, лежали здесь и там. Мешки, сваленные к крыльцу, успели убрать. Сероватые лужи, стянутые цементной пленкой, отражали солнце. Оно дрожало пестрыми бликами, било в глаза. Сощуриваясь от света, я шла в крапивный угол. Солнцу, ходившему по кругу, хватило бы времени обжечь. Метелки крапивы, вытянувшись во весь рост, кланялись мне навстречу. Обжигаясь, но не чувствуя боли, я вошла в их круг.

Встав на колени, я разглядывала внимательно. Вышедшие из моих пальцев расползлись по земле грязью. Маленькие человечки, слепленные из праха, возвратились в прах. Быстрый ангел, летающий над полями, смеялся и брызгал на них дождевыми каплями. Серое и текучее лежало, прикинувшись глиной. Я взялась за крапивный стебель и рванула на себя. Он уперся жгучими волокнами. Рука, измазанная прахом, подняла крапивную кисть. Я занесла руку и хлестнула. Удар за ударом я стегала по глазам, по щекам, по губам. Стебель метелки хрустнул. Застонав, я отбросила его в заросли. Кончиками пальцев, будто и вправду ослепла, я ощупывала лицо. Безобразные волдыри пучились болотными пузырями. Необоримый зуд, перебивающий жгучую боль, занимался под кожей торфяным тлением. Он шел из глубины глухими накатами, словно кто-то, выпустив когти, терзал мое лицо изнутри...

За церковной оградой я стояла, держась за прутья. Точнее, не я — мое пустое тело, чьи руки были совершенно чистыми. Теперь я понимала: это *оно*. *То, что из меня вышло*. Я видела: не опасаясь промахнуться, оно стегает себя жесткими крапивными кистями. Запустив пальцы в глинистую жижу, которая была моим мозгом, разминает, силясь перебить боль. Взяв горсть глины, размазывает по моим щекам, словно лепит маску. Жар, пышущий изнутри, схватывает мгновенно. Повторяя вспухшие контуры, глина унимает огонь...

«Господи, — глядя со стороны, я шептала мертвеющими губами, — еще немного, и все это кончится. Я сойду с ума...»

* * *

Лежа лицом к стене, я то впадала в короткий сон, то, приходя в себя, принималась бродить по квартире, но, обойдя комнаты, возвращалась, чтобы уткнуться в стену. Голоса окрепли к вечеру, так что голос мужа, обращавшийся ко мне с увещеваниями, уже не смог перекрыть. Сливаясь с их хором, он говорил о переутомлении («Надо врача, диссертация тебя доконает»), но я махала на него рукой. Свившись толстой веревкой, голоса оплетались вокруг щиколоток: кто-то ходил за стеной. Тяжелое, похожее на мешок, упало как неживое. Шаги стихли, и, собрав силы, я поднялась.

Муж лежал на диване. Рука свисала, касаясь пола костяшками пальцев. На цыпочках я приблизилась и заглянула. Расслабленные мышцы не держали челюсть. Широко открытый рот зиял бездыханно. Скверный голос заныл о выборе: «Увидишь мертвыми, *их* обоих... Вот тебе и проверка, самая лучшая...» Я смотрела неотрывно. Радость, ворохнувшись под сердцем, разгоралась открытым пламенем.

В гортани булькнуло, словно лопнул пузырь, и заливистый храп вырвался наружу. Муж открыл глаза. Отпавшая челюсть встала на место, вошла в пазы. «Что? Что ты?» — он повторял хрипло, озираясь. Из-под короткого вздернутого халата торчали колени. Он дернул полу, стараясь запахнуться. Ему мешал пояс, перетянувший живот. «Я ухожу. Мне нужен развод». — «Этого не будет, — он вывернулся и спустил ноги на пол. — *Любые* проблемы можно преодолеть и разрешить», — глаза, упертые в колени, моргали близоруко. Пошарив, он надел очки. Взгляд, укрывшийся за стеклами, стал тяжелым и вязким.

Под этим взглядом я говорила о том, что больше не желаю фарса. Если, по церковной жизни, ему необходима жена, пусть возвращается к прежней: «Вы венчаны, на горе и на радость, или как там у вас?» Запахивая колени, он двинулся к письменному столу и, сев вполоборота, заговорил о том, что я больна, но если уж суждена болезнь, он будет за мной ухаживать — лучше казенных сиделок. Уркая тяжелыми зобами, голоса двигались взад-вперед по коридору, подволакивая крылья.

Он сидел, перебирая четки. Длинная нить, свитая из черной узловатой тесьмы, ходила в его пальцах. Надетые на запястье, четки были похожи на вену, выпавшую наружу. Пальцы, ползущие по узлам, гоняли кровь. «Наш брак — пустая формальность, — я начала снова, старясь отвлечься от голосов. — Он не может длиться вечно... рано или поздно... я больше так не могу...» Он понял по-своему. Перебирая пальцами, заговорил о том, что в нем самом нет никакого изъяна, *так* я выбрала сама, ему тоже далось нелегко. Но теперь все будет иначе.

Твердая полоска с белым клином, надетая по особому разрешению владыки, перетягивала его горло, мелькала в распахе халата — знаком изысканной, хотя и не всеобъемлющей полноценности. Ее призрака вполне хватало на то,

чтобы, запахнувшись, презрительно отмести все партикулярные доводы: «Если тебя по *известным* причинам не ус-
траивает такая жизнь, я готов вернуться к *нормальной* —
хоть сейчас. — Голые колени вывернулись из-за стола и от-
крылись мне навстречу. Твердая черная полоска подперла
шею. — Ради детей, которые родятся», — он говорил тихо.
«Мы не животные». Муж усмехнулся и сдвинул колени:
«Да, не животные. Наш брак освящен церковью. Живот-
ным станешь ты, когда нарушишь». — «Но ты, ты же и с ней
венчался». Он ощупывал четки, свитые чужими руками.
«Мой грех — мой ответ. К тебе это не имеет отношения.
Моя жена ушла сама, но больше я этого не допущу». Голоса, таящиеся под дверью, забили крыльями. Узловатая удавка захлестывала птичьи шеи.

Ловко обвив запястье, он заговорил о том, что наша
жизнь, не вполне полноценная с обыденной точки зрения,
имеет, тем не менее, ряд преимуществ, которые я, по немо-
щи молодости, не могу в полной мере оценить. Ссылаясь на
свидетельства женщин, коих — за свои церковные годы —
он наслушался («Да что я, спроси у любого исповедующего
батюшки, вот хоть у отца Глеба»), каждая семья — в свой
черед — проходит неисчислимые искушения, но горе тем,
кто на эти искушения поддался. Гонимые болезненным любопытством, супруги ищут новых впечатлений, чтобы рано
или поздно оказаться перед разбитым корытом, но то, что
простительно невежественным душам («Кто знает, может
быть, с них — по милости Божьей — особый, усеченный
спрос...»), не пристало тем, кто волею судьбы оказался
приобщенным к Слову. Жизнь, гармонично очерченная
церковным кругом, далеко отстоит от жизни разомкнутой,
подчиненной плоскому, земному времени. Если человек,
а особенно женщина, по собственной несмиренной воле
выходит из этого круга, она обречена. Рано или поздно ее
душа становится *неприкаянной*. Рука, забранная узлова-

тыми четками, оперлась о зеленый подлокотник. «Что значит — неприкаянной?» — я спросила тихо.

Окончательно перебравшись в кресло, он говорил: это значит — не способная на жертвы, главной из которых должна стать ее же собственная душа. («Неприкаянная — значит, не принесенная в жертву».) Перед лицом жертвенного смирения любое уклонение беззаконно, любое слово — бессловесно, любая самовольно избранная судьба — гибельна. Перекрывая гомонящие звуки, он говорил другим, изменившимся голосом, в котором больше не было хрипловатости. Прекрасным голосом, умеющим петь «Разбойника», он предрекал мне бесславную гибель, в которую, как масло по раскаленному ножу, уже соскользает моя душа. «В тебе говорит молодость. С какой-то точки зрения, достижимой не раньше духовного совершеннолетия (заметь, не всегда совпадающего с плотским), молодость — это нестойкое душевное состояние, которое предшествует *истинному* рождению».

Словами, похожими на Митиными, но по-цензорски вывернутыми наизнанку, он говорил о пороге, который, расставаясь с молодостью, обязана преодолеть душа. «Это рождение каждому дается в свой срок, да и то если Господь сподобит. Но если уж суждено, и человек рождается в Истину, это и есть истинное чудо, потому что на все, окружавшее тебя прежде, ты смотришь новыми глазами. Я, слава Богу, уже прошел этот путь». Сняв очки, он вытер глаза. Его душа, пройдя через испытания, выучилась жестокости.

Его слова падали с высоты, пробивали осколками голову, застревали в черепной коробке. Боль сводила мои кости, словно душа, изрезанная его словами, пыталась протиснуться в узкий лаз. Голос, увещевающий по-отечески, встречал меня снаружи, потому что я, рождаясь в совершеннолетие, должна была пасть ему в колени. Остановившимися глазами я видела свою гибель, в которую муж, заросший бородой отцовской мудрости, звал меня. Это рождение, посрамляющее молодость, шипело ужасом кровосмешения. В его тени наше прошлое становилось кощунственным, словно я, замороченная неведением, делила его не с мужем, а с отцом. «Господи!» Зажимая рот ладонями, я благодарила за то, что у нас нет детей.

Тяжкое небытие окружало мое сознание. Я видела потоки крови, похожие на полноводные реки. Беря начало в подвалах тайного дома, они двигались под землей, время от времени выходя на поверхность — как взбухшие вены. По берегам, уронив руки в колени, сидели измученные люди. Неприкаянные души, мы дожидались нового рождения, в котором не было ни отцов, ни матерей. Кровь отцов, отворенная изъятелями тайного дома, утекла горячими струями. Вздрагивая, мы стирали ее капли, павшие на нас. Кончиками пальцев терли лбы и щеки, но там, куда падали капли, вспухали безобразные волдыри. Необоримый зуд занимался под кожей, и, расчесывая, мы прикладывали к щекам береговую глину, силясь заглушить.

Кожные покровы становились сухими и чистыми, и, больше не ведая о своем сиротстве, мы уходили в мир. Из окон, забранных железными прутьями, внимательно следили глаза изъятелей, ведающих, что творят. Выдернув неприкаянную душу, они выслушивали ее обеты и, глумливо хихикая, отпускали до поры. Рождаясь в *их* мир, каждый из нас уносил в себе зуд жестокого и греховного беспамятства, которого не было спасения.

Речь о смерти

Лицом к стене я пролежала три недели. Мысли слоились и сбивались в одной точке: она сияла страхом больницы. Закрывая глаза, я видела кривую иглу, занесенную над теменем. Через теменное отверстие, осторожно раздвинув затылочные кости, они извлекали что-то, похожее на глиняную фигурку. Под пальцами, затянутыми в резиновые перчатки, ручки и ножки ломались с хрустом. Отброшенные в ведро, стоящее у кровати, мелкие части оживали и ползли к стенкам. Блестящий инструмент, похожий на глубокую ложку, оскабливал череп изнутри, выбирал остатки. «Ты делала аборт?» — голосом отца Глеба кто-то спрашивал, склоняясь к моему изголовью. Этот кто-то, все время менявший обличья, стоял рядом. С трудом я вспоминала: *изъятели*, это — за мной. Боли я не чувствовала. «Ну вот, кажется и все, — усталый голос, пахнущий хлороформом, склонялся над ухом. — Все позади — теперь она не родит...»

Приходя в себя, я ощупывала нетронутую голову и думала о том, что это — до поры до времени. Отец Глеб, воспитанный жестокими книгами, мне не простит. Хитрая мысль блестела в мозгу: спасение — еда. Пока не отказываюсь, они не посмеют в больницу. Муж терпеливо подносил тарелки и забирал пустые: я съедала все, что подаст. Поднесенное и припахивало больничным. Унося тарелки, он старательно шутил над мой прожорливостью; ему вторило коридорное зеркало: чем больше ела, тем ничтожнее становилось мое отражение. Слежалые волосы обвисали тусклыми прядями, в углах рта спеклись бурые корки, глаза, ввалившись по контурам, дрожали темным блеском. «Может быть, все-таки проконсультироваться?» — муж спрашивал неуверенно, зная о возможных последствиях не хуже моего.

И все-таки я мало-помалу приходила в себя. Блестящие инструменты не терзали череп. Сны становились безгласными и пустыми. Время замедляло ход, останавливалось, оползало беззвучно.

Пару раз мне звонили из института, однако не очень настойчиво: у аспирантов моего года учебных часов нет. Я бормотала о семейных обстоятельствах. На некоторое время меня оставляли в покое.

На исходе третьей недели я услышала хруст ключа. Муж держался неуверенно, глаза отца Глеба упирались в пол. Деликатно, как смотрят на инвалида, он поднял и отвел.

«Давненько!» — голос взял выше обыкновенного. «Вот, решили посидеть — как прежде», — муж потирал руки, нерешительно оглядываясь. Преодолевая слабость, я пригласила заходить. Забравшись в свой угол, отец Глеб устраивался поудобнее. До последней минуты я не могла поверить, что *это* уже началось.

Разговор не клеился. Подливая чай, муж направлял беседу и, словно оттягивая время, вел ее по нейтральной колее. Москва медлила. Вялотекущие слухи прочили в преемники владыку Антония, главным достоинством которого называли утонченный вкус. Коллекция, собранная претендентом на вдовствующую Ленинградскую кафедру, исчислялась сотнями единиц собрания. Злые языки болтали о том, что главнейшим удовольствием прочимого иерарха был тщательный уход за предметами старины. У стеллажей, заставленных бронзой и фарфором, владыка проводил долгие и плодотворные часы. Об этом муж рассказывал мрачно.

«Вот как нового назначат, так и будем дежурить по очереди — сидеть музейными бабками», — отец Глеб покачал головой. «А как... он выглядит?» — я спросила с трудом. Заеды в уголках рта мешали говорить свободно. «Совершенная породистая лошадь: продолговатый череп, знаешь, выкапывают из курганов, остренькая борода на две пряди, глаза немного навыкате, да и росту лошадиного», — муж описал с удовольствием. Отец Глеб взглянул коротко. «Но, в общем-то, говорят, мужик ничего, бывает и хуже, — под коротким взглядом муж устыдился. — Да что говорить, внешность дворянская, правда, с явными элементами вырождения», — все-таки он не удержался. «Значит — конец? — В прежние времена объяснений не требовалось. Оба понимали меня с полуслова. — А Николай?»

«Трудно представить, чтобы они сработались, — войдя в привычную колею, муж отвечал серьезно, — с другой стороны, делать нечего. На все воля Божья. Покойного владыку не заменишь. Плохо то, что об Антонии вообще говорят *разное...*» — «Мне проще, — отец Глеб перебил, — я и раньше, в общем говоря, в сторонке, а тебе — Всемирный совет, московские дела...» Муж потер лоб.

«Может быть, еще обойдется, — я сказала, имея в виду *дворянское* увлечение, — коллекция — дело хлопотное. Вот и будет ею заниматься». — «Хлопотное, но не настолько, чтобы терпеть инакомыслие. А потом, не с потолка же его назначили!» — оттопыренным пальцем муж ткнул в потолок. Короткая усмешка придала ясности: *новый* не потерпит крамолы. Я подумала, начнет с Николая.

«Если коса на камень, Николая *уйдут* с повышением», — муж сказал, словно расслышал. «А тебя?» — я спросила тихо. «Я не монах, такие приказы выполнять не обязан, — он ответил с напором. — Кстати, владыка Николай еще когда предлагал: в Японию, на семь лет, с рукоположением», — он дернул щекой. «Но ты же всегда... Только и мечтал...» Руки, лежавшие на коленях, задрожали мелко. Торопливо, пока не заметили, я спрятала в рукава.

«Но почему... Почему ты не поехал?» — я говорила, задыхаясь. «Ты бы не согласилась. Я знал заранее. Если ехать — одному. — Он помедлил. — Нет, я останусь здесь — до конца». Ради меня он отказался рукополагаться. Ногтями я царапала спрятанные кисти: «Ну и оставайся. Останешься, чем черт не шутит, станешь доверенным лицом — стирать пыль с дорогих украшений!» — «Замолчи, — муж прервал жестко. — Ты — больна». Руки, вырвавшись из норы, метались крысами. Глаза слезились и теряли фокус. Лица тех, кто сидел напротив, смещались и дрожали. Они сидели молча, но я слышала: речь о смерти.

«Дальше будет хуже, если не справимся», — до поры оставаясь в стороне, отец Глеб держался сумрачно. Теперь, когда он вступил, я увидела: губы, шевельнувшиеся мне навстречу, скривились радостью. Коротко отерев рот, он распустил тугой узел. Руки, ослабившие галстук, скользнули по лацканам, и, смиряя, он выложил их на стол и навалился грудью. Резким движением отец Глеб завернул рукава пиджака. Теперь я понимала: не справившись, муж привел подручного.

«Пожалуйста, отпустите меня... Я же...» — глядя в глаза отца Глеба, я не посмела сказать: отпустила вас. Бессильная мольба замерла на моих губах. Я выпрямилась, унимая дрожь.

«Ты больна, — голос мужа вступил откуда-то сбоку, — эта болезнь — особая, мы с Глебом пришли... Это я настоял на том, чтобы *отчитать*». Слабеющими глазами я видела колонну, держащую своды, и голый каменный пол. Мне навстречу их выводили под руки. Изгибаясь, но не смея подняться, расслабленные пытались уползти, скрыться от нещадных глаз. «Ты хочешь сказать, я — бесноватая?» — «Нет, — муж возразил нетвердо. — Я хочу сказать, это — болезнь. В больницу нельзя. После *таких* учреждений выходят с волчьим билетом. Это значит, что, пока не поздно, мы должны испробовать все». — «А если не получится?» — кривая игла восходила над теменем, примеривалась к затылочным костям. «Будем пытаться до последнего», — на этот раз муж ответил твердо. «До последнего, — я сжалась на стуле, — это значит — убить».

Красное ходило под сердцем, сводило ступни. «Только посмейте, и я изведу обоих. В церкви буду вставать напротив. Помнишь *черную моль*?».

«Ты сама себя убиваешь, — отец Глеб приступил с мягкостью. — Неужели ты и вправду думаешь, что мы к тебе — со злом?» Он говорил, что, сопротивляясь, я усугубляю страшную опасность: своеволие не прощается, то, что я задумала, чревато гибелью, сколько случаев, попадают под машину, все говорят — случайность, но случайностей нет, тебе ли не знать. «Глеб прав, — муж нарушил молчание, — ты сама обрекаешь себя». Мимо меня он смотрел в пустоту слепыми глазами. «Это все?» — словно готовясь подписать, я спросила твердо.

Торопливо, как будто боясь упустить главное, отец Глеб заговорил о детях, на которых родительский грех. Рано или поздно, когда родятся, ты узнаешь, как карает Господь — через детей. Он говорил о младенческих смертях, о том, что, ступая на путь своеволия, в жертву мы приносим детей.

Огонь отступал от сердца. Холод, поднявшийся снизу, замкнулся ледяным кольцом. Остов первенца, словно я, сидящая перед ними, стала глиняным сосудом, лежал замурованный во льду. Водя пальцами по щекам, я думала: нет ничего такого, о чем я не знала заранее. От лица карающей церкви они говорили сущую правду, от которой, как от их глаз, нельзя было укрыться.

Я провела рукой по груди, прикоснулась к холодной глине. Запах хлороформа поднялся к моим ноздрям. Отец Глеб перекрестился. На меня он смотрел оплывающими глазами, в которых, содрогаясь от ужаса, я видела любовь. «Что мне сделать, чтобы ты поверила?» — он смотрел тихо и печально, но слова не имели ни связи, ни смысла. «Чтобы поверила?» — я переспросила медленно, как на чужом языке. Язык распух в моем горле, иначе я сумела бы выговорить правду: я поверю тогда, когда *вы* узнаете Божью кару — через *ваших* детей.

Упираясь руками в столешницу, я поднималась тяжело. Я знала: теперь надо действовать хитростью — в ней моя надежда на спасение. «Может быть, действительно стоит попробовать, чем черт не шутит», — я попыталась подмигнуть.

«Знаешь, с этим *господином* надо поосторожнее», — муж поморщился. «С господами», — я возразила тихо. Он не переспросил. (Не возражают, боятся спугнуть. Разговаривают как с сумасшедшей.) «Пойду переоденусь, — я огляделась. — Если уж *отчитывать*, нехорошо в халате». Слабые ноги отказывались держать. Цепляясь за стены, я добралась до комнаты и притворила дверь. Она открывалась наружу, изнутри не подпереть. Цепкими глазами я обшарила комнату, пока не наткнулась: лампа, прикрученная к столу, крепилась на длинном штыре. Стараясь действовать беззвучно, я открутила винт и вытянула из гнезда. Подкравшись к двери, просунула и подперла вывернутым абажуром. Разговаривая вполголоса, они ходили по коридору.

Бояться нельзя, если справятся со мной, справятся и с другими. В дверь стучали настойчиво. «Открой», — отец Глеб звал меня. Руки дрогнули. Опережая дрожь, я зажала их между колен. Спина взмокла. Я сцепила зубы до хруста. «Пожалуйста, открой». Я не узнала голоса. Кто-то, стоявший под дверью, дергал ручку, расшатывая вставленный штырь. Свернутый абажур бился о стену. Углом подушки, давя подступающий ужас, я забила себе рот.

Тревожный запах ладана сочился из дверной щели. Они выпевали в два голоса, неразборчиво. Я слышала шуршание страниц, и под это шуршание голоса вступали попеременно: тенором и баритоном. Угол подушки стал мокрым. Я вытянула изо рта и замерла, прислушиваясь. Шуршало громко и хрустко, как магнитофонная пленка. Под привычный пленочный хруст два голоса сливались в одно. То скверным тенорком, то низким баритоном голоса *отчитывали* меня, изгоняли бесов. Формулы, к которым они взывали, низвергали в бездну, запускали пальцы в такие глубины, где терялся разум. Ужас расслабленного безумия жег изнутри. Снова, как будто *вышла наружу*, я видела себя со стороны — у храмовых колонн. Кто-то, имеющий силу, пронзал метал-

ЛАВРА

лическим взглядом, подступал непреклонно. Зажав ладонями уши, я сползла на пол и шевельнула губами: «Только не слушать, песня, это — другое, в два голоса, я знаю... Это — просто песня... Песня на русские темы...»

Лбом в расставленные колени, обхватив голову руками, я выводила слова, выпевала низким воем: *Пой, лягавый, не жалко, а-а-а поддержу! Я подвою, как шавка, а-а-а подвизжу!* Бесы, проникшие в сердце, сбивались стаями в горле. Сцепившись зеленоватыми ручонками, они рвались наружу, свивались в хоровод, уворачивались от слов, бились в бетонные стены. Страшная песня, клокочущая в моем горле, пронзала их раскаленным штырем, не давала укрыться. Невиданный ветер, поднявшийся над поваленным небоскребом, раскачивал комнату, словно я, обуянная бесами, выла в высокой башне...

Удар чудовищной силы, под которым содрогнулись стекла, обрушился в оконную раму, и, откинув голову, я увидела: наискось — от угла к углу — змеящейся трещиной, как разрывается завеса, расходилось оконное стекло. Острый кусок, выпавший из пазов, брызнул искрами. Громче и громче, раскачиваясь до неба, я кричала и выла страшным мужским баритоном: *Мне б с тобой не беседу, а-а-а на рога... Мне бы зубы, да нету, а-а-а-а — цинга... Вертухаево семя, не дразни, согрешу! Ты заткнись про спасенье, а-а-а-а — гашу...*

Две ручонки, сведенные ужасом, расцепили хоровод. Облетев круг, бесы рассыпались по сторонам и ринулись к оконной щели. Зеленый водоворот вился над выпавшим углом, когда, завывая страшным воем, они бились у трещины, просачивались в щель, падали вниз. Слабая дверь содрогалась под ударами. Хватаясь за край, оползавший в бездну, я поднялась на ноги. В опустевшей комнате, где гулял ветер, я стояла в дверях и, цепляясь, не давала *им* проникнуть.

* * *

Пристанище я нашла в мастерской. Подобрать ключ не составило труда. Точнее, я и не подбирала. Оказалось, он так и висел на моей связке. Это обнаружилось под дверью, когда я наудачу пробовала один за другим. С какой-то попытки повернулось. Я вспомнила: в последний раз мы выходили по очереди, Митя — первым.

Электричества не было. Пощелкав выключателем, я вывернула лампочку: нить оказалась целой. Стараниями бдительной дворничихи опасное помещение обесточили. Вызвать мастера я не решилась.

Таясь, я возвращалась вечерами и, запершись наглухо, готовила ужин. Газ по недосмотру оставили. Единственная исправная конфорка трещала голубоватым пламенем. Набрав из крана воды, я варила нечищенную картошку. Шкурки, окрашенные в цвет земли, лопались трещинками, и, катая клубни в ладонях, я снимала мягкие лоскутки. Картофелины, очищенные от мундиров, казались сладкими. Наевшись, сметала в ладонь коричневатые свившиеся шкурки и по очереди жгла над огнем. Каждую шкурку я держала до последнего, пока огненный вьюнок, выбивавшийся из пламени, не дорастал до моих пальцев.

Погасив газ, я зажигала свечу. Ломкий огонек дрожал в высоком стекле, глядящем на воду. Забираясь на подоконник, я слушала волны, подступавшие к самой стене. В темноте, окружавшей мое пристанище, я чувствовала себя в безопасности. Огонь свечи очерчивал круг, и тьма, не тронутая по углам, оставалась необитаемой.

Голоса, терзавшие меня, первое время норовили вернуться. Тогда, не дожидаясь, пока они вырвутся и набросятся, я сползала с подоконника и обходила комнату, ведя рукой по стене. Под обоями, свисавшими оборванными шкурками, угадывались швы кирпичей. Нащупав, я гладила их подушечками пальцев.

Возвращаясь к окну, я всматривалась в невидимый берег. С той стороны набережная была застроена промышленными зданиями, безлюдными по ночам. По воскресеньям, когда не выходила из дома, я разглядывала застекленные этажи: здания были длинными и приземистыми. При дневном свете они напоминали поваленный небоскреб. По вечерам широкие окна не загорались.

Шум реки однажды стих: в первых числах декабря Невка покрылась льдом.

По будням я ходила в институт. Кафедральные не мешали моему одиночеству: вспоминая Митины уроки, я видела в них *персонажей*.

Таясь от дворничихи, в мастерскую я возвращалась поздно.

Наверное, муж разыскивал меня. По крайней мере, девочка-секретарша упоминала о каких-то звонках. Время от времени мужской голос приглашал меня к телефону и, узнав, что меня нет, вежливо благодарил. «Надо же, как не везет!» — секретарша сокрушалась искренне.

Кажется, только однажды, выходя из института, я заметила: кто-то стоял на мосту, у грифонов. Человек, укрывшийся за постаментом, не тронулся с места. На всякий случай, сбивая его со следа, я покружила по городу и взяла такси.

Постепенно жизнь налаживалась. Каждый день, снимая с себя белье, я стирала его и сушила над плитой, пока однажды, собравшись с мыслями, не догадалась купить на смену. К февралю тревоги улеглись. Голова обретала ясность. Шум, терзавший уши, постепенно стихал. Ни днем ни ночью я больше не слышала пугающих голосов. Однажды, очистив картофелину и привычно сметя шкурки в ладонь, я подумала, что жечь больше нечего: лягушачья кожа сгорела. Я села на край топчана и вспомнила о бахромчатых книгах. Где-то далеко, в поваленном небоскребе, они тосковали без меня.

Бродя по улицам, я мучалась от холода и, продрогнув, находила спасение в парадных: грела руки на ребрах батарей. Отогревшись, отправлялась дальше, выбирая окольные пути. К марту совсем потеплело. Долгие прогулки, совершаемые по необходимости, теперь приносили радость.

Однажды, идя по набережной канала, я свернула и вышла к колокольне. Кованые ворота были открыты. По тающей дорожке бродили вечные голуби. Дойдя до высоких дверей, я вступила в притвор.

Редкие фигуры терялись в необозримом полумраке. Паникадил еще не зажигали, и темноватое храмовое пространство освещалось огнями свечей. Заканчивали литургию оглашенных. Поцеловав Евангелие, дьякон снял его с аналоя и поднес к царским вратам. Блаженные звуки, лившиеся с балкона, омыли замершую память. Впервые за долгие месяцы я решилась вспомнить голос владыки Никодима.

Еще молимся о Великом Господине и Отце нашем Святейшем Патриархе Пимене и о Господине нашем Преосвященнейшем... — послушные губы предстоявших складывались в имя. Вдохнув, я шевельнула не в лад. Нежно вступивший хор разлился в *Господи, помилуй*. Не веря чужим губам, я расслышала: на сугубой ектении *возносили* владыку Антония.

«Успели назначить». Я оглянулась. Служба шла своим чередом. Кафедра, лишенная владыки, не должна была вдовствовать: паства приняла того, кого назначили.

«...Не-ет, на Прощеное владыка Антоний — у нас...» — глаза свечницы сияли из-под платка. Лицо лучилось беспамятной радостью. «Скажите, владыка Антоний... его давно... назначили?» — я спросила шепотом. «А тебе-то что?» — она сверкнула враждебно. «Меня не было... — Помедлив, я добавила: — уезжала». — «Давно», — она буркнула и протянула руку. Пошарив в кармане, я вынула рубль. «Одну?» — свечница спрашивала сурово. «Скажите, а прежнего владыку... его поминают?» — взяв свечу, я побоялась назвать по имени. Мне показалось, она не поняла вопроса.

Под сугубую ектению, самочинно вознося имя Никодима, я пятилась, исчезая в притворе. *Да никто из оглашенних, елицы вернии, паки и паки миром Господу помолимся...* Оглашенная, я вышла сама, не дожидаясь изгнания.

На следующий день мне позвонили. В этот раз муж подгадал верно. «Да, да, здесь, пожалуйста», — радуясь его удаче, секретарша протянула трубку. Он говорил тихо, едва слышно.

«Владыка Николай хочет говорить с тобой», — голос звучал напряженно, словно там, на обратном конце провода, он был не один. «По телефону?» — я спросила равнодушно. «Нет. Он хочет, чтобы ты пришла». Теперь, когда телефонный разговор отменялся, я спросила: «Зачем?» — и прислушалась. Тот, кто стоял рядом, должен был сунуться с подсказкой. «Так принято, когда кто-то из сотрудников, из наших...» — он замолчал. Кафедра наполнялась преподавателями. Прикрывая рукой трубку, я старалась как можно тише: «Хорошо, я поняла». Даже сейчас мне хотелось увидеть владыку Николая. «Тогда я запишу, сам запишу тебя на прием. Обычно вечером, после шести». — «Позвони накануне и сообщи время. Мне передадут». Девочка-секретарша кивала радостно. «Ты вообще как?» — его голос дрогнул. «Нормально». — «Я... Хотел попросить тебя... Когда ты будешь говорить с владыкой...» — «Не бойся, — я ответила. — Владыке я ничего не скажу».

Вечером, в мастерской, представляя себе будущий разговор, я думала о том, что хочу рассказать ему все. Собирая события своей жизни, я нанизывала их, как на холодный стержень. Рассказ получался бессмысленным. Точнее, теперь, когда я стала совершеннолетней, все, случившееся со мною, выглядело нарочитым. Во всяком случае — я пыталась подобрать слово — преувеличенным. То, что я могу рассказать, противоречит его представлениям о церкви — нарушает отлаженный механизм. «*Это я не хочу и не могу в подробностях*», — так сказал Митя, вышедший из родового дома совершеннолетним.

До срока оставалось минут двадцать. По дорожкам лаврского сада я ходила, собираясь с мыслями, и старалась сосредоточиться на главной задаче: мне нужен церковный развод. В моих мыслях развод больше не связывался *с именем*. Мне он представлялся безличным: освободиться от *них*. Расспросов я не боялась. Еще в мастерской подобрала, как мне казалось, нейтральные ответы, которые Николай, связанный практикой предварительного собеседования, будет вынужден принять. Подходя к дверям Академии, я говорила себе: приглашая на собеседование, владыка соблюдает формальность — в первую очередь тягостную для него самого.

Секретарь, одетый в черное, поднял на меня глаза. Назвавшись, я сообщила о том, что записана. Он сверился со списком и скрылся в дверях.

Портреты иерархов, писанные тяжелым маслом, следили за мной со стен. Массивные рамы, украшенные золотом, казалось, не отличались друг от друга. То ли кто-то из прежних отцов-экономов, теперь уже давно умерших, заказал добрую сотню рам — про запас, то ли нынешние, следуя раз и навсегда избранному шаблону, подгоняли каждую следующую под прошедший век. Не доверяя плоховатым глазам, я решилась подойти ближе. От рамы к раме, приглядываясь внимательно, я узнавала нарастающую фальшь. Годы жизни, выведенные под портретами, не оставляли сомнений. *Подлинный* запас иссяк еще в предвоенные годы. После войны они вывешивали *новодел*.

Идя вдоль стены, я искала владыку Никодима: прошло много времени — скорее всего, успели повесить. Глаза забранных в рамы смотрели строго и отрешенно. Владыки среди них не было.

Секретарь, мягко придержав дверь, пригласил войти. Я коснулась бархатной гардины, отделяющей кабинет от приемной, помедлила и вошла. Кабинет выглядел по-старинному просторно. Дубовые стеновые панели темнели сдержанно и достойно. Шторы, ниспадающие бархатными складками, глушили уличный звук. На столе, затянутом сукном, горела зеленая лампа. Я вспомнила: такие — в Публичке, в Ленинском зале. Владыка Николай, одетый в церковное, сидел за письменным столом в глубине. Он улыбнулся и встал мне навстречу. Я подошла под благословение. Положив быстрый крест, владыка пригласил садиться.

«Вы должны простить меня, — положив руки на стол, он начал тихим вежливым голосом. — Повод, который вынудил меня пригласить вас, отнюдь не располагает к беседам, тем более с человеком вроде меня, прямо скажем, малознающим, если иметь в виду *особенности* мирской жизни. Однако мое положение, — он обвел рукой кабинет, словно сослался на издревле принятое обыкновение, — накладывает обязательства. Кроме того, я никогда не закрывал глаза на мир, и если сам *лично* не пережил многое, то уж, во всяком случае, многое обдумал. Благодаря многолетней пасторской практике». — «Не беспокойтесь, владыко. Ваше положение я понимаю. Вы можете задавать вопросы».

Продолжая свою мысль, он заговорил о том, что любой развод, какими бы причинами он ни был вызван, событие слишком важное, чтобы не сделать попытки разобраться. Конечно, церковная практика знает процедуру развода, но в каждом отдельном случае требует благословения. Эта печальная необходимость ложится на благословляющего если не тяжким бременем, то — ответственностью.

Я слушала. Владыка взял академический тон — за это я была ему благодарна.

«Каковы причины, которые церковь признает уважительными?» — я принимала его правила. «Во-первых, прелюбодеяние», — он выговорил сдержанно и бесстрастно. «Первого достаточно. Говоря коротко, я — прелюбодейка». Это слово я произнесла легко. Так меня назвал монах, опиравшийся на посох. В конечном счете он оказался прав. Воровка и прелюбодейка... Я прислушалась к пустому сердцу. Разговор, который мы вели в кабинете, не обретал монастырской тяжеловесности.

«Вы?..» — он медлил. Я усмехнулась. Обещание, данное по телефону, держало меня. Нет, я думала, дело не в обещании. Так или иначе, я не смогла бы во всех подробностях. «Что ж, — я кивнула, — если это необходимо, могу рассказать».

Осознавая, что ступаю по грани, едва ли уместной с принявшим монашество, я говорила короткими фразами, не упоминая ни Митиного имени, ни особенных обстоятельств. «Вы, — он назвал меня по имени-отчеству, — собираетесь вступить в новый брак?» — «С *житейской* точки зрения, если оставить в стороне формальности, можно сказать, это уже произошло».

Глаза блеснули остро: «Если я правильно вас понял, браком вы называете союз, не засвидетельствованный, — он помедлил, подыскивая замену, — ...людьми и не освященный церковью...» — «Мой опыт, в отличие от вашего, ограничивается личными обстоятельствами. В известном смысле его можно назвать еще более ничтожным, — заходя издалека, я мягко отбивала подачу, — поэтому *лично* мне иногда кажется, что многое в жизни определяется не свидетельствами, а ходом вещей...» Острые глаза собеседника стали тридцатилетними. Он был младше их всех, кого я, измученная их одержимостью, назвала поколением своих любовников и мужей.

«Ходом вещей? — он переспросил. — Вы имеете в виду, что обстоятельства порой оказываются сильнее нас?»

Смерть владыки Никодима поставила его перед выбором: посмертная верность вступала в противоречие с ходом вещей.

«Нет, — я ответила, — не всякие. По крайней мере, не житейские. Любовь и ненависть, рождение и смерть...» — «Это — правда, — он перебил, примеривая к своей жизни. Личный опыт, на который я заставила его опереться, играл на моей стороне. — Однако, — он пересиливал личное, — все, что вы теперь перечислили, в человеческом обществе подлежит, как бы это сказать, не то чтобы регулированию... Но даже если оставить в стороне церковь и таинства, многое из перечисленного вами подлежит общественному признанию». Он высказал неловко, но я поняла.

Я тоже чувствовала неловкость. Пост, который он занял *ходом вещей*, мешал говорить свободно. Во всяком случае, я не могла сказать ему главного: те, на кого он опирается, надеются *использовать* его. Но, как бы то ни было, мне казалось, ему нравится почтительная легкость моего тона. В кругу подчиненных, исполненных иерархической бессловесностью, ему дышалось тяжело.

«Ваш довод, владыко, при всей его кажущейся привлекательности, лично мне представляется сомнительным. — Нетерпеливо кусая нижнюю губу, он дожидался развернутого ответа. — Этот довод работал бы только в одном случае: если бы нам пришлось *доказывать* наше биологическое отличие от животных. Вы считаете, нужны доказательства?»

Я жалела о том, что у меня связаны руки. Тому, кто прожил жизнь внутри комсомольского оцепления, не расскажешь всей правды. Не то чтобы наша правда была особенной... Можно подобрать слова. Пусть не впрямую — обиняками: в этом искусстве мы все, замороченные скверным временем, были сильны. Привыкшие жить в окружении призраков, самым зловещим из которых был призрак *телекрана*, умели находить двоедушные формулировки, чтобы — если понадобится — вывернуть наизнанку. Однако *про себя* мы имели ясное представление о том, где лицо, а где изнанка. В разговоре с владыкой все было безнадежнее и сложнее. Слово, произносимое по разные стороны комсомольского оцепления, существовало в разных системах координат. *Их* и *наши* слова означали *разное*. Взять прелюбодеяние... В это слово мы и они вкладывали разный смысл.

Словно касаясь обреза бахромчатой книги, я говорила, что исторически человек перерос животное настолько, что любая попытка найти этому доказательство оборачивается изощренным мучительством.

«То, что вы называете человеком, в действительности не существует: церкви приходится иметь дело не с человеком, а с народом, еще точнее говоря, с людьми. Все люди разные. Среди них встречаются и такие, которым именно это и приходится доказывать».

«Если церковь, — я говорила осторожно, подбирая слова, — как и тысячи лет назад, все еще стремится доказать принадлежность *каждого человека* к человеческому роду, причем критерием этой принадлежности избирает покорность традиции, она перестает быть *духовным* телом народа. Становится *новым родовым институтом*. Попросту говоря, первобытным».

«Первобытным? — владыка переспросил настороженно. — Вы имеете в виду бессилие дикаря в борьбе с природой?..» Я покачала головой.

Разве я могла сказать ему, что *полагаясь* на людей, которым он надеется доказать их принадлежность к человечеству, он тем самым отворачивается от *нас*? В моих словах не было бы высокомерия. Просто те, кого он назвал *народом*, отличались от нас не биологически, а исторически, и эта разница заключалась не столько в опыте собственной жизни, сколько в стремлении переосмыслить другой опыт, доставшийся по наследству. Они, составляющие *его народ*, для которого он готовился стать первосвященником, каждый раз начинают заново — с момента своего рождения. Другие, меньшинство, которое отец Глеб полагал чуждым народу, а Митя называл монотеистами, не могут отрешиться от опыта, доставшегося в наследство от поруганных отцов.

Даже с ним, сделавшим церковную карьеру, мы полагались на разный опыт — как будто прочли разные книги. В отличие от моих, бахромчатых, которые владыка провозил беспрепятственно, через депутатский зал, его книги уходили в давние времена, точнее, отстояли от нашего времени почти на два тысячелетия, и в этом была *их правда*. Она заключалась в том, что за этот срок они успели стать почти безличными, вобрали в себя слишком много, чтобы кто-то, чья память ограничивается несколькими десятилетиями, мог надеяться их в чем-то убедить.

Тогда, в свои двадцать пять лет, я не могла сказать этого прямо. И не потому, что боялась. *По-настоящему* я просто этого не знала: учителя, учившие меня жизни, не могли передать того, что называется *социальным опытом*. Этот опыт появляется лишь тогда, когда что-то меняется в общественной жизни. Настоящее, которое нам досталось, было вечным и неизменным, душным и тягостным, как дурная бесконечность. В 1980-м нам казалось, что будущее, если речь идет об этой стране, никогда не наступит.

Во всяком случае, в том памятном разговоре с владыкой Николаем я не могла знать ни своего, ни, главное, его будущего. Разве я могла предположить, что наши потомки, своими глазами увидев будущее, обратятся к нашему прошлому и, заглядывая в него, как в зеркало, станут искать и находить в нем *хорошее*, и наше прошлое, которое все мы, до самой смерти, будем считать помрачением, многим из них покажется подлинным и настоящим?

Ничего этого я не знала, а значит, могла полагаться только на тихие и почти неразличимые слова: снова, как когда-то, задолго до моего страшного воя (муж и духовный отец назвали его одержимостью, а любовник — тяжкой болезнью), я начинала их слышать. В тишине, куда погрузилась моя душа, они казались сильными и внятными, но я, чувствуя телесную слабость, еще не решалась их записать...

Теперь мне кажется, что этими словами со мной говорили бахромчатые книги, которые я — за годы, прошедшие с той пасхальной ночи, — успела прочитать. Их авторы — про себя я назвала их монахами — разговаривали со мной. Многие из них не дожили до середины XX века, но в те минуты, когда я их слышала, мне казалось, я могу угадать и ненаписанные слова.

Этого я не могла сказать владыке, а потому возвратилась к делу, ради которого пришла.

«Первобытная религия соединяет человека с его предками, которые, если суметь к ним подладиться, при случае могут защитить. С нами — по-другому. Наши предки, вспомним недавнее прошлое (мне хотелось сказать: историю XX века), не имеют опыта нашей жизни. Их опыт не может нами управлять. Все, что они могут, это передать нам толику своего исторического опыта, чтобы мы, переосмыслив, могли их услышать».

«Вот именно, — владыка подхватил решительно и взволнованно. — Но предки — это не одно или два поколения. Опыт предков хранит православная церковь. И это — не исторический опыт. Церковь — это прежде всего таинства. В них залог национального единства и — он помедлил — надежда на Второе пришествие».

Второе пришествие — смерть. Я думала о том, что национальное единство не достигается смертью. Во всяком случае, не в нашей стране. Убитым и убийцам не сойтись ни по ту, ни по эту сторону: у их потомков не может быть *общих* предков.

«Православная церковь, — я продолжила медленно и внимательно, — прежде всего — власть. Точнее говоря, она обладает властью над душами, в некоторых случаях — неограниченной...» Теперь я и вправду жалела о том, что связана словом: обещала не упоминать ничего, что могло бы бросить тень. Иначе я рассказала бы ему об отце Глебе... Это казалось мне важным.

«Вы — о себе?» Тридцатилетние глаза смотрели напряженно. Он, облеченный церковной властью, желал убедиться в моей покорности. Я поняла, от *этого* ответа зависит исход. Именно теперь, соблюдая приличия, я должна была признать их власть над своей душою, ответить: да. Совершеннолетняя мудрость, свившаяся под сердцем, нашептывала покорный ответ. Однако исторический опыт, переданный мне Митей, нерасторжимая связь с которым с церковной точки зрения называлась прелюбодеянием, говорил *другое*.

«Нет, владыко, — я встретила напряженный взгляд. — В данном случае я говорю не о себе. Над своей душой я не могу признать *ничьей* неограниченной власти. За себя я отвечаю сама». Теперь по долгу иерархии он должен был меня изгнать. Медленно, словно раздумывая, владыка поднимался с места. Готовая принять неизбежное, я встала.

«Давайте попьем чаю», — в голосе Николая не осталось отцовства. Встав с места, он заговорил, как брат.

(Муж, духовный отец, брат, любовник — полный набор персонажей моей нелепой жизни. Теперь у меня есть соблазн назвать ее *комедией дель арте*. В этом театре, как и подобает, за кулисами присутствовал режиссер: в каком-то смысле мы все играли навязанные роли.)

Украдкой я взглянула на часы. Владыка поймал мой взгляд и усмехнулся. Его рука потянулась к звонку.

Секретарь внес поднос, заставленный чайной посудой. Стоя в дверях, он оглядывался, не приближаясь. «Поставь на журнальный», — владыка приказал коротко. Тень удивления мелькнула в вышколенных глазах, но, опустив их почтительно, иподьякон поднес к дивану. «Проходите, садитесь, здесь удобнее», — владыка Николай улыбался. Выходя из-за стола, он снял с головы скуфью.

Помешивая горячий чай, он говорил о том, что в таинствах есть известная жесткость, точнее говоря, непреклонность, которую люди, далекие от церковной жизни, склонны называть чрезмерной. Однако она уравновешивается неиссякаемой милостью, и эта милость выше человечности. Гуманизм — старый соблазн, с которым сталкивается человечество, но там, где выбирают человечность, не остается места для божьей милости. Взять протестантов. Выбрав человечность, они отказались от таинств. Вынуждены были отказаться, потому что в этом выборе наличествует неисповедимая тайна: нельзя ставить человека во главу мироздания. Это — нарушение *иерархии*. Слово, которое он произнес, мы тоже понимали по-разному.

«Вы говорили о том, — он продолжил, — что православная церковь стремится стать национальной, то есть, по вашему слову, родовой. Это — совсем не так. Точнее, не совсем так. Родовой становится церковь, отказавшаяся от таинств, иными словами — протестантская. И тут-то, как говорится, круг замкнулся, — владыка улыбнулся победительно. — Стоило им отказаться от таинств, во главу угла немедленно встала семья. Вот и весь исторический выбор: либо вы смиряетесь перед таинствами, либо — признаете приоритет ценностей семейных. Но тогда ни при каких обстоятельствах речь не может идти о разводе. Для человека, отказавшегося от таинств, развод — не выход. Не согласны?»

Я могла возразить ему, но остановилась. Быстрым взглядом, словно мы сидели на кухне, я обвела потолок и подняла палец к уху. Владыка прочел безошибочно: «Вряд ли. Впрочем, — он развел руками, — тут я могу только предполагать». — «В таких делах любое предположение трактуется в пользу *обвиняемых*». Мы рассмеялись одновременно.

В нашей стране *этот* опыт был общим — от него не могли защитить никакие комсомольские кордоны.

«Что касается семьи, — я искала подобающий довод, — протестантам было на что опереться. Мы в другом положении. Семья, за которую, возможно, и стоило держаться, в наших условиях штука довольно скверная. — На языке вертелось другое слово. — Потому что за нее уже подержались *обвиняемые*. — Снова я подняла глаза к потолку. — Если бы нам довелось прочесть дела, там обнаружилось бы многое. Или на худой конец анкеты...»

Владыка изогнул бровь: «Вы хотите сказать, что условия *той* реформации существенно отличаются от наших?» Теперь он заговорил так, словно и не нуждался в доказательствах необходимости обновления. Я подумала о том, что ему — ученику покойного владыки Никодима — я сумею объяснить свою боль.

«Когда я говорю о церковной власти, я имею в виду то, что в нашей стране человек, приходящий в церковь, оказывается под двойным давлением, внешним и внутренним, кроме того, сама церковь... — я не решалась продолжить. — Простите, но иногда мне кажется, что именно обновленцы попытались нащупать главный конфликт: церкви и государства». — «Обновле-енцы?» — он протянул настороженно. «Нет, не так, — я продолжила, теряясь. В присутствии *обвиняемых*, наводивших телекраны, мне не хватало слов. — Не попытались, а нащупали, то есть потом оказалось, что нащупали, или их самих, с их же помощью... Их использовали... Не знаю, как сказать».

Гуляй мы по саду, мне хватило бы слов. Я сказала бы: опыт, на который я вынуждена ссылаться, говорит мне, что в рабской стране абсолютное подчинение церкви — не спасение. Оно — второй жесткий ошейник, который церковь, победившая обновленцев, но обесчещенная бесовским государством, пытается надеть на шею раба.

«Вы имеете в виду отношения церкви с *обвиняемыми*?» Он принял слово. Во всяком случае, в нашем странном непрямом разговоре оно стало общим. Это слово мы, обладающие разным опытом, понимали одинаково.

«Да, — я подтвердила коротко, — потому что именно здесь главный конфликт. Если бы сейчас, в наши дни, кто-нибудь решился начать реформацию, мимо этого он не смог бы пройти». — «Судя по вашим *откровенным* словам, — владыка перебил с недоброй усмешкой, — лично вы ожидаете не Второго пришествия, а второго Лютера? Вряд ли это возможно. Наше дело, — он коснулся рукою лба, — сохранить в неприкосновенности канон и таинства». Иными словами, я подумала — свой особый язык. Когда-то, десятилетия назад, на этом языке разговаривали наши предки. С тех пор они перестали быть *общими*, во всяком случае, нам пришлось научиться разговаривать *на другом*.

Не поднимая глаз, владыка наливал чай. Когда поднял, я изумилась перемене. Снова, как в давнем московском поезде, когда я, задержавшись, предупредила о близкой опасности, его глаза подернулись холодом. Явственно, как будто он произнес вслух, я прочла: «Неужели она все-таки — *из них*?» Двоедушная мысль, мелькнувшая на мгновение, объединяла его *с нами* смертельней всякого таинства.

Владыка спрятал глаза и отставил стакан.

«Что касается неограниченной власти над душами, которую вы приписываете православной церкви, — до этого еще далеко. В нашей стране не ведется такого рода статистических исследований, но, даже учитывая *некоторый* рост количества верующих, — он подчеркнул дипломатично, — наблюдаемый в последние годы, здесь еще непочатый край...» — он говорил с оглядкой на *них*.

Поднявшись, владыка направился к столу. Рассеянно и доброжелательно, словно думая о своем, он задавал короткие вопросы. Они относились к моей повседневной жизни. Я отвечала лаконично. «Что ж, — он надел скуфью. — Побеседовав с вами, я пришел к выводу, что в *данном случае* для церковного развода нет препятствий». Я подошла и склонила голову.

В приемной ожидали. В креслах, расставленных вдоль стен, сидели посетители, одетые по-церковному. Выйдя из кабинета, я удивилась многолюдству и, только взглянув на часы, поняла: вместо часа, предусмотренного его рабочим графиком, мы проговорили три.

Слушая пустое сердце, я шла по главной аллее. Разговор обессилил меня. Я шла и думала о том, что дело не во мне: вызывая меня на разговор, владыка хотел выслушать *другую* сторону. Выслушать, прежде чем сделать выбор. Моя вина, что я не сумела его убедить. Как бы то ни было, теперь все кончилось. Я свободна. Никто из них — ни те, ни эти не имеют надо мной власти. *Их* время, в котором моя душа привыкла корчиться, изблевало меня из своего желудка. Я, глубоководная рыба, лежала на пустом берегу. Мир, в котором я оказалась, сузился до размеров моей собственной жизни. В нем не было ни верха, ни низа, а значит — я поняла, — и земли. В мире, лишенном иерархии, мне больше незачем жить.

Добравшись до мастерской, я замкнула дверь. Все было тихо. Мешок картошки стоял в углу. Машинально я выбрала несколько клубней и сложила в кастрюлю. Зыбкая мнимость жизни окружала меня. Я сама становилась мнимостью, на которую не могла положиться.

Сладковатый запах газа сочился из плохого крана. Картошка не закипала. «Господи, — я сообразила, — зачем? Есть ничего не надо... Противно, если стошнит».

«Церковь умеет только с мертвыми». Я вспомнила и встала на сторону церкви. Среди мнимых величин, занявших мир, смерть оставалась единственной правдой. Она одна обладала силой, способной заполнить пустоту.

Не отнимая пальцев от крана, я радовалась тому, что теперь, когда пришло мое время, я остаюсь в здравом рассудке. Сумасшедшие цепляются. Усмехнувшись, я повернула два раза — назад и вперед. Слабое шуршание, похожее на шелест магнитофонной пленки, наполнило мастерскую. Склоняясь над конфоркой, я вдыхала дрожащий воздух. Тонкая струйка, не расцветающая пламенем, выбивалась наружу. Она пахла унылой смертью, не знающей ни иерархии, ни таинств. Приторная струя добралась до легких — стала тошнотворной. Содрогаясь от легочных спазмов, я согнулась в кашле. Отравленный висок пульсировал. Стараясь сдержать кашель, я добралась до топчана.

«Лечь и закрыть глаза... Чтобы — во сне...» Под веками плыли чужие лица. Их было много, как бывает на земле. Ровно и недвижно, не открывая глаз, я лежала и смотрела, как, подходя по одному, они склоняются над изголовьем. Все, кого я оставляла в этом мире, были моими *изъятелями*... Где-то вдали билось короткое пламя — распускалось алым цветком. Газовый цветок пах удушливой смертью, пущенной по *их* трубам...

Человек, одетый в белую рубаху, заправил ее за пояс и встал со скамьи. По аллее Марсова поля, истоптанной чужими ногами, он двигался по направлению к мосту. В удушливой мастерской, как в стеклянном гробу, я ждала его так, словно время, от которого я отказалась, текло надо мной десятилетиями. Все ближе и ближе, огибая кирпичное здание, он подходил к окну. С трудом открыв глаза, я встала и пошла к подоконнику. Пальцы легли на стекло. Там стояло Митино лицо. Белые глаза пронзали меня насквозь. Шаря по подоконнику, я нащупала что-то и сжала в горсти. Он был моим отражением — глядел на меня из глубины. Митина рука, державшая что-то темное, поднялась и нанесла удар. Стеклянный гроб хрустнул. Острые обломки стекол посыпались со звоном. Широкая струя ударила в легкие.

По полу, цепляясь ногтями, я доползла до шипящей конфорки и, подтянувшись на руках, привернула кран.

Бледный лик, обращенный к двери...

Из окна, заложенного подушкой, тянуло холодом. Согреваясь под ворохом тряпок, я засыпала без снов. Сквозь сон вслушивалась в пустое пространство, силясь расслышать слова. Они были слабыми и невнятными, едва различимыми. Просыпаясь, я подносила руки к лицу. Пальцы вздрагивали, словно в них оставалась дрожь, рождаемая словами. От ночи к ночи я слышала все яснее.

Иногда, подходя к окну, заткнутому подушкой, думала о стекольщике: чужой голос, стекольный звон, скрип алмазного резца. Вызвать я так и не решилась. Однажды мне стало жарко, и, сбросив тряпки, я поняла, что настало лето.

В институт я ходила раз в месяц — получать аспирантскую стипендию. Ее хватало на самое необходимое: картошка, мыло, сахар и хлеб. Время от времени, особенно по утрам, начиналась дрожь. Тогда, выбиваясь из дневного бюджета, я покупала сливочное масло. По весне, еще в начале марта, я успела пройти процедуру ежегодного собеседования в ректорских покоях. Теперь аспирантское начальство не обращало на меня внимания. Ни у кого из них не хватило бы смелости *турнуть* ректорского аспиранта.

К июлю окрестности опустели. Я выбиралась из мастерской и уходила в сквер на улице Савушкина. Там стояли скамейки, за которыми в зарослях кустов скрывались приземистые двухэтажные дома. Местные старухи называли их бараками. Эти бараки строили немцы. Старухи сетовали на коммуналки («Видать, так и помрем в общей...»), однако гордились качеством жилья. Каменные двухэтажки немцы выстроили на совесть.

Долгие свободные часы старухи проводили в неспешных разговорах, и, подсев, я слушала и не слушала вязкую болтовню. То обсуждая товарок, то делясь продуктовыми удачами, они ткали полотно своего повседневного существования. Жизнь, начавшаяся с военных тягот — неспешно и степенно каждая вспоминала годы военного труда, — расцвела майской победной радостью и с тех пор ежедневно укреплялась радостями помельче. Они достались по праву. Не проходило и дня, чтобы одна или другая, прервав горестные сетования, не спохватывалась: «Лишь бы не было войны!»

Постепенно, от месяца к месяцу, я понимала все яснее: новую зиму не продержаться. Перспектива бесславного возвращения рисовалась все определеннее, и, глядя в пустую стену, я приучала себя думать об этом почти равнодушно, как о неизбежном. Иногда приходила мысль снять комнату. Цен на жилье я не знала.

Все сложилось само собой. В конце августа я вышла в город и неожиданно встретила Веру. Разговора избежать не удавалось: мы не виделись давно. Зардевшись, Вера сообщила, что выходит замуж за семинариста. Свадьба назначена на сентябрь, рукоположение — следом. «Кажется, приход дают в Новгороде». Я кивала равнодушно. «Ты-то как?» — она спросила, спохватившись. Я отвечала неопределенно. Судя по поджатым губам, Верочка была в курсе.

«Послушай, — сама не знаю, как я решилась, — ты ведь все равно уедешь, значит, твоя комната... » Она поняла. «Ладно, — в голосе плеснуло презрение, — поговорю с бабкой. Надо же тебе где-то...»

За словами стояло другое: даже таким, как ты, надо где-нибудь жить.

«Поговорю, только учти, бабка добрая, и берет дешево. Правда, не разрешает *водить*». — «Не бойся, не буду», — я обещала покорно и равнодушно.

В бабкину комнату на Малой Московской я въехала в середине сентября.

* * *

Митю я узнала со спины. Толпа, выходившая из метро, распадалась на два потока. Он стоял посередине. Пассажиры обходили его раздраженно. Митя повернул голову. Кажется, я шагнула первая. Неловко и скованно он сделал шаг навстречу.

Не сговариваясь, мы пошли рядом. Я прислушивалась к себе, пытаясь понять. Не было ни радости, ни печали, как будто встреча, о которой я не помышляла, относилась к моей жизни так, как может относиться случайная встреча с дальним родственником, давно потерянным из виду. Я шла, не поворачивая головы и, глядя вперед, загадывала дома: серый, угловой. Дойдем, и попрощаюсь.

«Скоро я получу документы». Я пожала плечами. Дальние родственники живут в разных точках земли. «Здесь не могу, задыхаюсь», — Митя откашлялся, словно глотнул неловко. «И куда ты?..» — «Поеду? — он переспросил и усмехнулся. — Куда-нибудь... Мир большой. Как все. Сначала — Рим».

Огромный купол встал над городом. Я видела толпу, запрудившую площадь: неразличимое море лиц. Над ним, качаясь из рук в руки, плыл запаянный наглухо свинцово-дубовый гроб. Епископы, наряженные в праздничные распашонки, стояли на широком балконе, вспоминая о своем чудесном спасении...

«Если не выпустят...» — Митя сморщился и махнул рукой. «От этого не умирают», — я прервала жестко. «Да, —

он сказал, — большинство. Такие, как ты». Дом, выходящий на перекресток, снова выпадал серым. «Ну что ж...» — я повернулась. Митино лицо казалось старым. Сетка морщин стягивала щеки и лоб.

Болен — я отметила равнодушно. «И что, думаешь, *они* тебя выпустят?» — «Нет. Думаю, нет», — он ответил, как о чужом. «Тогда зачем подавал?» — «Подавал давно. Прошло три месяца. Теперь ситуация изменилась».

Так же ровно, не повышая голоса, он объяснил: ответ будет завтра. Последние месяцы все шло как по маслу. Собственно говоря, разрешения давали всем. Какая-то негласная договоренность по международной линии, наши обязались выпускать, *те* — что-то такое взамен. Дебелая баба разговаривала благожелательно, только что не желала счастливого пути. Неделю назад ему позвонили — попросили занести дополнительную бумажку, ерунда, не хочется и рассказывать, дело не в ней, он махнул рукой. Явившись, он заметил что-то новое: баба косилась в угол — дурной знак. Он заподозрил сразу, дома включил приемник, кажется, «Голос Америки»: неделю назад договоренность нарушилась, конечно, по вине советской стороны. Широковещательно не трезвонят, но те, кто является за документами, получают отказ. Все, без исключений.

Темная радость поднималась со дна. Она разливалась все шире, дрожала, как донный ил. «И что, *никакой* надежды?» — я спросила высокомерно. «Есть. Самая последняя — на *них*, — Митя смотрел беззащитно. — *Тогда* они намекнули сами: хотят от меня избавиться. В конце концов, это их обязанность — чистить ряды». — «У тех, кто живет здесь, единственная обязанность — ненавидеть. Помнишь? А я запомнила. Это — твои слова». — «И — что?» — Митя слушал, не понимая. «А то, что *они* тоже живут здесь».

Поток машин двигался в сторону площади узкой полосой. Тысячи полос пересекали город из конца в конец. В зареве

октябрьского вечера я думала о своем единственном желании — вернуться в бабкину комнату и лечь.

«Скоро я стану старухой». — «Не кокетничай, — Митя
поморщился, — в твоем исполнении разговоры о старости — безвкусица, впрочем, никогда ты не отличалась безупречным вкусом». Я кивнула и пошла прочь. Если бы сейчас за моей спиной раздался взрыв, все равно я бы не обернулась.

Я шла и видела город, изрезанный огненными полосами.
Кто-то невидимый, управляющий светофорами, пускал
и тормозил потоки машин. Тьма укрывала дома, заливала
зияющие подворотни. Опавшие пласты штукатурки кроши-
лись под ногами.

«Дурак, зря надеется, — я чувствовала холод. — На этих
ни в чем нельзя полагаться». Холод лез в рукава. Никуда не
выпустят, плакал его бестселлер. Я представила себе цвета-
стую книжку, которой не будет. Нелепо и глупо надеяться на
сбои в их отлаженном механизме. Хотели бы выслать, не
стали бы три месяца тянуть.

Так — я остановилась, понимая: никакого обещания не
было. Они ничего не обещали. Митя надеялся на обещание,
которое выдумал сам.

Теперь не убивают, позволяют жить. *Долго* живут одни
старухи, до самой смерти благодарные *за все*. «Старые
ведьмы!» — я остановилась. Ведьма, колдовавшая над котлом, в котором шипела свежая кровь, потребовала русало-
чий язык. За это она обещала свою помощь. Лично мне ничего не надо. А значит, не за что и платить. «Полно, — я сказала. — Во-первых, я — не русалка. А во-вторых, мы не
в Гефсиманском саду».

Оглянувшись, я заметила, что подхожу к Юсуповскому
саду. За оградой уже виднелся дощатый павильон. Последние отдыхающие собирались к распахнутым воротам. На
Садовую они выходили медленно, как будто шли под водой.

Темные кроны колыхались осенними листьями. Я вошла и, свернув в аллею, села на скамью.

Под толщей воды сиделось тепло и покойно. Закрыв глаза, я думала о сестрах-русалочках, которым нет дела до человечьих страстей. Высоко над головой, собираясь стайкой, они резвились в кронах деревьев. Где-то здесь, за кустами, скрывалась клумба, украшенная обломком. Глазами я обшаривала газоны, надеясь найти. Голова юного принца откололась от туловища во время бури. Я помнила, будто украшала сама.

Беловатый бюст стоял у самого павильона. Ко мне он был повернут затылком. Поникшие цветы опоясывали тумбу. Обойдя, я села напротив.

Белые глаза того, кто — крашенный серебрянкой — стоял на Почаевской площади, глядели в пустоту.

«Если Митя на *них* надеется, значит, ему придется просить у *этого*», — я не успела усмехнуться. От пруда потянуло гнилостью. Тошнотворный запах бархатцев стлался по земле. Я услышала хруст гравия. Три грузовика, похожие на фургоны, медленно двигались по аллее. Объезжая деревянный павильон, они направлялись к площадке, украшенной обрубком. Грузовики доползли до клумбы и, развернувшись к ограде, выпростали толстые кишки.

«Нет ничего такого... ничего такого... что я не знала заранее...» Тошнотворная жижа урчала в недрах фургонов. «Там, в Почаеве, их много, много людей...» В саду никого не было. Перед глазами, белевшими под защитой *говновозок*, я сидела одна. Застонав от позорного бессилия, вскочила и кинулась прочь.

Тяжелое урчание собиралось за спиной. Вперед, по Садовой, я бежала не останавливаясь, чувствуя, как оно пронизывает мою плоть. У Крюкова канала остановилась, прислушиваясь. Кажется, стихло.

Внизу, у ближних быков, вскипала вода. Под котлом, полным тошнотворной мерзости, горел *их* вечный огонь. Белый пар подымался от варева, уходил в открытое небо. Вокруг, шевеля в котле баграми, они стояли и помешивали вар, пробуя на вязкость. Только у *них,* жертвуя последним, нужно было просить — в обмен. Митино лицо, иссеченное морщинами, поднималось ко мне из глубины. Что ни попросишь, обманут. Он смотрел на меня больными глазами.

Отшатнувшись от перил, я пошла быстрым шагом. Над пустым городом, по которому я ступала, поднимались тусклые Никольские купола. Они висели, не опираясь на барабаны, словно мираж среди пустыни, исчерченной горящими каемками изъезженных полос. Содрогаясь от ужаса, я раздвигала кукурузные стебли: таким, как я, *за так* не дадут. Не было ничего, кроме мнимой и жалкой жизни, что я, вознося мольбу, могла предложить.

Чуя за спиной урчание *говновозок,* я открыла дверь и вошла в притвор. Служба еще не начиналась. Высокий монотонный голос бормотал у канона. Почти на ощупь, ничего не видя вокруг, я пошла вперед и встала у лика.

«Господи, — я обратилась исчезающим голосом, — вот я стою и говорю пред Тобой. Нет у меня ничего, что можно отдать Тебе, попросив взамен. Нет у меня ни дома, нет и детей, которых Ты, когда родятся, накажешь. Нету и веры, по которой, как *они* говорят, дается. Душа моя не слушается таинств, в которых Твоя надежда. Сюда я пришла потому, что там, под воротами, уже стоят машины с толстыми шлангами. Стоят и дожидаются меня. Там, где Ты не бываешь, можно просить только у них...» Лик, вознесенный надо мною, оставался недвижным.

«Господи, — я начала снова, уже зная, что предложу. — Я солгала Тебе, Господи, потому что есть одно-единственное, то, что я умею расслышать, но еще не решаюсь написать. Оно дрожит во мне, пронзает кончики пальцев. Я слышу слова, в которых соединяются земля и небо. И это я отдаю Тебе, чтобы *они* отпустили Митю».

Он смотрел вперед, дальше меня, туда, где под самым притвором *они* разворачивали шланги. Я оглянулась и увидела пустое пространство, не заполненное людьми. Утробное рычание фургонов доносилось сквозь высокие двери.

«Господи, — я сказала. — Ты не должен бояться. *Здесь* всегда страшно. Просто надо привыкнуть, я же привыкла». Бледный лик, обращенный к двери, дрогнул. «Ничего, — я сказала, — Господи. Просто люди еще не успели, но я-то все-таки есть».

Неловко, подогнув колени, я опустилась на каменный пол и легла крестом. Лицом в камень, не сводя над головой рук, я лежала ровно и недвижно, пока они, направляя шланги, поливали вонючими струями небо и землю.

ОГЛАВЛЕНИЕ

ЧАСТЬ I

ЧАСТЬ II

ЧАСТЬ III

Литературно-художественное издание

Чижова Елена Семеновна

ЛАВРА

Роман

Заведующая редакцией *Е.Д. Шубина*
Редактор *Д.З. Хасанова*
Технический редактор *Т.П. Тимошина*
Корректоры *О.Л. Вьюнник, М.И. Уланова*
Компьютерная верстка *Н.Н.Пуненковой*

ООО «Издательство Астрель»
129085, г. Москва, проезд Ольминского, д. 3а

ООО «Издательство АСТ»
141100, Московская обл., г. Щелково, ул. Заречная, д. 96

Электронный адрес:
www.ast.ru
E-mail: astpub@aha.ru

Отпечатано с готовых файлов заказчика в ОАО «ИПК
«Ульяновский Дом печати». 432980, г. Ульяновск, ул. Гончарова, 14

«Полукровка» — это роман-провокация и роман-гротеск. Почти детективная интрига, брошенная в начале, не дает покоя ни героине, ни читателю...

Героиня романа Маша Арго талантлива, амбициозна, любит историю, потому что хочет найти ответ «на самый важный вопрос — почему?». На истфак Ленинградского университета ей мешает поступить пресловутый пятый пункт: на дворе середина семидесятых.

Девушка идет на рискованный шаг — подделывает анкету, поступает и ...начинает «партизанскую» войну. Одна против всех!!!

Но кто она теперь? Жертва или безнаказанная преступница?